P9-DHP-438

THÉOPHILE HAMEL

Peintre national

(1837-1870)

Raymond Vézina
Docteur en Histoire de l'Art

THÉOPHILE HAMEL

Peintre national (1817-1870)

TOME I

Éditions Élysée

De l'édition originale de cet ouvrage,
il a été tiré
50 exemplaires, hors commerce,
sur papier Renaissance des Papeteries Rolland,
tous ces exemplaires étant réservés.
Et 2000 exemplaires sur papier Offset St-202 blanc
des Papeteries Rolland.

Cet ouvrage a bénéficié d'une subvention
du Ministère des Affaires Culturelles.

ISBN 0-88545-013-2

ÉDITIONS ÉLYSÉE
C.P. 188, Station Côte Saint-Luc
Montréal H4V 2Y4

Dépôt légal : 4e trimestre 1975.
Bibliothèque nationale du Québec.
Bibliothèque nationale d'Ottawa.

TABLE DES MATIÈRES

Table des sigles

AAQ	Archives de l'archidiocèse de Québec
ADC	**L'Aurore des Canada**
AFPB	Archives de la famille Papineau-Bourassa chez Anne Bourassa à Montréal
AIC	Archives de l'Institut canadien
AMQ	Archives municipales de Québec
ANQ-FPB	Archives nationales du Québec — fonds Papineau-Bourassa
APC	Archives publiques du Canada
ARP	**L'Ami de la religion et de la patrie**
ASME	Archives du Séminaire de Québec
BRH	**Bulletin des recherches historiques**
DBC	**Dictionnaire biographique du Canada**
DC	**Daily Colonist**
IBC	Inventaire des biens culturels
JIP	**Journal de l'instruction publique**
LC	**Le Canadien**
LCC	**Le Courrier du Canada**
LJQ	**Le Journal de Québec**
LM	**La Minerve**
LRC	**La Revue canadienne**
NJP	Greffe du notaire Joseph Petitclerc
QG	**Québec Gazette**
TMC	**The Morning Chronicle**
TQM	**The Quebec Mercury**

À Mineko

À Kumiko

AVANT-PROPOS

La dispersion des œuvres et l'absence d'études partielles ont rendu laborieuse la préparation de cette étude. Les notes de Gérard Morisset ayant facilité considérablement les recherches préliminaires, je tiens à rendre hommage à cet homme dont l'immense labeur sert de point de départ à tant de travaux en art canadien. En outre, mes recherches dans les collections privées, les musées, les paroisses et les archives de tous genres n'auraient pas été suffisantes sans l'aide de plusieurs personnes compétentes et serviables. En parcourant le texte, le lecteur pourra évaluer la part de mérite qui revient à chacun. Mais dès les premières lignes, je veux mettre leur nom bien en évidence afin de leur manifester ma reconnaissance.

Mesdemoiselles Ginette Massé et Monique Laurent, Messieurs Yves Laliberté et Marc Lebel m'ont rendu de grands services. Parmi les bibliothécaires spécialisés, je tiens à mentionner Monsieur Philippe Treffry du musée du Québec, Mademoiselle Martha Cook, Messieurs Georges Delisle et Auguste Vachon des Archives publiques à Ottawa ainsi que Madame Carmen Morin, responsable des archives de l'Institut canadien à Québec. Plusieurs collectionneurs se sont aimablement prêtés à mes visites. Je remercie chaleureusement Monseigneur Felix-Antoine Savard, Monsieur Paul J. Audet ainsi que Mademoiselle Anne Bourassa de Montréal. La compétence du Docteur Brouillet m'a permis de discuter certaines questions. Un grand nombre de paroisses possèdent des œuvres et partout j'ai reçu un accueil chaleureux. Je remercie particulièrement les prêtres de Chicoutimi, Saint-Hugues, Rivière-Ouelle, Saint-Ours, Nicolet, Grondines, Saint-Charles-de-Bellechasse ainsi que Monseigneur Jean-Marie Fortier de Sherbrooke. Plusieurs communautés religieuses m'ont ouvert leurs portes. À Montréal, les Sœurs des Saints Noms de Jésus et de Marie ainsi que les Sœurs de la Congrégation de Notre-Dame. À Québec, les Augustines, les Ursulines, les religieuses du Bon-Pasteur et les Sœurs de la Charité. Les Pères jésuites Adrien Pouliot et Georges-Émile Giguère ainsi que Monseigneur Victor Tremblay de Chicoutimi n'ont pas ménagé leur peine.

À Ottawa, grâce au responsable des œuvres d'art conservées au Sénat, j'ai pu admirer la magnifique galerie de portraits dus au pinceau de Théophile Hamel. Messieurs Jean Trudel et John Porter de la Galerie nationale, Madame Isabel Barclay Dobell du musée McCord et Monsieur Alfred Matte du Château de Ramezay se sont montrés d'une grande amabilité. À Québec, j'ai pu compter sur le dévouement entier de Monseigneur Jean-Pierre Paré au Séminaire et de Monsieur Claude Thibault au musée. Monsieur Roland Auger et Monsieur Raymond Gingras du Service de généalogie ont collaboré avec une efficacité constante. Monsieur Michel Cauchon, directeur de l'Inventaire des biens culturels de la province de Québec, n'a pas hésité à faire photographier plusieurs œuvres inédites. De grandes collections m'ont été d'un précieux secours. D'abord celle de Monsieur Maurice Corbeil. Et surtout celle de Mademoiselle Madeleine Hamel, petite-fille de l'artiste. Plusieurs membres de la famille Hamel ont en outre droit à ma gratitude. Enfin, Monsieur Mervyn Ruggles, directeur du laboratoire de conservation et de restauration ainsi que Monsieur R. H. Hubbard, conservateur de la Galerie nationale m'ont donné de précieux conseils. Au moment où le monde de l'édition traverse une période des plus incertaines, Monsieur Joseph Cohen n'a pas hésité à réaliser ce projet difficile et je l'en remercie.

INTRODUCTION

L'objectif de cette étude consiste à formuler une appréciation esthétique de l'œuvre de Théophile Hamel.

Mais le développement très récent des études sur l'art canadien n'a pu combler les lacunes graves qui rendent difficile une entreprise de cette nature. Sur un plan général, nous ne disposons d'aucune étude sur la profession de peintre aux 18ème et 19ème siècles. Les prix des œuvres d'art n'ont pas été étudiés. L'évolution de la clientèle selon les groupes ethniques et les classes sociales reste à écrire. Enfin, les comparaisons stylistiques établies entre les divers artistes québécois demeurent trop générales. En outre, Théophile Hamel est un artiste peu étudié. Sa biographie a été esquissée à grands traits sans que nous soient connus son milieu familial, ses voyages en Europe, les étapes de sa carrière et sa situation financière. Pas un seul article spécialisé n'a été consacré à l'étude de ses œuvres ou aux personnages qu'il a peints. Bien que la belle exposition organisée par R.H. Hubbard en 1970 ait ouvert la voie, nous ne possédons aucun catalogue de son œuvre.

Conscient de l'ampleur de la tâche, j'ai utilisé deux moyens pour réunir les connaissances indispensables à l'étude esthétique des œuvres de Théophile Hamel. En premier lieu, il était nécessaire d'entreprendre une large enquête de type historique afin de découvrir le plus grand nombre de données liées à la carrière artistique de Théophile Hamel. Pour l'ensemble du sujet, trois sources ont été mises à profit. D'abord les archives. La nature des archives de Madeleine Hamel nous met en contact immédiat avec l'artiste. Nous y trouvons des dessins, des aquarelles, des tableaux et des lettres. Les archives judiciaires ont aussi livré une masse de documents très importants pour fonder la biographie du personnage sur des assises solides. Les livres de délibérations et les livres de comptes de plusieurs fabriques mentionnent les tableaux de Théophile Hamel. Les archives nationales de Québec et d'Ottawa possèdent des documents qui ont éclairé plusieurs faits. Les documents de l'Assemblée législative et du Conseil législatif ont aussi été consultés. En second lieu, les journaux de l'époque offraient une mine de documentation dont l'exploitation m'a été grandement facilitée par les dépouillements partiels mais précieux de Gérard Morisset. Enfin, il serait inutile de mentionner les bibliothèques si certaines ne contenaient des pièces d'archives comme l'**Album Viger** à la bibliothèque municipale de Montréal. Par ailleurs, le paysage et les compositions religieuses ne sauraient faire oublier l'importance du portrait où Théophile Hamel a donné le meilleur de lui-même. Une spécialisation aussi rigoureuse demande des explications. J'ai l'intention de montrer que la société canadienne des années 1850 avait surtout besoin du portrait et d'un type de portrait bien particulier. En produisant ce genre de tableaux, Théophile Hamel s'est assuré une carrière nationale et une place privilégiée dans la hiérarchie sociale.

En second lieu, les œuvres originales ont constamment servi de base à cette recherche. Théophile Hamel a eu l'heureuse idée de signer et de dater un grand nombre de ses tableaux. Mais que de démarches pour retrouver les œuvres ! Certaines enquêtes ne conduisent nulle part. Voici un cas particulièrement décevant. Le musée du Séminaire de Québec possédait depuis longtemps le portrait de Sir Francis Hinks. Le tableau fut vendu à l'antiquaire Georges Klimoff de Québec le 18 février 1958. Peu après Mme Desrosiers, petite-fille de Théophile Hamel, recevait la visite d'une jeune Américaine, étudiante aux cours d'été, qui venait d'acheter un portrait de Théophile Hamel chez un antiquaire. Or Mme Desrosiers n'est plus. Cette jeune personne est retournée aux États-Unis avec son tableau. La famille a toujours pensé qu'il s'agissait du tableau représentant Hinks. Qui nous en fournira la preuve ? Et comment retrouver ce portrait ? Les cas comme celui-là demeurent cependant exceptionnels. En outre, un regroupement des œuvres se poursuit depuis environ trente ans. Phénomène complexe où le hasard joue un grand rôle. Des familles se défont de leurs œuvres à l'avantage de musées de toutes natures. Par ailleurs, des entreprises privées donnent leurs œuvres aux musées des communautés. C'est ainsi qu'en 1972, Le Prêt hypothécaire cédait aux Augustines de l'Hôtel-Dieu de Québec, un très beau portrait du Docteur Joseph Morrin. En contrepartie, des œuvres conservées dans les musées des communautés passent aux musées de l'État. Depuis quelques mois le beau **Christ** des Sœurs de la Charité de Québec se trouve au musée du Québec après avoir appartenu à un collectionneur. Les œuvres de Théophile Hamel intéressent de plus en plus le public ; déjà certaines collections privées dépassent les collections des musées. J'ai cherché les œuvres éparses dans la famille Hamel, chez les collectionneurs, dans les musées, les paroisses et les édifices publics. Mon étude se fonde principalement sur un échantillon formé de 601 œuvres vues dont environ 265 de Théophile Hamel, 212 de Napoléon Bourassa, 75 d'Eugène Hamel, 19 de A.-S. Falardeau et 30 de Ludger Ruelland.

L'étude du portrait exigeait une démarche particulière. Plusieurs voies s'ouvrent pour l'étude de ce genre. On peut s'attacher à résoudre les problèmes que pose chaque figure en identifiant le personnage puis en documentant le plus possible sa vie et celle de sa famille. C'est généralement ce que fait Hans Naef dans ses études des portraits d'Ingres. Il est possible de s'attacher au contenu symbolique de l'œuvre comme fait Julian Gallego pour la peinture espagnole du siècle d'or. Mais les œuvres de Théophile Hamel ne se prêtent qu'exceptionnellement à ce dernier genre d'étude. Fidèle à l'objectif fondamental, j'ai préféré une recherche de type esthétique, où la composition de chaque œuvre a été étudiée et comparée avec l'ensemble de la production de Théophile Hamel et avec les œuvres de divers artistes. La comparaison avec les artistes européens demeure une question très délicate puisque nous connaissons peu les activités de Théophile Hamel au cours de son séjour en Europe. Pour saisir l'originalité de son art, il est cependant indispensable de comparer prudemment certains aspects de son art avec les tableaux de grands maîtres. L'art italien et surtout le Titien semblent lui avoir fourni l'essentiel de son programme esthétique. À ce stade de l'enquête, les buts de l'artiste, sa méthode et ses particularités techniques ont donc longuement retenu mon attention.

Le volume présente dans un ordre simple les connaissances nécessaires à l'appréciation des œuvres. Le premier chapitre fait connaître l'artiste et sa carrière selon l'évolution chronologique. Dans le deuxième chapitre, le lecteur pourra se familiariser avec l'ensemble de sa production picturale grâce à une étude thématique. L'art du portrait chez Théophile Hamel est ensuite mis en évidence par les études stylistiques qui forment le chapitre trois. C'est là que le lecteur trouvera les principaux jugements esthétiques. Le chapitre quatre présente les disciples qui perpétuent sa manière jusqu'au 20ème siècle. Enfin, le catalogue de son œuvre fait l'objet d'un cahier tiré à part.

Il m'a semblé prudent de travailler à l'intérieur de limites bien connues du lecteur. Ces limites font que plusieurs aspects de l'art de Théophile Hamel devront être étudiées ailleurs. Deux études ont déjà été publiées :

> « Théophile Hamel, premier peintre du Saguenay », dans **Saguenayensia**, janvier-février 1975, pp. 2-16.
>
> « Evolution of the Lineage of Théophile Hamel : 1636-1975. An instance of social advancement due to art », dans **French Canadian and Acadian Genealogical Review**, 1975.

De plus, les copies de Théophile Hamel devront être analysées en tenant compte des modèles peints ou gravés. L'influence du Titien sur ses compositions mériterait une attention toute spéciale. Enfin, il faudra entreprendre une étude comparative de Théophile Hamel avec les autres peintres canadiens. Ce travail ne peut être accompli actuellement. D'une part, nous manquons de bonnes études sur plusieurs artistes comme Joseph Légaré et surtout Antoine Plamondon. D'autre part, je n'ai pas encore examiné suffisamment d'œuvres originales de ces artistes pour entreprendre une étude comparative. J'ai cependant exploré les possibilités d'une telle démarche dans l'« Attitude esthétique de Cornelius Krieghoff au sein de la tradition picturale canadienne-française » publié dans RACAR, en 1974. Des spécialistes ont été consultés pour toutes les questions éloignées de ma compétence : restauration de tableaux, sociologie, économie et le reste. Enfin, à chaque étape de cette étude, je n'ai retenu que les faits et les documents qui font mieux connaître l'artiste et ses œuvres.

Tableau I ÉLÉMENTS BIOGRAPHIQUES

Date	Vie familiale	Carrière artistique	Aspects financiers et sociaux
1780	1786, 10 mars : Baptême de François-Xavier Hamel, père de Théophile		
	1787, 29 juin ou janvier : Baptême de Marie-Françoise Routier, mère de Théophile		
	1789, 3 décembre : Naissance de Georges-Barthélemy Faribault, son beau-père		1793, 21 octobre : Achat d'une terre par René-Stanislas-de-Koska Hamel.
1800	1800, 3 mai : Naissance de Julie Planté, sa belle-mère		
1810	1812, 8 janvier : Mariage de ses parents		
	1812 : 22 novembre : Naissance de François-Xavier, son frère		
	1814, 31 août : Naissance d'Abraham, son frère		
	1816, 30 mai : Naissance de Suzanne, sa sœur		
		1817, mars : Vente de tableaux de la collection Desjardins	
	1817, 8 novembre : NAISSANCE DE THÉOPHILE HAMEL		
	1819, 17 juin : Naisssance de Thomas-Stanislas, son frère		
1820	1821, 10 juin : Mariage de G.-B. Faribault avec Marie-Julie Planté		
	1822, 2 août : Naissance de Joseph-Colbert, son frère		
	1825, 19 mars : Naissance de Victor-Zoël, son frère		
	1827, 29 août : Naissance de Ferdinand-Edmond, son frère		
1830	1830, 30 mars : Naissance de Léocadie, sa sœur		
	1831, 25 septembre : Naissance de MATHILDA GEORGINA FARIBAULT, son épouse		
		1834, 16 mai au 16 mai 1840 : Apprentissage chez Antoine Plamondon	
1840		Première période québécoise	
		1840, 24 juin : Atelier au no 20, rue Buade. La maison appartient à la veuve Clouet	
	1841, 1er mai au 30 avril 1842 : Bail pour une chambre au second étage de la maison de Mme Clouet		
		1841, 16 juin : Atelier au no 20 de la rue Lamontagne	
		1841, juin : Tournée dans « les paroisses inférieures » pour obtenir des commandes	
			1841, 27 décembre : Don de la terre paternelle à Thomas-Stanislas, frère de Théophile
		1843, 18 avril : L'artiste sollicite des commandes à réaliser en Europe	
		Période européenne	
		1843, 12 juin : Départ de Québec pour l'Europe	
			1843, 10 juin : Théophile Hamel nomme son frère Abraham procureur général pour ses biens
		1843, 14 juillet : Arrivée à Londres	
		1843, 8 août : Arrivée à Rome	
			1844, 8 février : Présenté au Pape
		1844, juin : Voyage à Naples	
			1844, 13 décembre : S. Derbishire demande que l'Assemblée législative accorde une pension à Théophile Hamel. Refus
		1845, août : Se rend à Venise	1845, début de l'année : Souscription volontaire faite par le Gouverneur général
		1845 ou 1846 : Séjour à Paris et en Belgique	
		Deuxième période québécoise	
		1846, 10 août : Annonce du retour de Th. Hamel à Québec	
		1846, septembre : Atelier au no 13, rue Saint-Louis	

Date	Vie familiale	Carrière artistique	Aspects financiers et sociaux
		Période montréalaise	
	1847, novembre : Brève maladie	1847, fin octobre : Séjour ou installation définitive à Montréal 1847, 16 novembre : Retour de New York 1847, décembre : Ouverture de l'atelier, rue Notre-Dame. Il l'occupera jusqu'en 1850 1848, 1er octobre au 20 mai 1850 : [dates probables]. Cours à Napoléon Bourasssa qui partage son atelier	
			1848, 24 novembre : Nommé lieutenant 1849 : Membre de l'Asssociation des comtés de l'Islet et de Kamouraska pour coloniser le territoire du Saguenay
		Période torontoise	
1850	1850, Studio au St. Lawrence Hall sur la rue King est	1850, 25 juillet : Séjour à Toronto 1850, octobre : Participation à l'exposition industrielle provinciale	
		Troisième période québécoise	
			1851, 10 juillet : Inventaire des biens de famille légués à Thomas-Stanislas
		1851, octobre : Installation définitive à Québec : atelier au 56, rue Saint-Jean	
			1851, 11 août : Prêt de $600 à la fabrique de Saint-Pacôme 1852, 2 février : Admission à l'Institut canadien 1852, 28 septembre : Prêt de $400 à la Fabrique de Saint-Pacôme
		1853, 14 juin : L'Assemblée législative commande une galerie de portraits	
	1854, Résidence au 56, rue Saint-Jean		
			1856, 11 mars : Achat d'une maison sur la rue Sainte-Geneviève
	1856, Résidence au no 7, rue Sainte-Geneviève	1856, juillet à septembre : Séjour à Toronto 1857, juin et juillet : Séjour à Toronto 1857, août : Participation à l'exposition de l'édifice Bonaventure	
	1857, 9 septembre : Mariage avec Mathilde-Georgina Faribault		
			1857, 23 septembre : Vente de sa maison de la rue Sainte-Geneviève 1857, 8 octobre : Prêt de $800 à la fabrique de Saint-Germain de Rimouski
		1857, 20 octobre : Atelier au Music Hall, rue Saint-Louis 1858, février : Séjour à Toronto 1858, Voyage dans le Bas du fleuve	
	1858, 6 juillet : Naissance de Georges, son fils		
			1858, 31 août : Prêt de $8,000 à ses frères Abraham et Joseph
1859	1859, 5 mai : Inhumation de François-Xavier Hamel, son père		
			1859-1860, Membre du bureau de direction de l'Institut canadien
	1859-70, Résidence au no 4, rue des Carrières		
1860			1860, 20 février : Don pour le monument des Braves 1860, 31 mai : Nommé capitaine
	1860, 30 août : Naissance de Julie-Hermine, sa fille		
		1861-69, Atelier au no 11, rue Saint-Jean	
	1861, Th. Hamel atteint d'une maladie de la vue		
			1861, 20 avril : Prêt de $48 à Louis-Antoine Légaré, cultivateur
		1862, 14 septembre au 1er juillet 1863 : Leçons de peinture à Eugène Taché	
	1862, 21 septembre : décès de Georges, son fils		

Date	Vie familiale	Carrière artistique	Aspects financiers et sociaux
		1862, 26 octobre : Incendie de son atelier	
	1862, 24 novembre : naissance de Gustave, son fils		
			1863, 14 janvier : Prêt de $3,400 à Madame J.E. Bolduc
			1863, 6 avril : Adjudication de $139.95 annuels en faveur de Th. Hamel
	1864, 26 septembre : Naissance de Louise-Corine, sa fille		
		1865 : Cours de dessin aux religieuses de Jésus-Marie pendant environ trois ans	
	1865, 10 août : Décès de Louise-Corine		
	1865, 29 novembre : Naissance de Joseph-Édouard, son fils		
	1866, 24 décembre : Décès de G.-B. Faribault		
	1866, automne : Conseils de Napoléon Bourassa pour triompher de sa maladie		
			1867, 8 janvier : Hérite de G.-B. Faribault, son beau-père
		1867, février : Envoi de trois tableaux à l'Exposition universelle de Paris	
			1867, 17 avril : Prêt de $1,200 à Thomas Fahey
	1867, Théophile fait une chute qui l'oblige à garder la maison		
	1867, juillet-août : Voyage à Gaspé pendant plus d'un mois		
	1868, avril : Décès de Joseph-Édouard, son fils		
	1868, été : Théophile fait un voyage de santé		
	1868, 26 juillet : Décès de Thomas-Stanislas, son frère		
		1868, octobre : Séjour à Montréal	
		1869, 29 mars : Atelier au no 24, rue Saint-Jean	
			1869, 19 mai : Prêt de 600 louis à Édouard Casault de Château Richer
1870	1870, 24 juillet : Napoléon Bourassa l'invite à venir se reposer et prendre les eaux de Calédonia		
		1870, 3 octobre : Eugène Hamel, revenu d'Europe, prend la place de Théophile dans son atelier de la rue Saint-Jean	
			1870, 13 décembre : Testament de Th. Hamel
	1870, 23 décembre : DÉCÈS DE THÉOPHILE HAMEL		
			1870, 24 décembre : Les membres de l'Institut canadien assistent aux funérailles et prennent le deuil
	1870, 27 septembre : Inhumation au cimetière Belmont		
1880			
1890			
1900			
	1906, 16 mai : Décès de Mathilde-Georgina Faribault, sa femme		
			1905, Les biens laissés par Théophile Hamel sont estimés à $19,280 sans compter les meubles et les tableaux
			1905, Mme Théophile Hamel estime ses propres biens à $14,854 sans compter argenteries, volumes et vêtements

Tableau 2

FRÈRES ET SŒURS DE THÉOPHILE HAMEL AVEC LEURS CONJOINTS

Frères et sœurs	Conjoints	Enfants
François-Xavier (22 novembre 1812)		
Michel-Abraham (31 août 1814 — 7 mai 1886)	1. Cécile Roy (28 juin 1815 — 26 décembre 1876)	Eugène * (10 octobre 1845 — 20 juillet 1932) 1. Julie-Octave Côté (décédée le 20 décembre 1876)
	2. Amélie Giard	2. Ernesta de Cadilhac (décédée le 3 mai 1914)
Marie-Suzanne (30 mai 1816 — 8 décembre 1899)		
François-Xavier **THÉOPHILE** (8 novembre 1817 — 23 décembre 1870)	Mathilde-Georgina Faribault (25 septembre 1831 — 16 mai 1906)	Gustave * ~ Amélie Duchesnay
Thomas-Stanislas (17 juin 1819 — 26 juillet 1868)	1. Suzanne-Élisabeth Routier 2. Zoé Lockwell	
Joseph-Colbert (2 août 1822 — 7 août 1894)	Élisa Routier	Ernest * ~ Agnès Campbell
Victor-Zoël (19 mars 1825)		
Ferdinand-Edmond (29 août 1827 — 15 janvier 1890)	Scholastique-Georgine Routier	
Léocadie (30 mars 1830)	André-Théophile-Honoré Lockwell	

* Seuls les enfants concernés dans cette étude sont mentionnés.

8. Pierre Hamel
marié à

4. René-François
Stanislas de Koska
Hamel marié à

9. Marie-Anne Constantin
le 26 avril 1718
à Ste-Foy

2. François-Xavier
Hamel marié à

10. Joseph Sédillot
marié à

5. Marie-Louise
Sédillot dit Montreuil
le 19 octobre 1772
à Ste-Foy

11. Marie-Louise Robitaille
le 10 janvier 1752
à l'Ancienne-Lorette

1. Théophile Hamel
1817-1870

12. Antoine Routier
marié à

6. Antoine Routier
marié à

13. Françoise Moreau
le 29 octobre 1731
à Ste-Foy

3. Fraçoise Routier
le 28 janvier 1812
à l'Hôpital général
de Québec

14. Pierre Belleau
marié à

7. Françoise Belleau
le 14 octobre 1771
à Ste-Foy

15. Françoise-Constantin
le 7 février 1752
à Ste-Foy

16. Jean-François Hamel marié à 17. Anne-Félicité Levasseur le 23 avril 1685	32. Jean Hamel marié en France 33. Marie Auvraie vers 1660 34. Pierre Levasseur dit l'Espérance marié à 35. Jeanne de Chanverlange le 23 octobre 1655
18. Pierre Constantin marié à 19. Suzanne-Marguerite Guyon du Rouvrai le 6 novembre 1696 à St-Augustin	36. Guillaume Constantin marié à 37. Jeanne Massé le 6 mai 1661 à St-Augustin 38. Michel Guyon marié à 39. Geneviève Marsolet le 4 septembre 1662 à Québec
20. Louis Sédillot marié à 21. Jeanne Sabatier le 26 août 1704 à Notre-Dame de Québec	40. Jean Sédillot marié à 41. Marie de la Hogue le 27 novembre 1669 42. Jean Sabatier marié à 43. Marie-Madeleine Hedouin le 8 janvier 1684 à Québec
22. André Robitaille marié à 23. Louise Drolet le 2 mars 1734 à l'Ancienne-Lorette	44. André Robitaille marié à 45. Marguerite Hamel le 19 janvier 1706 à l'Ancienne-Lorette 46. Pierre Drolet marié à 47. Catherine Routhier le 21 septembre 1688
24. Jean Routier marié à 25. Marguerite Trud le 1er janvier 1698	48. Jean Routhier marié à 49. Catherine Méliot le 20 novembre 1662 à Québec 50. Mathurin Trud marié à 51. Marguerite Gareman le 29 janvier 1652 à Québec
26. Michel Moreau marié à 27. Madeleine Larue le 8 août 1712	52. Mathurin Moreau marié à 53. Marie Girard le 8 mai 1667 54. Jean De La Rue marié à 55. Jacqueline Pain le 20 novembre 1663 à Québec
28. Pierre Belleau dit La Rose marié à 29. Anne Bonnami le 7 janvier 1722 à Ste-Foy	56. Blaise Belleau dit La Rose marié à 57. Hélène Cailly le 25 septembre 1673 à Québec 58. Inconnu 59. Inconnu
30. Pierre Constantin marié à 31. Geneviève Doré le 16 janvier 1730 à St-Augustin	60. Pierre Constantin marié à 61. Suzanne-Marguerite Guion le 6 novembre 1696 à St-Augustin 62. Louis-Pierre Doré marié à 63. Catherine Cocquin le 24 novembre 1699 à Québec

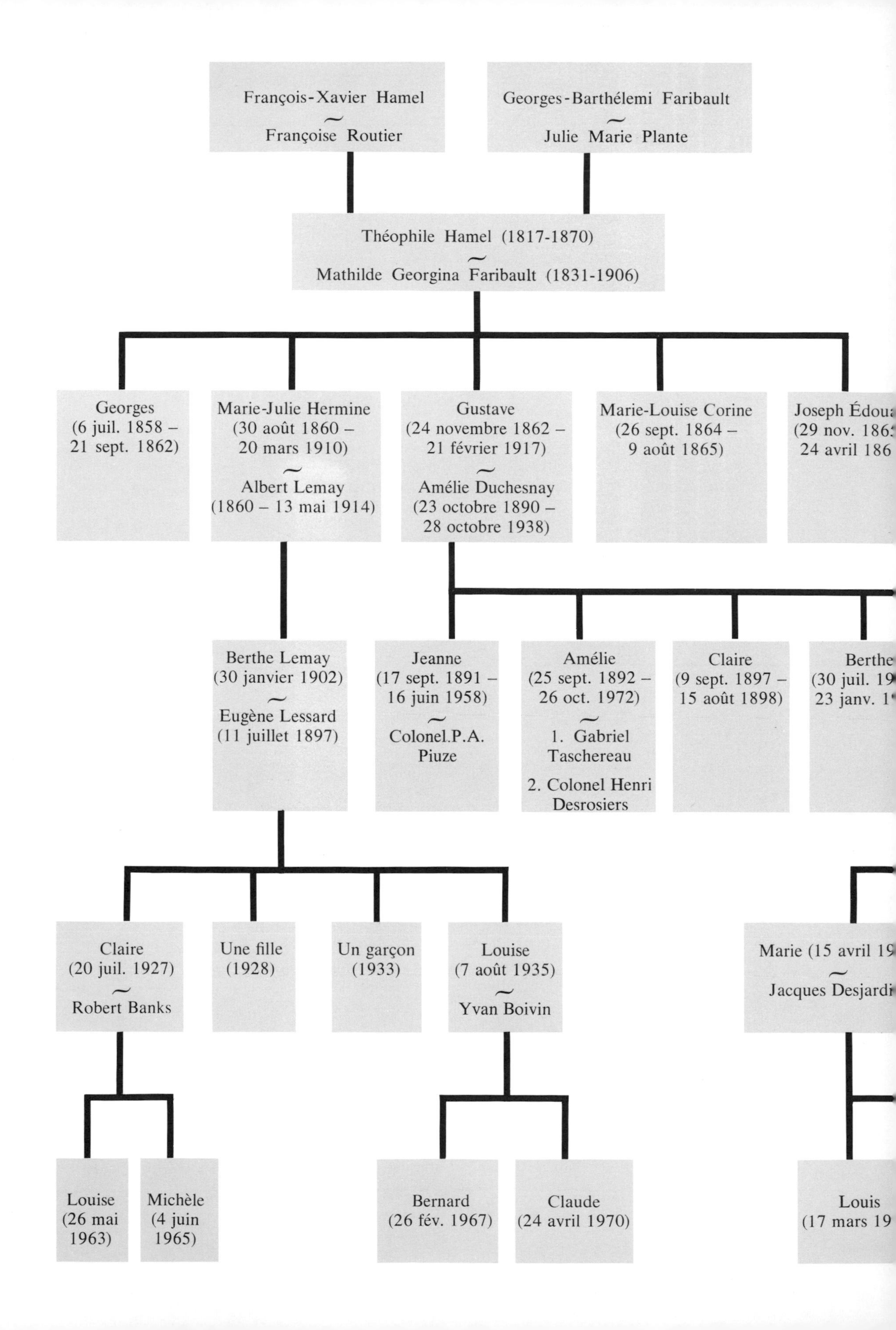

François-Xavier Hamel
~
Françoise Routier
Georges-Barthélemi Faribault
~
Julie Marie Plante
Théophile Hamel (1817-1870)
~
Mathilde Georgina Faribault (1831-1906)
Georges
(6 juil. 1858 –
21 sept. 1862)
Marie-Julie Hermine
(30 août 1860 –
20 mars 1910)
~
Albert Lemay
(1860 – 13 mai 1914)
Gustave
(24 novembre 1862 –
21 février 1917)
~
Amélie Duchesnay
(23 octobre 1890 –
28 octobre 1938)
Marie-Louise Corine
(26 sept. 1864 –
9 août 1865)
Berthe Lemay
(30 janvier 1902)
~
Eugène Lessard
(11 juillet 1897)
Jeanne
(17 sept. 1891 –
16 juin 1958)
~
Colonel.P.A.
Piuze
Amélie
(25 sept. 1892 –
26 oct. 1972)
~
1. Gabriel
Taschereau
2. Colonel Henri
Desrosiers
Claire
(9 sept. 1897 –
15 août 1898)
Claire
(20 juil. 1927)
~
Robert Banks
Une fille
(1928)
Un garçon
(1933)
Louise
(7 août 1935)
~
Yvan Boivin
Louise
(26 mai
1963)
Michèle
(4 juin
1965)
Bernard
(26 fév. 1967)
Claude
(24 avril 1970)

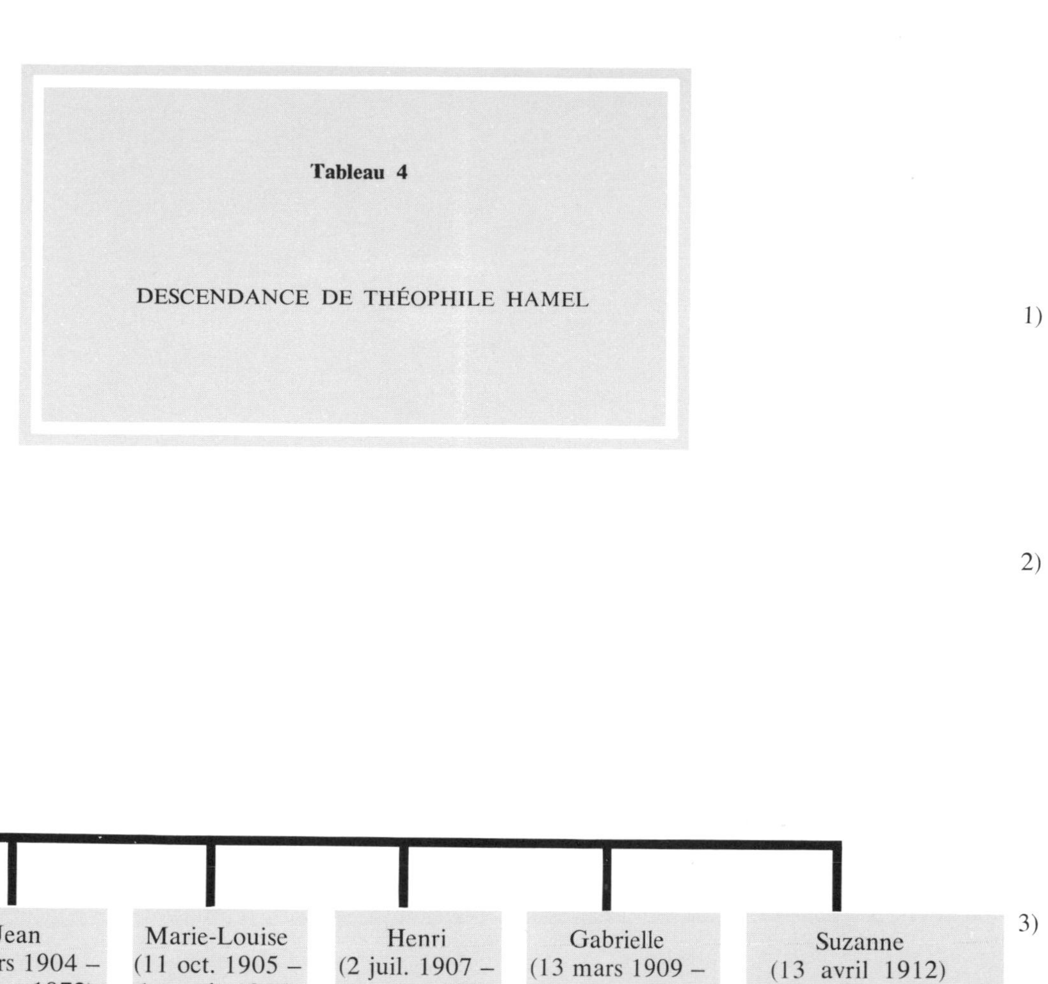
Tableau 4
DESCENDANCE DE THÉOPHILE HAMEL
1)
2)

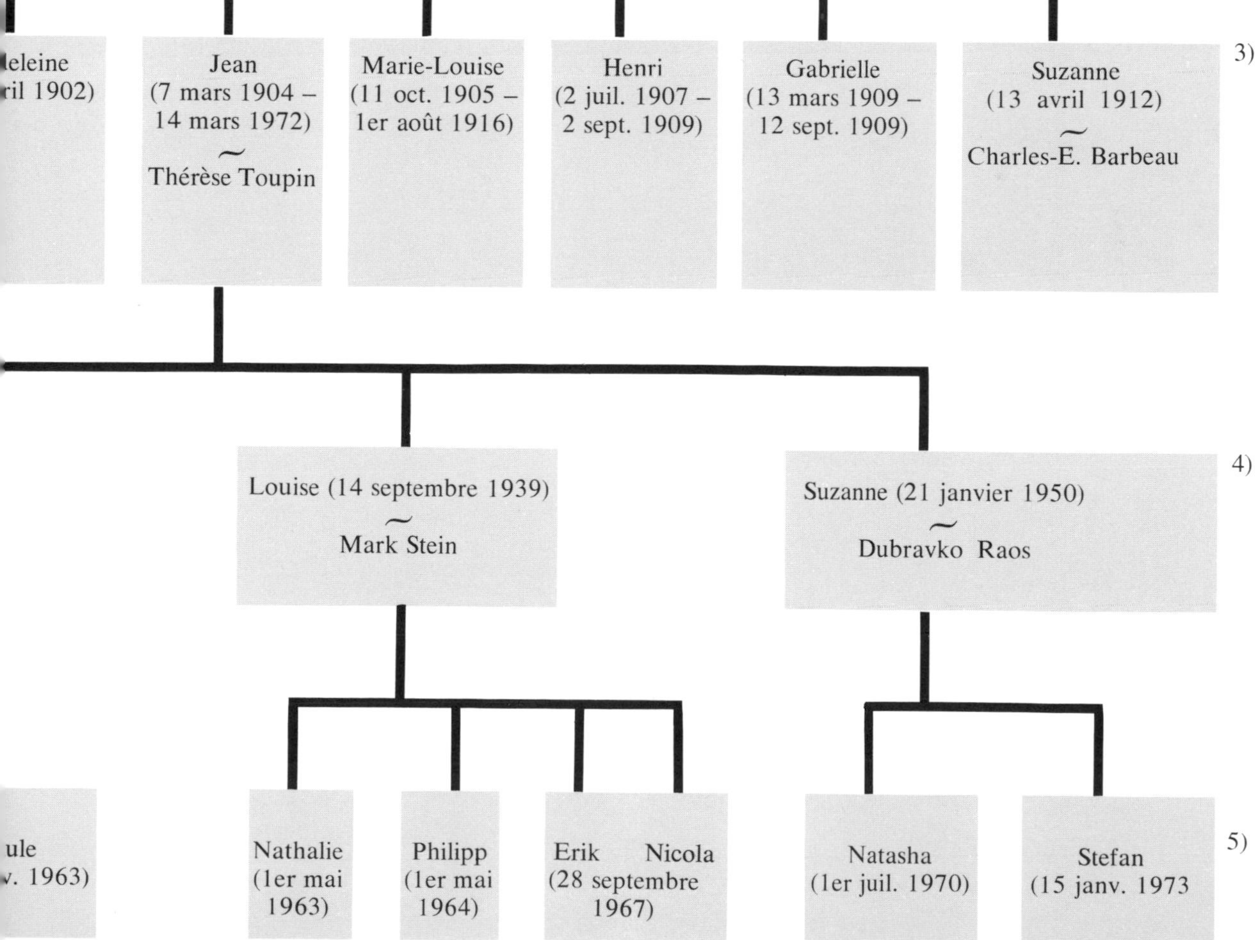
3)
Jean
(7 mars 1904 –
14 mars 1972)
~
Thérèse Toupin
Marie-Louise
(11 oct. 1905 –
1er août 1916)
Henri
(2 juil. 1907 –
2 sept. 1909)
Gabrielle
(13 mars 1909 –
12 sept. 1909)
Suzanne
(13 avril 1912)
~
Charles-E. Barbeau
4)
Louise (14 septembre 1939)
~
Mark Stein
Suzanne (21 janvier 1950)
~
Dubravko Raos
5)
Nathalie
(1er mai
1963)
Philipp
(1er mai
1964)
Erik Nicola
(28 septembre
1967)
Natasha
(1er juil. 1970)
Stefan
(15 janv. 1973

Chapitre I

Biographie

1. *Théophile Hamel.* Photo. Archives Madeleine Hamel.

Enfance et adolescence 1817-1834

« Demain, la dépouille mortelle d'un homme qui fut un fervent chrétien, un bon citoyen et un grand artiste va prendre le triste chemin du cimetière et tout Québec sera là pour faire ses derniers adieux à l'un de ses plus dignes enfants [1] ».

Décédé à la veille de Noël 1870, Théophile Hamel fut vite oublié. En 1930, Madame Gustave Hamel, belle-fille de l'artiste, offrait à la province de Québec un lot de tableaux à propos desquels il lui fut répondu ceci : « À part un musée, il y a peu de preneur pour un portrait qui n'a pas, outre la valeur artistique, un grand intérêt documentaire. Ce n'est pas le cas des portraits de Théophile Hamel, dont la valeur documentaire ne peut exister que pour sa famille [2] ». La situation n'a guère changé au cours des quarante-cinq dernières années sauf chez certains collectionneurs particulièrement avertis. Même actuellement, il est extrêmement difficile de voir les œuvres de Théophile Hamel. Il n'existe aucun guide pour orienter le public vers les œuvres exposées dans les églises, les musées de communautés et les édifices publics. Plusieurs musées possèdent pourtant des œuvres de Théophile Hamel. Les principaux sont le musée du Québec, le musée McCord, la Galerie nationale, le Château de Ramezay et le musée des Beaux-Arts de Montréal. Or tous ces musées réunis offrent moins de quinze œuvres de Théophile Hamel à la contemplation des visiteurs.

Ce volume veut faire écho au collaborateur anonyme qui consacrait un article enthousiaste à Théophile Hamel dans **Le Courrier du Canada** du 28 décembre 1870 [3]. Abondamment cité, cet article est resté le gardien de la mémoire de Théophile Hamel. En effet, Hormidas Magnan et Georges Bellerive ont paraphrasé ce texte sans pousser plus loin. En 1970, le catalogue intitulé **Deux peintres de Québec, Antoine Plamondon, Théophile Hamel** présentait pour la première fois une série d'œuvres bien reproduites avec une introduction de R.H. Hubbard.

La famille Hamel

Grâce aux archives judiciaires, nous possédons maintenant une assez bonne connaisssance du milieu familial où grandit Théophile Hamel. Son grand-père, René-François-Stanislas-de-Koska, devenu veuf un an après son mariage avec une adolescente de 15 ans, convolait le 19 octobre 1772 avec Marie-Louise Sédillot alors âgée de vingt ans [4]. Sa famille étant peu nombreuse, il put vivre sur un modeste lot de deux arpents et une perche de large par trente arpents de profondeur [5]. Quand le père de Théophile eut vingt-trois ans, il devint propriétaire de la terre paternelle par donation [6]. Trois ans plus tard, soit le 28 janvier 1812, François-Xavier fondait un nouveau foyer en s'unissant à Marie-Françoise Routier d'une année plus jeune que lui. Ils eurent huit enfants dont plusieurs ont occupé des postes importants dans la société. Il est intéressant de noter que le père agrandit sa terre à mesure que les enfants s'ajoutaient. Il achète des lots en 1817, 1819, vers 1825 et enfin en 1832 [7]. Il se trouve donc propriétaire d'une terre en deux sections

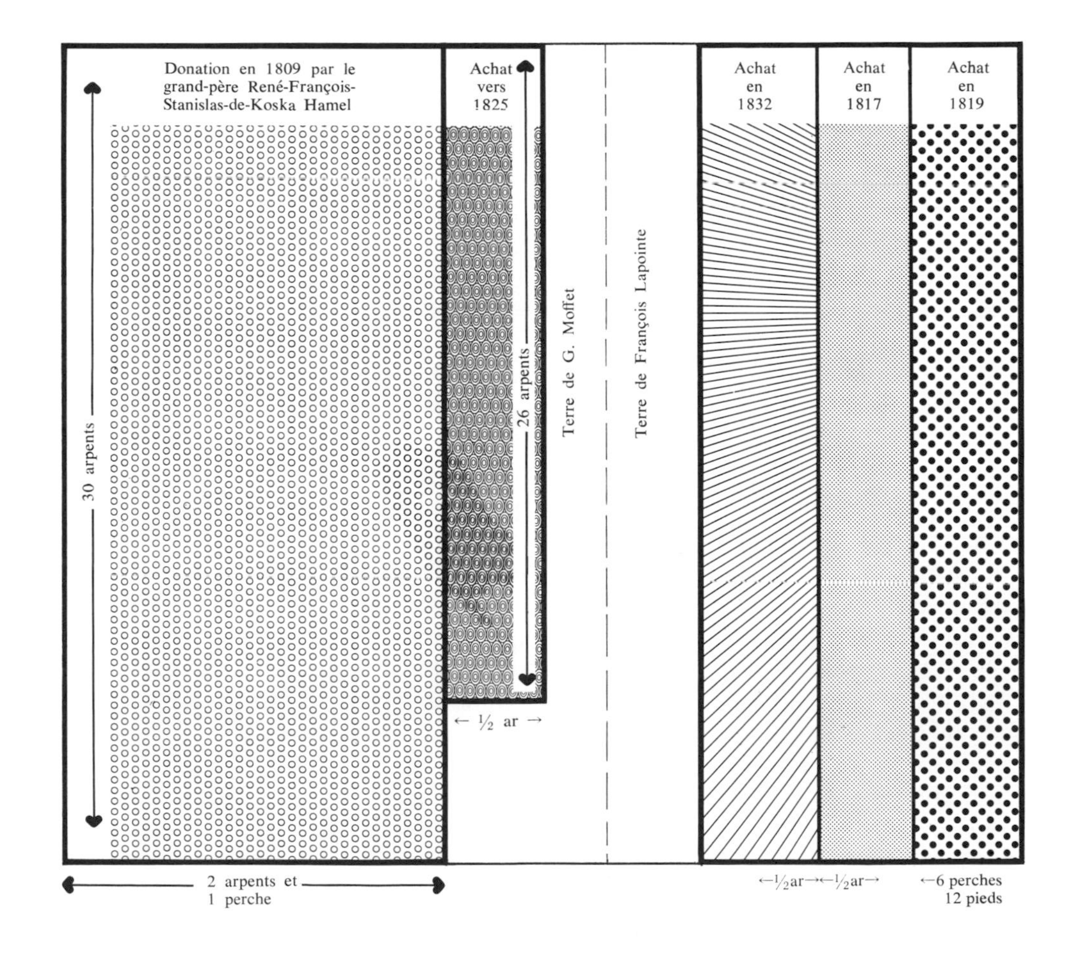

de trente arpents ou un mille de profondeur par trois arpents et demi, sept perches et douze pieds de front. C'est une terre de grandeur moyenne.

Neuf enfants virent le jour sur cette modeste propriété : sept garçons et deux filles. Théophile vint au monde le quatrième. Son acte de naissance était demeuré introuvable jusqu'à maintenant car ses parents, domiciliés à Sainte-Foy, s'étaient mariés à l'Hôpital général où ils firent aussi baptiser deux enfants, Thomas-Stanislas et Théophile. Au moment du baptême, on lui donne les noms de son père :

> Le huit novembre mil huit cent dix sept, nous prêtre soussigné avons baptisé François Xavier, né du jour, du mariage de François Xavier Hamel cultivateur, et de Marie Françoise Routier de Ste-Foie. Parrain Gabriel Béleau. Marraine Charlotte Routier qui ont déclaré, ainsi que le père présent, ne savoir signer.
>
> J. Odeïn, ptre.

Conformément à la coutume de l'époque, François-Xavier se retira très tôt de la vie active ; dès l'âge de cinquante-cinq ans. En 1841, il se départissait de ses biens en faveur de son quatrième enfant vivant, Thomas-Stanislas, alors âgé de vingt-deux ans.

Situation économique

Deux énormes documents totalisant cinquante pages manuscrites fournissent des renseignements précieux permettant de connaître, de façon indirecte, mais avec certitude la situation économique de la famille. À l'acte de donation de 1841, s'ajoute donc un inventaire très complet des biens de Thomas-Stanislas Hamel fait au moment de la mort de sa femme en juillet 1851 [8]. Comme les dimensions de la terre ne changent pas au cours de ces années, on peut supposer que le régime de vie ressemble beaucoup à celui en vigueur quand Théophile demeurait avec ses parents. À l'aidc dc ces documents, tentons de découvrir le mode de vie qu'a connu notre artiste pendant son adolescence.

En retour de la terre de ses parents, Thomas-Stanislas est tenu :

> de loger, nourrir, sieurs François Xavier Théophile Hamel, Joseph Colbert Hamel, Victor Zoël Hamel et Ferdinand Edmond Hamel, **ses frères** [mots rayés] lorsqu'ils seront malades tant qu'ils ne seront pas pourvus par mariage si toutefois ces derniers n'ont pas les moyens [9]

La même chose est exigée pour ses deux sœurs Suzanne et Léocadie, qu'il doit « loger, nourrir, chauffer et éclairer et entretenir de hardes et linges d'une manière convenable à leur état, de faire soigner et médicamenter lorsqu'elles seront malades. » De plus, il devra indemniser ses frères et sœurs par une somme d'argent fixée à douze livres pour les garçons et à vingt-cinq livres pour les filles. Cette somme destinée à servir de dot aux jeunes mariées, constitue un héritage très modeste.

2. *François-Xavier Hamel.* 1843. H. 84 cm x L. 71 cm. Musée du Québec.

3. *Madame François-Xavier Hamel.* H. 69 cm x L. 56 cm. Collection particulière, Québec.

Depuis le 1er mars 1841, Ferdinand étudiait au Séminaire de Québec. Ses frères fournissent l'argent nécessaire à son entretien. Thomas-Stanislas doit lui donner le vêtement, les livres et le papier ainsi que « deux-cents livres de lard et cent livres de bœuf chaque année [10] ».

Ajoutons à cela plusieurs dettes et il deviendra évident que la famille de Théophile Hamel vivait d'une façon très modeste. Le lopin de terre acheté en 1819 ne sera terminé de payer que le 6 septembre 1834 [11]. L'abbé Michel Dufresnes attendra huit ans que lui soit payée en entier la terre vendue en 1832 [12]. Au moment de la donation, huit petites dettes totalisent la jolie somme d'environ deux cent soixante-dix livres ce qui est supérieur au salaire gagné en un an par un ouvrier spécialisé comme un menuisier ou un boulanger [13].

L'inventaire de 1851 contient quantité de renseignements allant d'une « jument sous poil rouge âgée de vingt ans environ » jusqu'à un lot de « vingt torchons à vaisselle et autres estimés quatre sols pièces » en passant par les « thébords » et la « bombe ». Afin de donner une image aussi exacte que possible de la situation économique de la famille groupons les quelques centaines d'objets décrits sous deux rubriques significatives : les animaux et les meubles. Tous les biens gardés sur la ferme sont estimés à 168 livres,

Autoportrait dans l'atelier. Détail. Vers 1849. Musée du Québec.

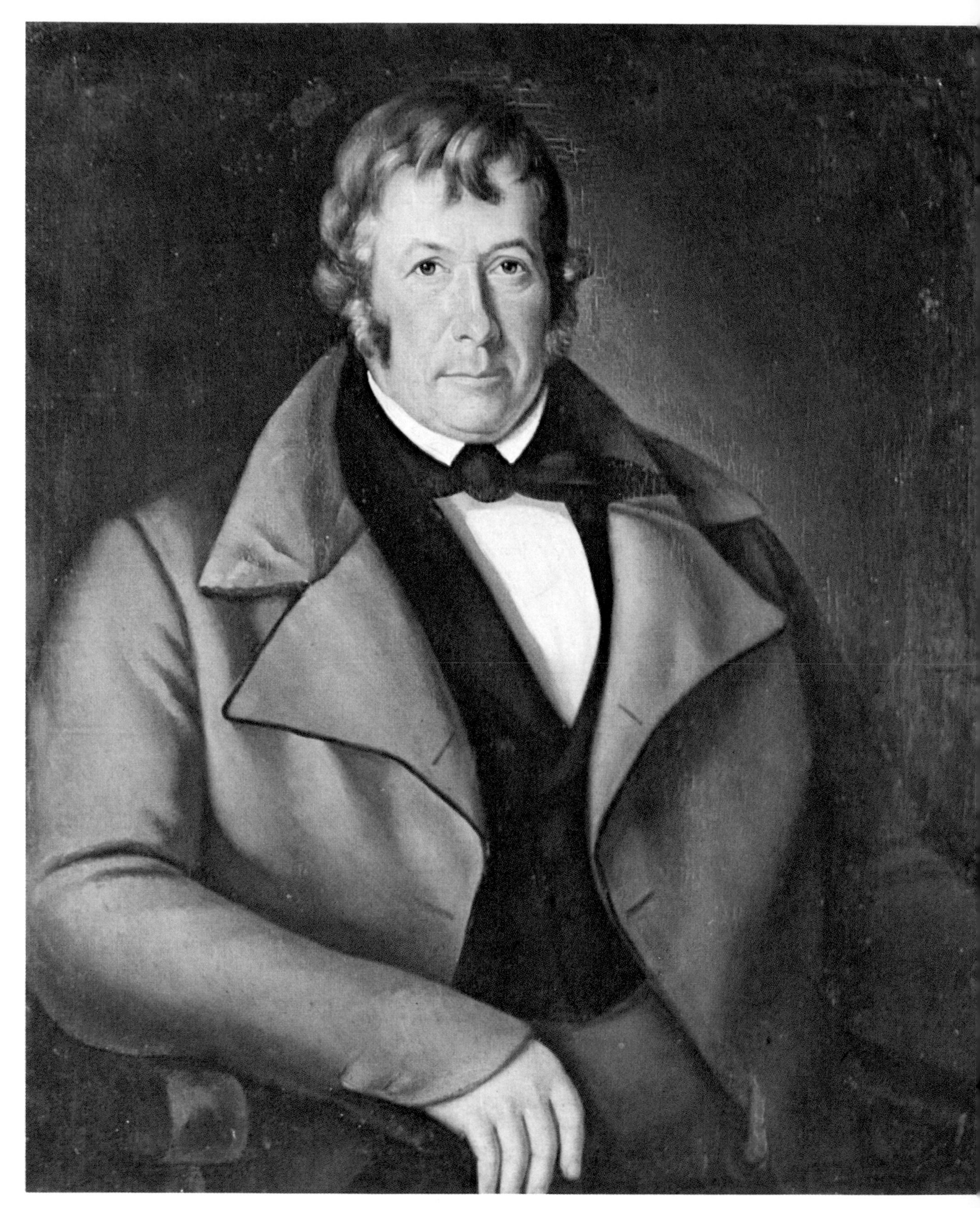

François-Xavier Hamel. 1843. Musée du Québec.

Madame François-Xavier Hamel. Collection particulière. Québec.

Jacques Cartier. 1860. Archives publiques du Canada.

14 shillings, 7½ sols, soit environ $675. de l'époque. Les animaux sont de loin les biens les plus précieux puisqu'ils sont estimés à environ $280. Voici la répartition : 5 vaches, 1 taureau, 1 bœuf, 8 veaux et 1 taure ; 2 juments, 1 cheval, 1 poulain ; 6 cochons ; 15 vieux moutons et 11 agneaux ; 24 poules, 1 coq et 3 poulets, 5 ruches d'abeilles. Les meubles sont nombreux mais tous estimés à des prix très bas en sorte que le total n'atteint pas $60. Prenons comme exemple la cuisine qui est généralement la pièce la plus meublée. On y trouve 2 poêles, 3 tables, 6 chaises et quelques armoires ; le tout estimé à $8. environ. La famille ne possède ni vaisselle ni vêtements coûteux. Le seul service à thé, dépareillé, est estimé à $0.60. Il s'agit donc d'un cultivateur qui parvient à faire vivre sa famille pourvu que les dépenses superflues soient évitées et qu'on puisse emprunter de temps en temps [14].

Ce qui précède permet d'affirmer que les activités qui entourent le jeune Théophile ne semblent pas avoir eu de relations avec les arts. Ses père et mère ne savent pas écrire. Ses frères et sœurs ne seront pas des intellectuels. Léocadie, la cadette, épousera un menuisier de Sainte-Foy. Abraham, de trois ans plus âgé que Théophile, s'oriente vers le commerce et devient un marchand important. Son frère Joseph figure dans les documents notariés comme « marchand de la cité de Québec ». Le **Quebec Directory** nous apprend qu'il s'est associé à Abraham à partir de 1850. Et à partir de 1858, leur société se présente comme suit :

> Hamel, A et Frères, importers of English,
> French and American dry goods, wholesale,
> ready made clothing, hats, trunks, etc.,
> 22 sous Le Fort St. and 14 Mountain Hill [15].

Après ses études au Séminaire de Québec, Ferdinand se joint à eux. En 1853, son contrat de mariage mentionne qu'il est marchand. Puis les fils aînés d'Abraham et Adolphe sont admis dans la compagnie qui entre souvent en compétition avec les autres marchands de la ville lors de soumissions publiques. Prenons un exemple. En 1855 et à nouveau en 1857, ils s'engagent à fournir environ trois douzaines de chapeaux aux policiers de la ville à $2.40 l'unité [16]. Les affaires sont prospères puisqu'Abraham Hamel et son épouse se rendent à Rome en février 1882 pour assister au mariage de leur fils Eugène [17]. Nouveau séjour en Europe en 1885. Après avoir passé l'hiver dans le sud de la France, ils reviennent à Québec en compagnie d'Eugène et de sa femme [18]. Cette prospérité économique de certains fils Hamel ne doit pas faire oublier la situation des années 1830 quand Théophile et tous les enfants sont à la maison, entièrement à la charge de parents sans fortune. L'avenir des six garçons devait certainement préoccuper grandement les parents.

4. *Théophile Hamel*. Photo. Archives Madeleine Hamel.

5. *Autoportrait dans un paysage*. Vers 1840. H. 1.22 m x L. 1.02 m. Musée du Séminaire de Québec.

6. *Autoportrait dans l'atelier*. Vers 1849. H. 48 cm x L. 37 m. Musée du Québec.

7. *Madame Théophile Hamel.* Vers 1857. H. 69 cm x L. 53 cm. Galerie Nationale du Canada.

8. *Autoportrait.* Vers 1857. H. 66 cm x L. 1.53 m. Galerie nationale du Canada.

Formation à Québec et en Europe : 1834-1846

La vocation artistique de Théophile semble être née de ces contraintes économiques. Son premier biographe veut cependant en faire un jeune génie subitement révélé à l'admiration familiale :

> Dès son jeune âge, M. Théophile Hamel montra de grandes dispositions pour le dessin et en 1834 son vénérable père, qui pressentait chez son enfant un talent hors ligne, le confia à notre célèbre artiste M. Antoine Plamondon.
> On sait ce qu'est devenu le jeune artiste : de simple dessinateur, il devint peintre, presque sans transition ; et sa famille apprit un jour tout étonnée qu'il y avait chez lui de cette rare étoffe dont on fait les grands peintres [19].

La vérité est que nous ignorons complètement ce que fit Théophile Hamel avant d'entrer comme apprenti chez Antoine Plamondon. A-t-il étudié après l'école primaire ? Est-il resté sur la terre pour aider ses parents ? A-t-il voulu apprendre sans succès un autre métier ? Il faut attendre qu'il ait seize ans et huit mois pour parler de sa carrière avec documents à l'appui.

Apprentissage chez Antoine Plamondon 1834-1840

Le 5 juillet 1834, quand Théophile eut terminé une période de probation d'environ un mois, le père de Théophile et Antoine Plamondon, signent un contrat dont voici l'essentiel :

> [...] Sieur Frs. Xavier Hamel, cultivateur, demeurant en la paroisse de Ste-Foy, lequel voulant faire le profit et avantage de Sieur François Xavier Théophile Hamel, son fils, âgé de seize ans et huit mois, à ce présent, l'a de son consentement mis et engagé pour le terme et espace de six années entières et consécutives qui ont commencé à courir du seizième jour de mai dernier et finiront à pareil jour de l'année mil huit cent quarante, en qualité d'apprenti peintre de tableau, — à Sieur Antoine Plamondon [...] à ce présent et acceptant le dit Frs. Xavier Théophile Hamel en la dite qualité, auquel il promet et s'oblige montrer et enseigner durant le dit termes l'art de la peinture et tout ce dont il se mêle en icelle sans lui en rien cacher et autant que le dit apprenti voudra s'en rendre capable, et le traiter doucement et honnêtement comme il appartient.
> S'oblige en outre le dit Sieur Plamondon de nourrir, loger, chauffer et éclairer le dit apprenti pendant la durée du présent engagement [20].

En retour le père s'engage à fournir cent livres de lard et cent livres de bœuf « pour tenir lieu de la nourriture du dit apprenti pendant les deux premiers étés du présent engagement ». Il fournira en outre le papier et les crayons. Théophile pourra garder les dessins qu'il fera pendant les deux premières années. Le jeune homme « sera tenu d'apprendre de son mieux,

9. *Antoine Plamondon. Madame Joseph Laurin.* Vers 1839. H. 85 cm x L. 70 cm. Musée du Québec.

10. Antoine Plamondon. *Jeune femme.* H. 67 cm x L. 58 cm. Collection docteur Brouillet, Loretteville.

ce qui lui sera montré et enseigné par son dit maître, lui obéir en tout ce qu'il lui commandera de licite et honnête [...] sans pouvoir s'absenter sans permission ni perdre le temps ». Les cabarets, les maisons de jeu et autres maisons suspectes lui sont formellement interdites. La peinture devra être son seul souci. Théophile Hamel passera six ans avec un seul maître, six ans de formation artistique orientée vers le portrait et la copie de compositions religieuses venues au Canada dans la collection Desjardins. L'intransigeance d'Antoine Plamondon est assez connue pour qu'on imagine la docilité de l'apprenti à suivre l'enseignement du maître.

Formation fondée sur l'art européen

Un fort accent européen marque la formation artistique de Théophile Hamel. Trois facteurs agissent en ce sens. D'abord l'arrivée d'un lot de peintures achetées par l'abbé Desjardins après la Révolution française [21]. En 1803, l'abbé Philippe-Jean-Louis Desjardins achetait à Paris une importante collection de tableaux provenant, semble-t-il, des églises parisiennes occupées par l'État en 1791. Ces tableaux furent expédiés à Québec et mis en vente en mars 1817 dans la chapelle de l'Hôtel-Dieu. Plus de cent cinquante tableaux furent offerts à la population en 1817 et en 1821. Plusieurs toiles ayant subi des dommages à cause des nombreuses manipulations et lors du voyage demandent des retouches. Joseph Légaré y consacra beaucoup de temps et fit l'acquisition de plusieurs œuvres. En 1819, Antoine Plamondon devenait apprenti chez Joseph Légaré. Les toiles venues d'Europe étaient naturellement proposées comme modèles par cet artiste qui n'avait pas vu les œuvres des grands peintres. L'Europe deviendra le maître des peintres du Québec pour un siècle au moins. Mais quelle Europe ? Nous ne le savons pas très bien car les toiles étaient peu identifiées et plusieurs ont disparu. Il est cependant certain que leur influence a été énorme sur notre tradition picturale. De plus, les artistes se sont crus obligés de passer en Europe pour apprendre à voir et à peindre. De 1826 à 1830, Antoine Plamondon voyage et étudie en divers pays dont surtout la France. Lui qui se déclarait « élève de l'École française » dut faire miroiter les merveilles de l'art européen devant les yeux ébahis de son jeune apprenti de seize ans. Ce dernier ira passer trois ans en Europe. Nous reviendrons à cette question plus loin afin de mesurer l'influence européenne sur la thématique et la « mise en page » de Théophile Hamel.

Première période québécoise : 1840-1843

Le 16 mai 1840, un nouveau peintre ouvre toute grande la porte de son atelier :

> M. Théophile Hamel, élève de M. Antoine Plamondon, artiste, de cette ville, a l'honneur d'informer le public et particulièrement les Messieurs du Clergé qui voudraient bien lui faire l'honneur de l'encourager dans son art, qu'il a établi son atelier dans une maison appartenant à Dame Ve Clouet et occupée par Mme H. Hayes, rue Buade, Hauteville, no 20 [22].

Les journaux se chargent de la publicité. Aux premiers entrefilets en français succède une critique un peu plus étoffée dans **The Quebec Mercury** du 27 octobre 1840. Après avoir constaté que le jeune Hamel est devenu peintre sans sortir de la province et même de sa ville, l'auteur loue la couleur et la force des portraits. Les études au fusain l'ont surtout impressionné. Il mentionne le portrait d'un ecclésiastique admirablement exécuté : il s'agit peut-être du portrait de **Jean-Baptiste Bolduc,** missionnaire en Colombie, daté de 1841 et qui permet de voir sa production du tout début. Le fait que des critiques également favorables apparaissent dans les journaux anglais et français soulève une question beaucoup plus large, soit celle de sa clientèle. Pensant à Cornelius Krieghoff chez qui les thèmes religieux sont absents, on a dit que la clientèle se partageait en deux groupes. Les protestants de langue anglaise auraient fait des commandes à Krieghoff pendant que les catholiques parlant français se massaient devant le studio de Théophile Hamel. Mais le clivage ne se fait pas de cette façon. Il est vrai que l'impossibilité de connaître les clients venus chez Krieghoff brouille les pistes. Cependant, nous savons que les clients anglais viennent nombreux

11. *Vue du temple de la paix à Rome*. Dessin. Vers 1843-45. H. 28 cm x L. 21.5 cm. Collection Madeleine Hamel. Album : numéro 9.

chez Hamel. Il est fort possible que les Canadiens français se soient adressés à Krieghoff pour les peintures de mœurs tout en faisant confiance à Théophile Hamel pour les portraits et les compositions religieuses. (Voir les tableaux 7 et 15). Nous examinerons plus loin cette question.

La première période québécoise de Théophile Hamel dure exactement trois ans : de mai 1840 à juin 1843. C'est un moment de transition pour l'artiste. Quand plusieurs peintres sollicitent les commandes d'une population peu nombreuse, le seul moyen de s'assurer une carrière prospère est de drainer les commandes grâce à une supériorité reconnue. Théophile Hamel a compris chez son maître combien un séjour européen confère de prestige. Il sait aussi que le sujet importe plus que tout quand l'art est un outil de prestige pour certains groupes sociaux comme l'aristocratie civile et religieuse. La famille est pauvre, l'apprenti n'a pu accumuler d'argent ; il faut donc travailler pour amasser la somme nécessaire à un long séjour à l'étranger. Théophile Hamel ne se contente pas des commandes qui lui arrivent, mais entreprend des voyages de prospections. C'est ainsi qu'en juin 1841, il revient des « paroisses inférieures avec une nombreuse collection de portraits des plus respectables familles de l'endroit [23] ». D'après le rédacteur du **Fantasque**, « Mr. Hamel est dès ce moment l'un des meilleurs peintres de portraits de ce pays [24] ». Le 18 avril 1843, il annonce son départ pour l'Europe et sollicite des commandes des membres du clergé. Alors qu'on s'attendrait à ce que le prix de ces œuvres serve à défrayer son voyage, il déclare que « le paiement de ces tableaux [devra] être fait à la livraison qui se fera dans deux ans [25] ». Comme pour donner confiance à la population, cette annonce s'accompagne d'une véritable profession de foi en la noblesse des intentions du jeune voyageur :

> M. Hamel doit passer par la France, le pays des grands artistes et des grands modèles, et de là se rendre dans la ville-reine, où la puissance des empereurs et l'orgueil du peuple-roi ont rassemblé toutes les richesses artistiques de l'antiquité, pour en faire un des plus beaux diamants de la tiare pontificale, qui est l'expression de l'unité et de la puissance du catholicisme. Rome est la patrie de Raphaël et de Michel Ange, deux des plus belles illustrations modernes. Nous devons avoir confiance que notre jeune artiste, après s'être réchauffé deux ou plusieurs années aux rayons ardents de ces sublimes génies, viendra donner un nouvel honneur à sa patrie [26].

Séjour en Europe : 1843-1846

Après avoir nommé son frère Abraham [27] procureur général pour ses biens, Théophile Hamel, interrompant « une carrière où il pourrait faire bien dans l'espérance de faire mieux encore [28] », s'embarque pour l'Europe le 12 juin 1843. Le **Glenlyon**, bâtiment marchand, le conduit d'abord en Angleterre [29]. Après un mois de voyage, Théophile arrive à Londres le 14 juillet 1843 et s'empresse d'adresser un mot à sa famille où on trouve ses premières

12. *Tête de Laoocon.* Dessin. Vers 1843-1845. H. 28 cm x L. 21.5 cm. Collection Madeleine Hamel. Album : numéro 4.

13. *Étude d'anatomie.* Dessin. Vers 1843-45. H. 28 cm x L. 21.5 cm. Collection Madeleine Hamel. Album : numéro 5.

impressions sur les musées et les monuments. La découverte d'une dizaine de lettres écrites par Théophile Hamel pendant son séjour en Europe permet de reconstituer une bonne partie de son itinéraire. Les journaux donnent aussi des renseignements indispensables à l'étude de cette période charnière.

Le terme de son voyage étant Rome, il quitte l'Angleterre sans tarder et s'installe le 8 août 1843 dans la Ville éternelle. Une lettre, datée du 26 août à Rome, nous renseigne sur ses activités artistiques [30]. Laissons de côté cet aspect pour le moment afin de concentrer notre attention sur l'itinéraire et les activités sociales. Deux ecclésiastiques dont le Père Villefort se donnent beaucoup de peine pour faciliter son installation. Il parle avec enthousiasme des merveilles de la ville et se dit très sensible aux charmes des Romaines, les plus belles femmes qu'il ait vues. Mais « les Romains sont jaloux en diable » [31] ! Trois lettres datées de juin 1844 permettent de faire un bilan de sa première année à Rome. Théophile Hamel semble tout le contraire de l'artiste fiévreux debout devant sa toile jusque tard dans la nuit. Il rencontre beaucoup de gens et accepte des invitations flatteuses. À deux reprises, il se rend chez le prince Torlonia où il rencontre

« des Dames d'Édimbourg, de Londres, de Paris, et de bien d'autres villes encore [32] ». Ces soirées réunissent plus de quatre cents personnes. Il se mêle aussi aux divertissements des ouvriers et participe à leurs soirées. Les fêtes publiques et surtout le Carnaval l'amusent beaucoup. À son avis, c'est « le plus beau du monde ; il dure les dix jours qui précèdent le Carême. La population de Rome se porte dans une seule rue, alors commence l'échange

de fleurs, de bons mots, et de bien d'autres choses encore, qui dure jusqu'au soir. Pendant la soirée, il y a des festins où l'on mange (et) danse [33] ». Il s'est rendu à Naples qui lui a plu beaucoup. Il ne semble pas avoir poussé jusqu'à Herculanum et Pompéi encore remplies de la fièvre des découvertes archéologiques qui ont joué un rôle si important dans la formation du néo-classicisme.

14. *Ville sur une pente.* Dessin. Vers 1843-45. H. 21 cm x L. 47 cm. Collection Madeleine Hamel. Album : numéro 23.

Par contre, il se montre très fier d'avoir été présenté au pape le 8 février 1844. Il lui a dit : « Grand S. Père, permettez à un enfant de **la nature**, à un sauvage du Canada, de s'approcher, de se traîner aux pieds de votre Sacré Sainte personne pour lui baiser les talons, lui offrir **ses hommages** et lui demander sa bénédiction [34] ». À ses parents, il envoie médailles et chapelets selon la coutume [35].

Rome lui a plu suffisamment pour qu'il y passe une seconde année. Entre le 14 juillet et le 31 août 1845, il quitte enfin cette ville pour Venise en passant par les Marches, la Romagne et l'Émilie [36]. Ses deux années passées à Rome lui ont été agréables puisqu'il s'éloigne avec chagrin. Il s'était fait de bons amis comme le jeune Colas, pensionnaire du gouvernement français et un étudiant belge [37]. Le 14 juillet 1845, Théophile se vante de sa bonne santé, se réjouissant d'avoir pris de l'embonpoint [36].

Tableau 5 :

VOYAGE EN EUROPE : 1843-1846

Dates		Lieu	Activités
1843	12 juin	Québec	Départ
	14 juillet	Angleterre	Arrivée à Londres
	8 août	Rome	Arrivée à Rome
	26 août		Travaille dans les Académies
	24 octobre		Lettre à Jean-Baptiste Vézina où il parle de son itinéraire de Londres à Rome
1844	8 février		Visite le pape
	6 juin		Envoie médailles et chapelets à ses parents
	?		Voyage à Naples
	11 juin		Soirées chez le prince Torlonia et chez les ouvriers
1845	6 juin		La pension demandée par Derbishire est refusée
			Souscription publique en sa faveur
	14 juillet		Se réjouit de sa bonne mine et de son embonpoint
	31 août	Venise	Réside à Venise depuis peu
			Raconte son voyage de Rome à Venise
			Copie un Titien
1846	?		Séjour à Paris
			Séjour en Belgique de durée inconnue
	10 août	Québec	Retour

15. *Une rue*. Dessin. Vers 1843-45. H. 21 cm x L. 42 cm. Collection Madeleine Hamel. Album : numéro 19.

16. *Femme angoissée*. Dessin. Vers 1843-45. H. 12 cm x L. 17 cm. Collection Madeleine Hamel. Album : numéro 34.

Financement du voyage

Il faut poser ici le problème du financement de son voyage. À lui seul l'aspect économique des voyages de nos artistes en Europe mériterait une étude. Il en est dont la famille est assez pourvue pour subvenir à leurs besoins. C'est le cas de Napoléon Bourassa dont le père « a la réputation d'être riche » comme il le dit à Théophile Hamel [39]. Eugène Hamel n'eut certainement pas de problèmes financiers. D'autres, partis sans un sou, s'intègrent au milieu artistique italien et y font carrière. Le Chevalier Falardeau (1823-1889) restera sans doute le plus célèbre à ce point de vue. Mais de quoi vivent les gens comme Théophile Hamel ? Un certain revenu provient certainement des copies commandées par les ecclésiastiques canadiens. Nous ignorons cependant l'importance numérique de cette production. Un an et demi après son départ de Québec, Théophile rencontre un ecclésiastique qui écrivit par la suite une longue lettre au **Journal de Québec** afin de pousser le gouvernement à lui venir en aide. L'abbé déplore que le jeune homme soit à Rome « à ses propres frais et dépens. Tandis que Rome est peuplée de jeunes peintres qui y sont envoyés aux frais de leurs pays respectifs, ce jeune homme est oublié dans son pays ; le Canada seul se montre insensible au développement du talent de la peinture. C'est là une honte pour notre patrie. Qu'elle s'éveille de son sommeil léthargique : qu'elle s'ouvre au talent naissant, et qu'elle lui fournisse un aliment qui facilite son entier développement, [...] Notre gouvernement, à l'exemple du gouvernement français et des autres gouvernements qui entretiennent tant de pensionnaires à Rome, ne devrait-il pas venir au secours de ce jeune et brillant artiste dont les coups d'essai ont été des coups de maître, et lui fournir les moyens de développer un talent capable de faire tant d'honneur au pays ? [40] ». La réponse ne se fit pas attendre. Les **Journaux de l'Assemblée législative** pour l'année 1844 nous apprennent que « S. Derbishire, écuyer, de la cité de Montréal [demande] une aide pour mettre Théophile Hamel, jeune peintre canadien, en état de compléter ses études à Rome, où il est maintenant [41] ». La pétition ayant été rejetée, le Gouverneur général organisa une souscription volontaire [42]. En 1862, l'abbé Casgrain parlera d'une souscription nationale de deux mille dollars [43]. Si le chiffre est exact, nous comprenons que Théophile ait décidé de prolonger son voyage d'une année. Il a l'intention de consacrer cette troisième année à des études à Florence et à Venise [44]. En juin 1845, il se trouve à Venise « la vraie école de la couleur [45] ». Les documents nous font défaut pour suivre ses déplacements ultérieurs.

Les commentaires recueillis dans les journaux à son retour de voyage en 1846 apportent deux éléments intéressants. Négligeons le séjour parisien qui fut évidemment très brcf pour nous attacher à ses études en Belgique.

17. *Bas-reliefs du Parthénon.* Dessin. 1845. H. 15 cm x L. 33 cm. Musée du Québec.

Le Canadien du 10 août fait l'éloge de sa collection de tableaux formée en Italie et en Belgique. C'est la première mention de son séjour en ce pays. L'article publié au lendemain de sa mort dans **Le Courrier du Canada** donne d'autres détails qui doivent être utilisés avec prudence étant donné la faiblesse de son information en plusieurs endroits [46]. « Le jeune homme, avant de reprendre le chemin de son pays natal, qu'il devait tant honorer voulut lier connaissance avec l'école belge et il s'arrêta à la célèbre école de peinture d'Anvers, en Belgique, où il eut pour compagnon de pinceau — qu'on me passe l'expression — les peintres renommés qui ont noms De Keyser, Van Lerius et Portaels [47] ».

Évolution de son style

Il vaut la peine d'agiter plus à fond cette matière en considérant exclusivement ses activités artistiques pour l'ensemble de son séjour européen. Divisons les problèmes. Théophile Hamel a-t-il été élève de l'Académie royale de France à Rome ? Dans sa lettre du 26 août 1843, Théophile Hamel déclare avoir été admis par les différentes Académies de Rome mais préférer travailler à l'Académie de France d'après le modèle vivant et l'antique. Il travaille aussi dans les galeries du palais du Vatican, du palais Borghèse et du palais Corsini [48]. Il a pu « travailler » à l'Académie de France, mais il ne saurait s'agir d'inscription régulière. L'Académie royale de France fondée par Louis XIV, n'accueille que les artistes lauréats du prix de Rome. Au 19ème siècle, on se rend à la villa Médicis vers l'âge de trente ans afin d'y passer cinq années. Vingt-deux artistes sont admis chaque année dont cinq peintres car il n'y a que cinq ateliers de peinture. Victor Schnetz dirige l'Académie de 1841 à 1846 et un incident qui se produisit en 1845 montre combien il aurait été difficile pour Théophile Hamel de s'intégrer à ce milieu. Cette année-là, le peintre Cabanel ayant reçu le prix de Rome vint à la villa même si les places étaient toutes prises dans les ateliers de peintures. Désespéré, le directeur tenta vainement de faire comprendre à l'administration que le fait d'envoyer un musicien de moins ne réglait pas son problème [49]. De plus, les cartons du directeur, Victor Schnetz, conservés à la villa Médicis ne contiennent aucun témoignage à propos des contacts de Théophile Hamel avec cette Académie [50].

Le biographe de 1870 nous dit qu'il aurait étudié pendant huit mois à l'Académie Saint-Luc. C'est fort possible. À l'origine, cette Académie recevait des intellectuels de grand renom en plus des peintres. De telles institutions furent fondées à Florence, à Venise, à Bologne et en plusieurs villes italiennes. Au 17ième siècle, elles furent remplacées par les écoles privées qui gardèrent le nom d'Académies. Ce système demeure très répandu au moment du voyage de Théophile Hamel. Le patron peut être un artiste ou un mécène. Les étudiants sont admis grâce à des recommandations ou à cause de l'intérêt que leur porte le directeur. Il est facile de s'y inscrire et on peut en fréquenter plusieurs à la fois ce qui permet de s'exercer à partir de plusieurs modèles. Dans la lettre du 19 octobre 1844, l'ecclésiastique canadien affirme que Théophile Hamel fait merveille ; « il est regardé par ses maîtres comme doué de talents rares pour la peinture. Il a commencé un grand sujet de sa propre composition ; il y entre vingt-cinq personnages ; je l'ai vu ; jamais pinceau canadien n'a rien créé de semblable [51] ». Le même article fait état d'une lettre d'un auteur inconnu disant que « sans un règlement de l'académie de Saint-Luc, qui exige une plus longue fréquentation que M. Hamel n'avait pu encore en faire, le jeune artiste canadien aurait remporté le premier prix au dernier concours de cette circonstance, le tableau de sa composition qui y fut exposé devait, au dire même de ses confrères, lui faire obtenir la palme ». Ces louanges exagérées s'expliquent par le fait que le journal désire attirer l'attention du gouvernement susceptible de lui accorder une pension. Ses études romaines ne sont pas plus connues. À Venise, Théophile Hamel se met résolument à l'école du Titien. En août 1845, il demande à son frère Abraham de l'excuser auprès de Plamondon car le temps qu'il consacre à copier les grands maîtres ne lui laisse guère de loisirs pour la correspondance [52].

Le reste de son voyage nous échappe. Son séjour à Paris aurait été bref. En 1846, Paris n'est que mentionné dans les articles de journaux. En 1870, on lit ceci : « il se rendit à Paris où il fit copie de quelques-uns des principaux tableaux qui ornent le célèbre musée du Louvre ». Puis des auteurs ont affirmé qu'il copia des œuvres de Murillo et découvrit la peinture romantique [53]. Je ne connais aucun document permettant de faire ces affirmations. S'il a « découvert » les romantiques, il s'est bien gardé de le montrer dans ses tableaux. Ses réactions devant l'art belge ne sont pas connues non plus. On a maintes fois cité les noms de Nicaise de Keyser (1813-1887), de Jean-François Portaels (1818-1895) et de Joseph Van Lerius (1823-1876). L'étrange consonance et la nouveauté de ces noms n'est certainement pas étrangère à l'habitude qu'on a de les citer à propos de Théophile Hamel. L'article de 1870 ne dit pas que Théophile a suivi les cours de ces trois artistes. Tout au plus parle-t-il de collègues d'atelier. Le texte évoque un séjour rapide « avant de reprendre le chemin de son pays natal ». Mais Gérard Morisset s'est acharné à imposer l'idée d'une formation flamande en partie responsable de ses faiblesses. Il le qualifie « d'élève des Flamands, timide et taciturne [54] ». Il parle des « trucs d'atelier » dont il avait pris la recette chez les maîtres anversois, Van Lerius et de Keyser [55]. Or en 1846, Van Lerius n'a que vingt-trois ans. Il vient de terminer (1844) ses études à l'Académie de Bruxelles et avec Gustaf Wappers à Anvers. De Keyser, un peu plus âgé, n'occupe encore aucun poste important. Il est même surprenant que Théophile Hamel ait rencontré Portaels puisque de 1843 à 1847 ce dernier séjourne en Afrique du Nord, au Proche-Orient, en Europe centrale et en Scandinavie. De 1847 à 1850, il sera ensuite directeur de l'Académie de Gand. Quand Théophile passe en Belgique deux centres importants retiennent l'attention : Bruxelles et Anvers. L'Académie de Bruxelles affectionne le néo-classicisme mis à l'honneur par son directeur François-Joseph Navez (1787-1869) qui fut l'élève de David. En 1816, David avait installé son atelier à Bruxelles. Au même moment Gustaf Wappers (1803-1874) dirige la très célèbre Koninklijke Academie voor Schone Kunsten. Un groupe d'artistes romantiques veut doter la Bel-

Autoportrait dans un paysage. Détail. Vers 1840. Musée du Séminaire. Québec.

Madame Cyrice Têtu et son fils Amable. 1852. Musée du Québec.

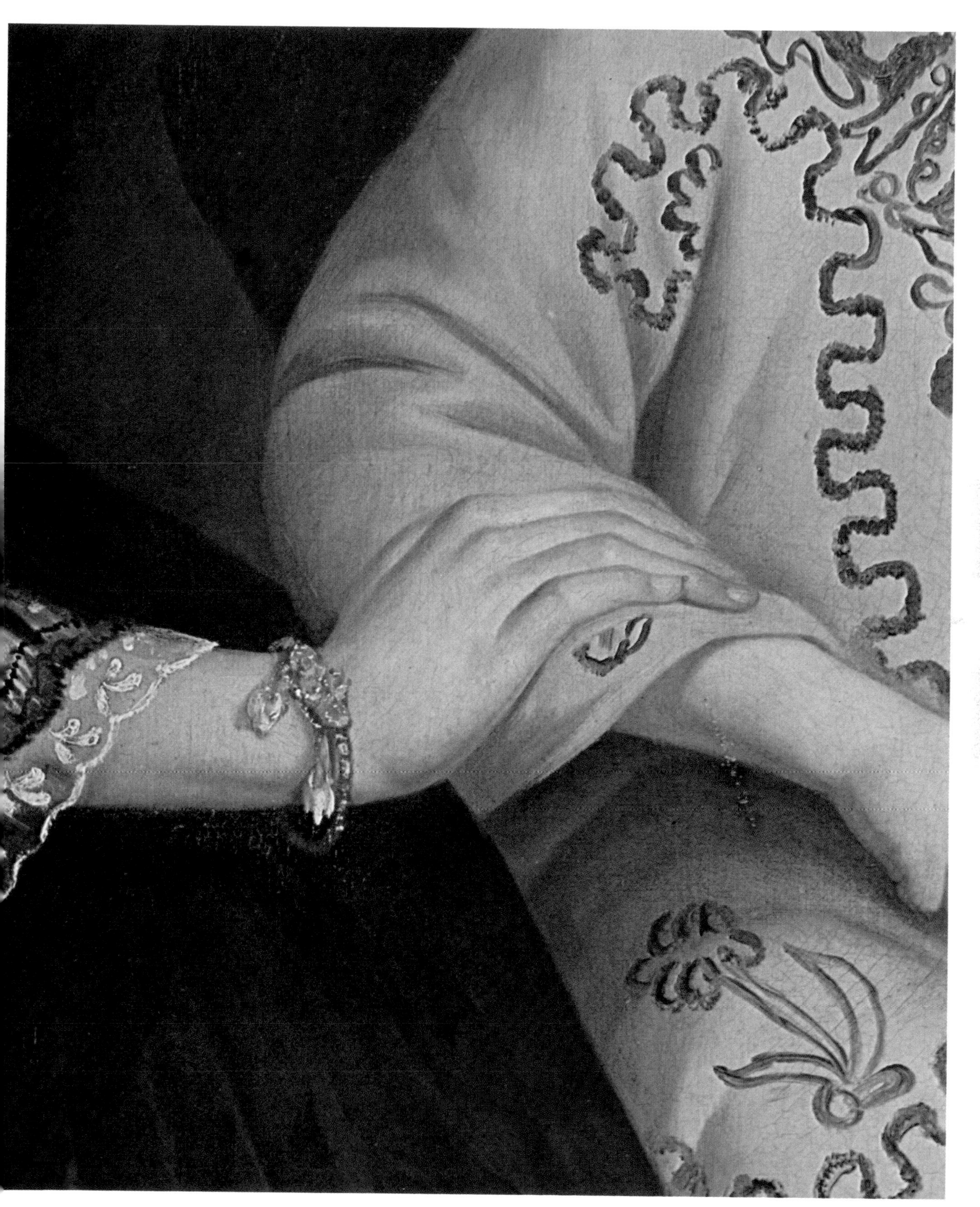

Madame Cyrice Têtu et son fils Amable. Détail. 1852. Musée du Québec.

Madame John-Sandfield MacDonald. 1850. Archives publiques du Canada.

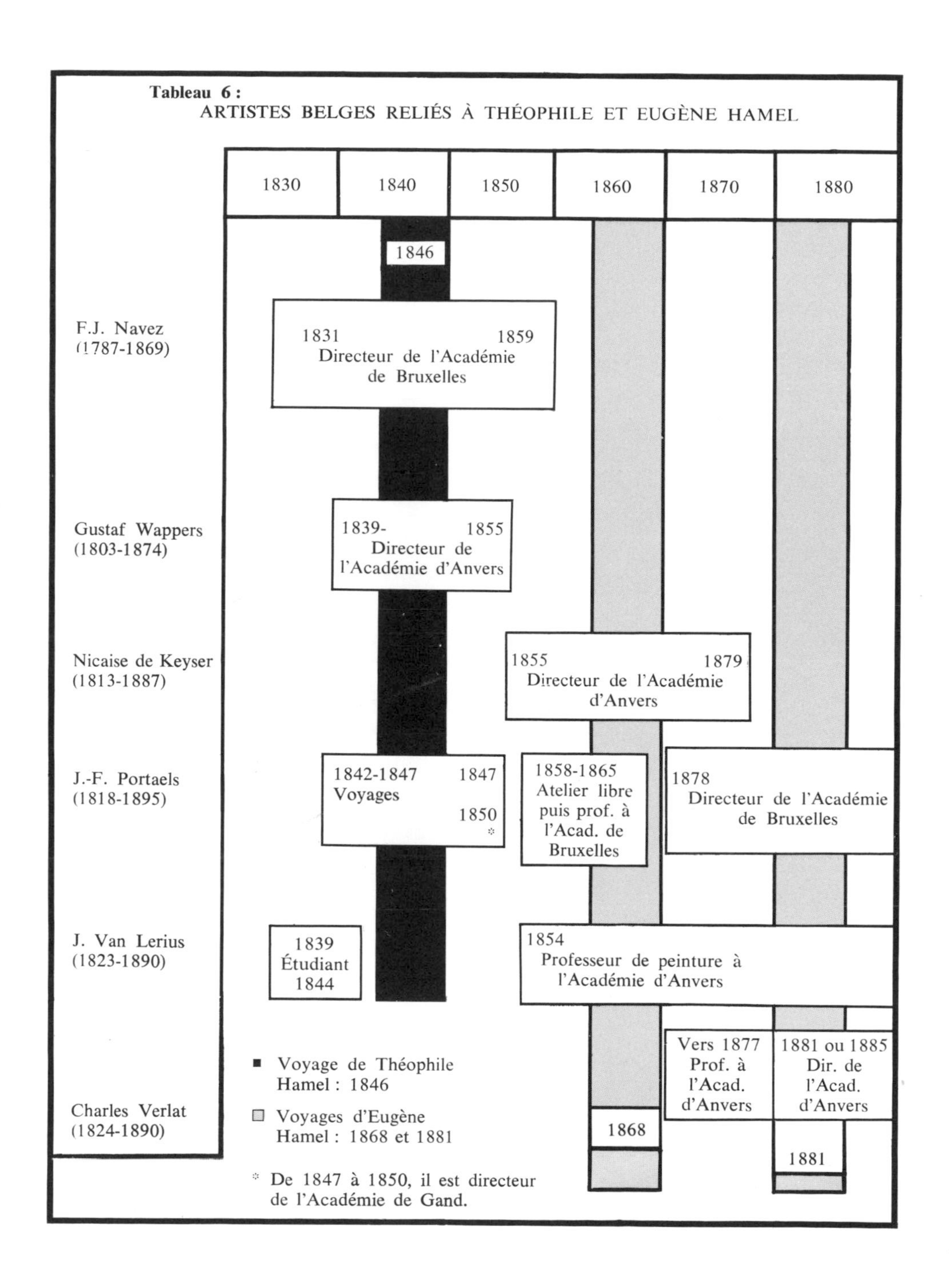
Tableau 6 :
ARTISTES BELGES RELIÉS À THÉOPHILE ET EUGÈNE HAMEL
1830
1840
1850
1860
1870
1880
1846
F.J. Navez (1787-1869)
1831 1859 Directeur de l'Académie de Bruxelles
Gustaf Wappers (1803-1874)
1839- 1855 Directeur de l'Académie d'Anvers
Nicaise de Keyser (1813-1887)
1855 1879 Directeur de l'Académie d'Anvers
J.-F. Portaels (1818-1895)
1842-1847 Voyages
1847
1850 *
1858-1865 Atelier libre puis prof. à l'Acad. de Bruxelles
1878 Directeur de l'Académie de Bruxelles
J. Van Lerius (1823-1890)
1839 Étudiant 1844
1854 Professeur de peinture à l'Académie d'Anvers
Charles Verlat (1824-1890)
Vers 1877 Prof. à l'Acad. d'Anvers
1881 ou 1885 Dir. de l'Acad. d'Anvers
1868
1881
■ Voyage de Théophile Hamel : 1846
□ Voyages d'Eugène Hamel : 1868 et 1881
* De 1847 à 1850, il est directeur de l'Académie de Gand.

gique de glorieuses peintures d'histoire. Or Théophile Hamel ne se réclame pas de ces deux artistes mais de jeunes peintres encore sans renom. Grâce à un glissement d'une vingtaine d'années dans le temps on leur a attribué — lors du séjour de Théophile Hamel — le prestige qu'ils connaîtront quand Eugène Hamel viendra étudier en Belgique. Nicaise de Keyser sera directeur de l'Académie d'Anvers de 1855 à 1879 et Van Lerius enseignera la peinture à la même académie à partir de 1854. Vers 1879, Charles Verlat (1824-1890) prend la direction de l'Académie. Lors de son second séjour en Europe, Eugène Hamel parlera de ce changement. En 1878, Portaels succédera à Simonis comme directeur de l'Académie de Bruxelles. Nous voilà bien éloignés des années de formation de Théophile Hamel.

Le voyage de Théophile en Europe l'aurait-il amené à modifier son art ? Comme il n'a sans doute pas fréquenté l'atelier d'un grand maître, la copie et les cours dispensés dans les Académies italiennes ont constitué l'essentiel de ses activités artistiques. Dix ans plus tard, son élève Napoléon Bourassa fera de même [56]. Plongé subitement dans un milieu humain et artistique bien différent de celui auquel il était habitué, Théophile Hamel a vécu une phase particulièrement aiguë du phénomène appelé « drame » par

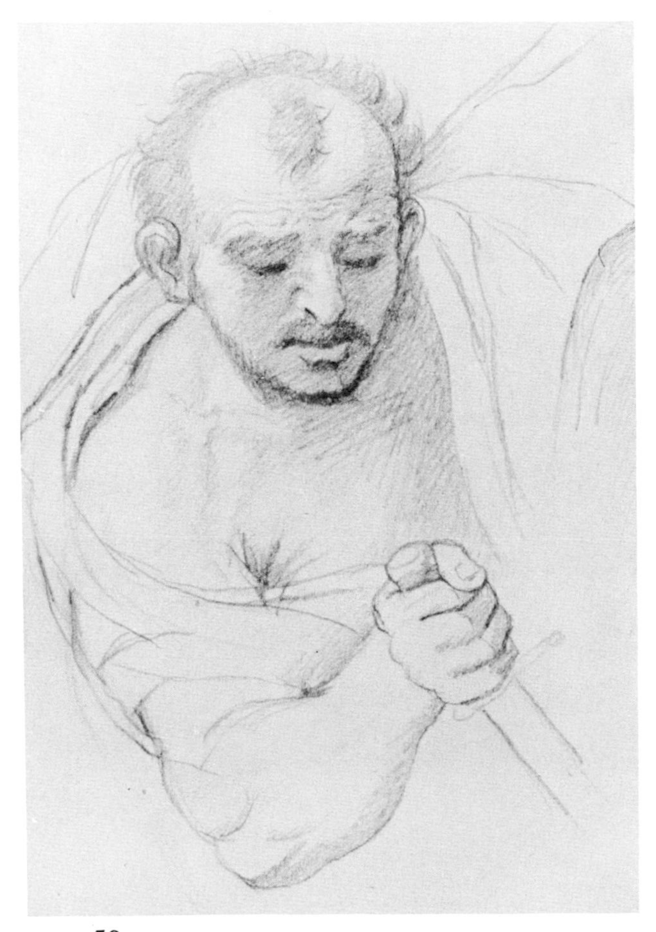

18. *Homme à l'épée*. Dessin. Détail. Vers 1843-45. H. 28 cm x L. 21.5 cm. Collection Madeleine Hamel. Album : numéro 33.

19. *Paysage*. Dessin. 1845. H. 23 cm. x L. 28 cm. Collection Madeleine Hamel.

les sociologues [57]. Ce terme recouvre l'ensemble des attitudes de l'artiste agissant dans un milieu donné. Son œuvre constitue l'expression tangible de ce « drame ». Face à des réalités sociales et artistiques nouvelles, Théophile Hamel devait faire un choix. Certaines formes de vie, des valeurs morales et des formules artistiques ont certainement été rejetées par Théophile Hamel étant donné l'écart trop important qu'elles créaient avec son ambiance antérieure. Dans tous les domaines de l'activité humaine, l'expérience montre que l'individu rejette les écarts trop considérables à cause des limites de ses facultés d'adaptation. Les thèmes néo-classiques fondés sur les aventures érotiques des dieux se sont heurtés à sa conception de l'œuvre d'art au service de l'Église et de la dignité humaine. Rappelons-nous que Théophile Hamel, profondément catholique, rencontre des ecclésiastiques en Italie, se montre très fier d'avoir été présenté au pape et envoie des objets de piété à sa famille. En plus de contrarier son sens des valeurs, l'adoption de la thématique néo-classique eût mis un terme à sa carrière en lui aliénant le milieu ecclésiastique et certainement la majeure partie de l'aristocratie. Jacques Viger, expliquant à Joseph Légaré le contenu de son album, n'exigeait-il pas de la « décence avant tout » [58] ? Par ailleurs, les audaces picturales des contemporains l'ont rejeté définitivement dans le clan des peintres traditionnels. Et parmi les peintres anciens, sa prédilection va certainment à ceux dont la sévérité ou la grâce constituent les caractères majeurs. L'analyse de l'œuvre fera apparaître son attachement pour certaines formules artistiques apprises chez Plamondon. Je dis certaines formules car Théophile Hamel n'a pas imité les originalités de son maître visibles dans des œuvres comme le portrait de **Madame Joseph Laurin** (vers 1839). Le magnifique portrait de **Mme Lemoine-Angers** comparé avec la **Jeune femme** (Collection du docteur Brouillet) de Plamondon fera apparaître sa propension pour les formules éprouvées. Il semble donc que son séjour italien n'ait fait que raffermir ses options. Véronèse et Tintoret ne l'ont pas beaucoup intéressé alors que Raphaël et surtout le Titien avaient toute sa faveur.

D'après un journaliste visitant son atelier au lendemain de son retour d'Europe, « l'observateur attentif ne saurait se dissimuler que M. Hamel a séjourné plus de temps en Italie qu'ailleurs et que là sont ses affections de peintre [59] ». Tout porte à croire que son séjour au Nord fut plutôt bref. Sa profonde amitié avec le jeune Belge auquel il s'était attaché comme à un frère est peut-être suffisante pour expliquer son voyage en Belgique. Avant d'y venir il connaissait sans doute déjà les centres importants et le nom des jeunes artistes les plus prometteurs. Les faits sont bien différents de ce qu'avait imaginé Morisset qui parle d'un engouement passager pour l'Italie vite remplacé par une amère déception :

> [Théophile Hamel] n'est pas lent à s'apercevoir qu'il s'est mépris au point de vue de sa formation. Il recherche la chaleur des harmonies, et on ne lui parle que du beau dessin ; il aspire à la liberté, et il tombe dans les formules académiques ; il a voulu s'évader de la tutelle de Plamondon, et il trouve là des tuteurs plus grincheux. A la fin, il en prend son parti. Il quitte Rome, s'arrête à Florence, séjourne quelque temps à Paris et gagne Bruxelles. C'est là qu'est son

20. *Vue du temple de la fortune à Rome.* Dessin. Vers 1843-45. H. 28 cm x L. 21.5 cm. Collection Madeleine Hamel. Album : numéro 10.

21. *Sepolcro di Cecilia Matella.* Dessin. Vers 1843-45. H. 28 cm x L. 21.5 cm. Collection Madeleine Hamel. Album : numéro 11.

> idole, Rubens. Du coup, son coloris change, sa technique également et, dans certaines œuvres, son métier.
> Que Rubens l'ait influencé, même envoûté, nul doute possible [60].

Les lettres et les témoignages suggèrent une tout autre attitude esthétique. Un examen superficiel des œuvres peintes avant 1843 et des œuvres de la maturité ne révèlent aucune différence fondamentale dans les thèmes ou dans sa technique. L'importance de ces affirmations oblige à procéder à une analyse rigoureuse des toiles avant de se hasarder à conclure. Le lecteur voudra bien se reporter au chapitre trois pour cette question.

Début de la carrière : 1846-1851
Seconde période québécoise : 1846-1847

Dès son retour, Théophile Hamel cherche à s'assurer une clientèle stable et prestigieuse. L'année qu'il passe à Québec peut être qualifiée de transitoire. Il ouvre un atelier rue St-Louis et met plusieurs travaux en chantier dont un **Jacques Cartier** qu'il fait lithographier par D'Avignon à New York. Pourquoi Jacques Cartier ? Répondre à cette question c'est poser un problème plus large : l'origine et la nature de ses fonctions comme peintre du gouvernement. Pour le moment, contentons-nous de dire qu'après l'Union, le Parlement fut appelé à siéger à Kingston de juin 1841 à 1844. À partir de cette date, Montréal devint le siège définitif du gouvernement. Le groupe imposant des ministres, députés, présidents et fonctionnaires de toutes natures forme une véritable société à l'intérieur de la ville de Montréal. Gagner l'estime de ce groupe, c'est s'assurer continuellement des commandes et avec un peu de chance devenir le portraitiste en vue de la métropole. Et quoi de mieux qu'un grand sujet patriotique pour attirer l'attention de ces hommes politiques occupés à bâtir une nation ?

Séjour montréalais : 1847-1850

Le jour même de son arrivée à Montréal en provenance de New York, **La Revue canadienne** annonce la parution de son portrait de **Jacques Cartier** [61]. Au milieu de décembre 1847, l'atelier est prêt pour recevoir les clients ; Joseph Boulanget, marchand de la rue Notre-Dame a loué les locaux que Théophile occupera jusqu'à la fin de son séjour. Nous avons lieu de croire que Théophile Hamel voulait s'installer de façon permanente à Montréal. Mais l'incendie du parlement en avril 1849 en fait un peintre itinérant. Le gouvernement se déplace à Toronto pour deux sessions : 1850 et 1851. Sans hésiter, l'artiste part pour Toronto. Ses relations avec Napoléon Bourassa peuvent nous aider à préciser cette question. Le jeune homme a suivi les cours de Théophile Hamel pendant dix-huit mois. La première année, du 1er octobre jusqu'au 31 mai. La seconde année, du 20 juillet jusqu'au 20 mai [62]. Bien que la lettre où nous puisons ces dates ne fournisse pas le millésime, les cours ont été très probablement donnés entre le 1er octobre 1848 et le 20 mai 1850. En effet, le 25 juillet 1850, le correspondant du **Kingston Whig** visite l'atelier de Théophile Hamel qui réside à Toronto depuis quelques temps [76]. Son départ pour Toronto aurait mis fin aux cours de Napoléon Bourassa. L'artiste est donc demeuré à Montréal de l'automne 1847 au printemps 1850 [64].

Séjour à Toronto : 1850-1851

Il réside environ une année à Toronto. En 1851, le Parlement déménage à Québec et **Le Journal de Québec** du 16 octobre annonce que Théophile Hamel ouvre son atelier au 56 de la rue Saint-Jean à Québec. Deux ans plus tard il devient peintre officiel du gouvernement. De 1855 à 1859, les sessions se tiennent à Toronto. Et Théophile Hamel s'y rend au moins à trois reprises ; de juillet à septembre 1856, en juin et juillet 1857, en février 1858 [65]. Ces constatations nous mènent aux conclusions suivantes. À son retour d'Europe, Théophile Hamel opte pour Montréal devenu le siège permanent du gouvernement. C'est alors la seule ville au Canada offrant une clientèle aussi nombreuse. Les personnages officiels profiteront des talents des artistes tout au long de la session. Mais la subite mobilité du Parlement l'oblige à se rendre à Toronto puis à Québec. L'artiste décide alors de se fixer dans sa ville natale quitte à effectuer de brefs séjours à Toronto.

Tableau 7 :

THÉOPHILE HAMEL ET LES DÉPLACEMENTS DU GOUVERNEMENT

Gouvernement	Théophile Hamel	Napoléon Bourassa
Montréal 1844, 1er juillet Ouverture de la session 1845 1846 1847 1848 1849 : Incendie du parlement	**Europe** 1843 : 12 juin **Québec : août 1846** **Montréal :** novembre ou décembre 1847	**Cours :** 1er octobre 1848 20 mai 1850
Toronto 1849, novembre : le gouvernement déménage à Toronto 1850, 14 mai : ouverture de la session 1851, 31 août : fin de la session	**Toronto :** entre le 20 mai et juillet 1850	
Québec 1851, octobre : le gouvernement déménage à Québec 1852 1853 1854 1855, 30 mai : fin de la session	**Québec** Avant le 16 octobre 1851	
Toronto 1855, octobre : le gouvernement déménage à Toronto 1856 1857 1858 1859, 4 mai : fin de la session	**Toronto** Juillet et septembre 1856 Juin et juillet 1857 Février 1858	
Québec 1859, mai : le gouvernement déménage à Québec 1865, 18 septembre : fermeture du parlement de Québec		

22. *Paysage*. Dessin. 1845. H. 36 cm x L. 28 cm. Collection Madeleine Hamel.

Maturité et maladie fatale
1851-1870

La troisième période québécoise de Théophile Hamel correspond à son installation définitive et à sa maturité artistique. L'évolution de sa carrière faisant l'objet du second chapitre, il convient d'étudier ici la formation tardive de son foyer, ses talents d'hommes d'affaires et les causes de sa mort.

23. *Rocher de Gaspé*. Dessin. H. 23 cm x L. 28 cm. Collection Madeleine Hamel.

Le foyer

Ce « bel homme bien planté, mesurant 6 pieds 2 pouces » est pourtant demeuré célibataire jusqu'à l'âge de quarante ans [66]. Il n'était certes pas indifférent aux charmes féminins comme on peut voir dans ses lettres. De Rome, il parle à Cyrice Tétu de son admiration pour les Romaines. « Permettez, écrit-il, que je vous fasse part des plaisirs que j'ai pu prendre pendant l'hiver qui vient de s'écouler. Plusieurs fois, j'ai partagé les plaisirs des grands et des petits : deux fois j'ai été invité à passer la soirée chez le Prince Torlonia, où j'ai rencontré plusieurs dames : il y avait aussi des Romaines, et je puis vous dire (sans esprit de parti) que sur le rapport physique Mes Dames Romaines les emportent de beaucoup [67] ». De temps à autre Napoléon Bourassa le taquine à propos de son état de célibataire.

« Labrèche-Viger est marié à Delle Laflamme ; un roman de terminé ! ! ! cela doit vous mettre encore un peu d'eau à la bouche [68] ! » Peu après son retour d'Europe en 1855, l'élève écrit au maître alors au sommet de sa carrière :

> J'ai su par les amis et surtout par mon frère, un peu de vos affaires — le grand nombre de beaux portraits que vous avez faits ; une santé et une humeur toujours heureuse pour vous et pour ceux qui vous visitent ; un **célibat** qui, au lieu de s'attrister, se poétise de plus en plus avec la prospérité ; un beau cheval et une magnifique maison pour se délasser des petites misères de l'atelier [69].

Napoléon Bourassa revient à la charge en juin 1857 dans une lettre où il lui annonce son propre mariage. « L'amour qui vous tenait tant l'hiver dernier et qui devait avoir de **si grands résultats** sur les populations futures du Canada — qu'en avez-vous donc fait... je n'y vois encore rien — vous devriez savoir, quoique Québéquois, que pour avoir quelques douzaines d'enfants, il faut s'y prendre assez à bonne heure [...]. Si vous n'y prenez garde, je vais vous faire une jolie leçon **à l'automne,** entendez-vous [...] je vous assure qu'il m'a pris tout à coup un étrange goût pour le mariage [70] ».

La liaison de Théophile Hamel avec Georgina Faribault remonte à l'année 1856 et peut-être avant. De juillet à la fin septembre 1856, Théophile Hamel séjourne à Toronto et envoie des lettres « à l'objet le plus chéri de [ses] espérances ». Ils n'ont encore jamais échangé de lettres puisque dans sa première missive, datée du 9 juillet, Théophile fait appel à l'indulgence de la jeune fille. Vous trouverez, dit-il, « le style de celui qui n'a pas eu l'avantage d'une école, et qui se doit à lui-même le peu qu'il sait [71] ». Avec toute la réserve de mise à l'époque, il multiplie les « ma bonne amie, ma bien chère amie, votre ami affectionné ». Un autre séjour plus bref au cours de l'été 1857 nous vaut la bonne fortune de deux autres lettres. Invité chez l'honorable Ross, il parle avec humour de son travail et des réceptions :

> Cette résidence est une des plus belles du haut Canada ; Il y a tout ici pour inspirer un peintre, tout excepté l'hôtesse [...] ;
> Je passe assez bien le temps ; nous avons eu un grand pic-nic où il n'y avait pas moins de quatre-vingt personnes. L'endroit champêtre avait été bien choisi, une bonne musique militaire, des jolies femmes en grand nombre. Une seule manquait ; sans cela la fête eut été parfaite. Enfin, le tout s'est terminé par les polkas, quadrilles et valses et jusqu'à trois heures du matin [72].

Quelques semaines plus tard, le 9 septembre 1857, en présence du vicaire général Charles-Felix Cazeau, Théophile Hamel épousait Mathilde-Georgina Faribault, fille de Georges-Barthelemy.

Théophile Hamel était en contact avec la famille Faribault depuis dix ans au moins. Dans une lettre à Benjamin Viger datée du 4 janvier 1848

Georges-Barthelemy insiste pour connaître les réactions du public montréalais à l'égard du jeune artiste. Il n'est cependant pas très intime avec lui puisqu'il préfère s'adresser à Viger pour avoir trois exemplaires de la lithographie de **Jacques Cartier** exécutée à New York d'après le tableau de Théophile Hamel. Il est donc probable que Théophile Hamel ait connu son épouse alors qu'elle avait environ seize ans. Elle en a vingt-six au moment du mariage. Elle aurait préféré demeurer longtemps célibataire afin de s'occuper de son père si on en croit une lettre de Claire et Pauline Faribault du Mans [73]. Faribault avait perdu sa femme lors d'un voyage en Europe et n'avait surmonté cette épreuve qu'avec une extrême difficulté accusant les médecins parisiens de l'avoir guidé vers la tombe. Les circonstances et les fêtes qui ont entouré le mariage de Théophile Hamel n'ont pas laissé de traces [74].

Nous connaissons peu sa femme. Elle a laissé le souvenir d'un « esprit délicat, aimable et cultivé » [75]. Quand son mari doit séjourner à Toronto, elle se réjouit de voir affluer les commandes mais déplore qu'il faille exécuter le travail sur place [76]. Les Hamel semblent avoir une vie sociale assez active. D'après les lettres d'Azélie Papineau, femme de Napoléon Bourassa, Mme Théophile se montrait très attentive au bien-être de ses invités. « Votre aimable et chaude réception — écrit-elle après un séjour à l'automne 1867 — m'a bien vite confirmé dans l'opinion qu'ont de vous tous ceux qui avaient eu le plaisir de vous connaître depuis plus longtemps que moi et qui me disaient en parlant de vous que la bonté et l'amabilité vous sont si naturelles qu'il vous faudrait faire un effort presque surhumain pour les cacher [77] ».

Le mariage de Théophile Hamel avec la fille de Georges-Barthelemy Faribault l'incorpore à l'aristocratie intellectuelle. Tel un tryptique son évolution comporte trois volets : promotion professionnelle, promotion économique et enfin promotion sociale. Il est fréquent qu'il faille attendre plus d'une génération pour mettre en place ce dernier volet. Son évolution est plus rapide et plus importante que celle des autres membres de la famille. Le tableau 10 nous apprend que la plupart de ses frères et sœurs se sont mariés avec des conjoints appartenant au même milieu social. Léocadie épouse un menuisier. Thomas-Stanislas, cultivateur, épouse sans doute la fille d'un cultivateur lors de son premier mariage. Sa seconde femme est fille d'un mesureur et arpenteur de bois. Abraham, marchand et fondateur de la compagnie, épouse la fille d'un marchand. Joseph Hamel, marchand, prend femme à Trois-Rivières. Élisa Routier est veuve de l'avocat Jean Mondelet. C'est la première représentante de la classe professionnelle à s'unir à la famille Hamel. Le mariage de Théophile Hamel a une portée beaucoup plus grande étant donné le rôle joué par Georges-Barthélemy Faribault au sein du gouvernement et dans la vie culturelle de la province. Avocat, il passe tôt au service du gouvernement où il fut écrivain, greffier, traducteur puis responsable de l'organisation de la bibliothèque. En plus de participer à la fondation de la Société historique de Québec, il y a joué un rôle important [78]. Ses fonctions de bibliothécaire l'ont mené en Europe où il fut en contact avec plusieurs ministres et représentants de divers gouvernements. Sa correspondance avec Jacques Viger et les intellectuels du pays l'a placé au cœur des grandes questions culturelles du siècle. L'inventaire de sa bibliothèque est impressionnant. Décédé à 77 ans, le 24 décembre 1866, il laissait par testament à l'Université Laval « tous [ses] livres tant imprimés que manuscrits, ainsi que [ses] cartes, plans, gravures et autres objets qui ont rapport à l'histoire du Canada [79] ». À sa demande, l'abbé Laverdière fit un choix qu'il résume ainsi : « environ 1000 volumes imprimés et environ 400 pièces manuscrites la plupart anciennes et originales [80] ». Par ce mariage, la famille Hamel accède aux couches supérieures de la société. Désormais Théophile sera l'égal des architectes, des historiens et des poètes les plus en vue de Québec [81]. Et ses enfants continueront à occuper des postes importants dans la société québécoise. Théophile Hamel fut le père de cinq enfants tous nés à deux ans d'intervalle sauf le dernier. Trois mourront cependant très jeunes : Georges à quatre ans, Corine à onze mois et Édouard avant l'âge de trois ans. Seuls Hermine et Gustave parviendront à l'âge adulte. La jeune fille fera un mariage avantageux et Gustave deviendra avocat. À la mort de leur père, les deux enfants n'ont cependant que huit et dix ans.

La mère reste seule pour assurer leur éducation ; mais elle n'est pas dépourvue de moyens financiers.

Situation financière

Le mythe du peintre pauvre au sein d'un « peuple tout occupé à se construire [qui] n'a pas de quoi nourrir ses artistes » demeure encore vivace [82]. Une étude sur l'aspect financier de la carrière de nos artistes serait du plus grand intérêt. Nous savons maintenant que Cornelius Krieghoff n'était pas pauvre [83]. Et Gérard Morisset, beaucoup plus sûr au niveau de l'information qu'au niveau des interprétations esthétiques, avait vu juste en parlant de la « petite fortune » amassée par Hamel [84]. Nous possédons divers moyens pour évaluer cette fortune. D'abord ses honoraires. Mais les prix de ses tableaux ne peuvent nous conduire à des conclusions très précises puisque nous ne connaissons pas l'étendue de sa production. La même remarque vaut pour certaines activités marginales comme les cours de dessin et la restauration de tableaux. Par contre, les archives judiciaires nous fournissent avec exactitude l'importance des transactions financières opérées tout au long de sa carrière. Examinons chacune de ces questions.

Avant même son départ pour l'Europe, Théophile Hamel vendait à bon prix ses compositions religieuses. L'église de Saint-Ours possède deux immenses toiles de cette période : **Le repos de la Sainte Famille** et **Jésus chez les docteurs du temple**. Les registres paroissiaux mentionnent le prix des deux œuvres : 1465 livres et 10 shillings cours ancien. Ce qui équivaut à environ $293 de l'époque [85]. À son retour d'Europe, il exécute deux tableaux pour l'église de Grondines : **Notre Dame du Rosaire et Saint Louis de Gonzague.** Le 18 janvier 1846, la Fabrique lui paie $100, et $48 le 23 février 1847 [86]. Il reçoit donc environ $75 pour chaque tableau. Lors de son séjour à Montréal, il exécute un grand tableau pour la paroisse de Saint-Hugues pour lequel il reçoit la somme de 1200 livres ancien cours soit

$240 de l'époque [87]. Nous connaissons le prix de deux autres compositions religieuses exécutées en 1863 et en 1867. D'abord la magnifique **Présentation au temple** de la chapelle des Jésuites sur la rue Dauphine à Québec. Grâce aux **Registre des procès-verbaux de la Congrégation des hommes 1845-1877**, nous possédons plusieurs renseignements précieux :

> Aujourd'hui septième jour d'avril de l'année mil huit cent soixante-un, le Conseil de la Congrégation étant assemblé au lieu ordinaire après la Messe, le Révérend Père Directeur et autres membres du Conseil chargés de s'entendre avec Mr Théophile Hamel et autres artices de cette Ville, font rapport que Mr Théophile Hamel se seroit engagé à faire un tableau pour remplacer celui du maître autel et de le livrer d'hui en un an, à raison de quarante livres courant. Et ont signé, lecture faite.
> A. B. Sirois
> Secrétaire
>
> Conilleau S J
> Gaspart Drolet
> Préfet [88]

Trois ans avant sa mort, il est chargé de copier encore une fois le **Repos de la Sainte Famille.** Cette commande lui est faite par la Fabrique de Notre-Dame-de-Québec qui lui offre 70 louis [89]. Se fondant sur les sept compositions religieuses précédentes, nous voyons que le prix moyen se situe à environ $150 le tableau. Quand le tableau est très grand cette somme est presque doublée. Les tableaux de Saint-Ours et la **Présentation** des Jésuites étant à peu près de même format on se rend compte de la hausse des prix vers la fin de sa carrière.

La situation économique du client fait fluctuer le prix des portraits. Aux dignitaires ecclésiastiques comme Mgr Casault (1861) et Mgr Horan (1867) ; il demande $100 le portrait [90]. Le prix des portraits civils varie beaucoup. Voici une liste tirée en majorité du **Livre de compte** de Théophile Hamel [91].

Tableau 8 :
PRIX DES PORTRAITS CIVILS DE THÉOPHILE HAMEL

Date	Nom	Prix
1855	Joseph Dionne	$ 50
1855	Mme Joseph Dionne (?)	50
1857	Ulric Tessier (Sénat)	200
1859	Dr Morrin (Hôtel-Dieu)	64
1864	Dr Morrin (Séminaire)	50
Avant 1866		
	Monsieur Air	50
	Monsieur Blake	100
	Père de A.J. MacDonald	100
	Madame Carr	50
	Madame Rorr ou Ross	50
	Madame Noland	50

Cinquante dollars représente donc le prix d'un portrait courant. Cette pratique était assez répandue pour que Napoléon Bourassa le mentionne dans une vigoureuse apostrophe écrite d'Italie. « Vous m'annoncerez je l'espère dans votre prochaine quelques bonnes compositions faites ou sur le point de sortir du néant ; je ne vous pardonnerai plus si vous vous en teniez à refaire les figures que tout le monde vous présente, moyennant 2 heures par séance et 50 piastres de façon [92] ». Par contre, le gouvernement aurait offert un très bon prix pour la Galerie de portraits. Antoine Plamondon a protesté vigoureusement par la voie des journaux. « Le gouvernement, dit-il, vient de donner trois mille louis à un peintre de portraits pour trente visages ! ! Pour trente visages !... Oui, cent louis par visages. Et pourquoi tous ces visages, s'il-vous-plaît [93] ? » À part ces pièces de prestige, Théophile Hamel a sans doute exécuté plusieurs portraits au crayon. Les deux qu'il fit pour Jacques Viger en 1847 ne furent payés que $8 pièce [94].

L'analyse de ces données soulève plusieurs problèmes. En premier lieu, le prix des tableaux est mentionné soit en livres anglaises, en livres françaises cours ancien, en louis ou en dollars. En outre, il est difficile d'établir des correspondances exactes entre ces monnaies. Par exemple, que vaut la livre cours ancien vers 1850 ? Voici les chiffres qui semblent les plus justes. La livre anglaise cours d'Halifax équivaut à $4 ou à 20 livres françaises. Par ailleurs, un louis égale environ 24 livres françaises ou environ $5. Comme les économistes et les historiens ne sont pas tous du même avis sur ces questions, il est prudent de recourir à d'autres éléments de comparaison : le salaire annuel d'un ouvrier spécialisé et le prix du logement. On entend par ouvrier spécialisé, tout représentant d'un corps de métier comme les menuisiers, les forgerons ou les boulangers. Aux 17ème et 18ème siècles, leur salaire annuel moyen est d'environ 500 livres françaises. Vers le milieu du 19ème siècle, on peut prendre comme base de comparaison la somme de $900 de l'époque. Nous savons en outre qu'un logement de grande dimension coûte environ $80 par année. Le 30 août 1870, Cornelius Krieghoff signe un bail avec Mme Germain Saint-Pierre afin d'occuper contre la somme de $80. le second et le troisième étage ainsi que le grenier d'une maison de trois étages située sur la rue Richelieu. La même chose se répète le 14 février 1871 pour occuper l'étage supérieur d'une maison de deux étages située sur la rue Prévost. Prenons comme acquis qu'un logement semblable coûterait en 1975, $150 par mois donc $1 800 par année. Donc $1 800 équivalent au prix d'un tableau payé $80. à Théophile Hamel en 1870. La production de vingt tableaux par an lui assurerait donc un salaire actuel de $36 000. Or nous avons de bonnes raisons de croire qu'il en a fait plus que cela. Ces chiffres ne font que suggérer un ordre de grandeur et n'ont aucunement pour but d'ouvrir une polémique.

Tableau 9 :
PRIX DES COMPOSITIONS RELIGIEUSES D'ANTOINE PLAMONDON

Date	Lieu	Titre	Prix	
			en livres	en dollars
1825	Bécancour	**Saint-Pierre**	£ 432	$ 86
1836	Baie-Saint-Paul	2 tableaux religieux	£ 34-16-9½	$ 80
1848	Saint-Augustin	**Saint-Gérome dans le désert**		$ 80
		Saint-Michel terrassant Lucifer		$ 80
1857	Saint-Jean Île d'Orléans	**Sainte-Anne**	£ 30	$120
		Saint-François-Xavier	£ 25	$100
1861	Pierrefonds	**Saint-Joseph**	£ 600	$120
1869	Sœurs du Bon-Pasteur de Québec	**Immaculée Conception**		$ 30

Vers 1850, la livre anglaise équivaut à $4. La livre cours ancien équivaut à un vingtième de la livre anglaise d'après la plupart des auteurs.

Étude comparative : des prix

Les tarifs de Théophile Hamel sont-ils différents de ceux de ses collègues ? Comparons les compositions religieusess et les portraits chez Antoine Plamondon, Théophile Hamel, Eugène Hamel et Ludger Ruelland. En 1871, Antoine Plamondon offre ses services au public pour exécuter des portraits d'après photographies. « Le prix des portraits est comme suit : sur des toiles préparées en Angleterre :

Grand buste :	toile de 4 pieds 5 pouces × 3 pieds 5 pouces	$40.00
Moyen buste :	toile de 3 pieds 4 pouces × 2 pieds 6 pouces	$25.00
simple buste :	c'est-à-dire la tête, les épaules et la poitrine, sur toile de 2 pieds 5 pouces × 2 pieds	$18.00 [96] ».

On s'attendrait à des prix beaucoup plus élevés pour un artiste de la taille de Plamondon. Pour Eugène Hamel, j'ai choisi trois compositions religieuses et trois portraits qui semblent représentatifs. En 1888, il exécute un **Saint-Joseph** et un **Sacré-Cœur** pour la chapelle des Pères Jésuites. Chaque tableau coûte $157 [97]. La Fabrique de Saint-Frédéric-de-Beauce lui paie $150 un tableau représentant le patron de la paroisse [98]. Trois portraits exécutés pour le Séminaire de Québec sont payés $60 chacun : l'abbé Méthot, le recteur Hamel et Mgr Paquet [99]. La tradition veut que Ludger Ruelland ait vendu ses portraits $15 ou $20 [100]. Il prenait certainement plus cher quand le personnage était un homme important. En 1865 par exemple, il charge $42.60 pour le portrait du maire Carrier [101].

On voit que chez ces artistes, les compositions religieuses valent plus cher que les portraits [102]. Pourtant ce sont des copies. Le format importe plus que l'originalité. Théophile Hamel et Antoine Plamondon demandent à peu près les mêmes sommes. La chapelle des Jésuites permet de comparer Eugène et Théophile Hamel. Le tableau de ce dernier représentant la **Présentation au temple** est payé le même prix que les deux œuvres d'Eugène pourtant de format plus réduit.

Théophile Hamel fut le portraitiste le plus « chèrant » du 19ème siècle. Ses portraits pour le gouvernement atteignent des prix encore jamais vus. Eugène demande à peu près les mêmes sommes que Théophile pour les portraits courants. Artiste marginal, Ludger Ruelland n'a pas ces exigences. Sa clientèle est bien différente aussi. Les marguilliers, les chantres [103] et de modestes organisations paroissiales lui demandent des œuvres sans prétention ainsi que des portraits au crayon. Étrange paradoxe, Antoine Plamondon bat le record des bas prix ; il s'agit ici d'œuvres faites d'après des photographies. L'artiste demande la couleur des yeux, des cheveux et de la barbe afin de faire une œuvre ressemblante. Les portraits faits en présence du modèle devaient être plus coûteux.

Activités secondaires

Les activités marginales rapportent peu. Comme la plupart des artistes, Théophile Hamel a certainement donné beaucoup de leçons de dessin et de peinture puisque les écoles d'art n'existaient pas encore. Sauf les cours dispensés au Séminaire de Québec, il s'agit toujours d'enseignement individualisé. Rares sont les élèves désireux de faire carrière. C'est cependant le cas de son premier disciple, Napoléon Bourassa, qui travaillera avec lui pendant dix-huit mois contre une rétribution de $180 de l'époque [104]. Un mois de cours rapporte donc environ $10. D'autres élèves ont besoin de quelques cours pour mieux exercer leur métier. L'architecte Eugène Taché fréquente l'atelier d'Hamel en septembre 1862 et à nouveau en juin et juillet 1863. Le livre de comptes de Théophile Hamel ne fait pas mention des honoraires. Il faut placer dans cette catégorie les religieuses qui ont besoin de quelques notions d'art pour enseigner à leurs élèves. De février à septembre 1865, deux religieuses de Jésus-Marie prennent des leçons de dessin. Le livre de compte conservé dans les archives Madeleine Hamel nous apprend que ces cours se sont échelonnés sur trois années au moins. On trouve aussi mention d'achats de toiles, de faux-cadres, d'assurances de tableaux et le prix des leçons. En juillet 1867, les religieuses lui doivent $67 pour 54 leçons de peinture à Sœur Saint-Alphonse, $34 pour 68 leçons à Sœur Sainte-Angèle et $6 pour toile et faux-cadre. Ce type de travail lui rapporte donc entre cinquante cents et un dollar la leçon. Il fait en outre des restaurations pour moins de deux dollars le tableau. En 1859, l'Évêché lui verse vingt-quatre dollars pour la remise en état de quatorze tableaux appartenant sans doute à la série des anciens évêques de Québec [105]. Enfin Théophile Hamel fit enregistrer plusieurs lithographies exécutées d'après ses tableaux. Ce genre d'entreprise dût lui rapporter des sommes plus substantielles que son enseignement.

L'homme d'affaires
De 1846 à son mariage

Beaucoup plus importantes, les transactions financières effectuées par Théophile Hamel ont été consignées devant notaire et témoignent d'une aisance remarquable. Très tôt, soit dès son séjour montréalais, l'artiste s'est doublé d'un homme d'affaires. En 1849, il devient membre de l'Association des comtés de l'Islet et de Kamouraska pour coloniser le territoire du Saguenay. Chaque membre devait prendre au moins une part de cinquante dollars. Le paiement échelonné sur cinq ans comportait deux versements de cinq dollars par année. Théophile Hamel ainsi que son frère Ferdinand achètent chacun une action ce qui leur donne droit à un lot en partie défriché et à au moins une bâtisse : la maison ou l'étable [106]. Joseph se porte acquéreur de deux actions. C'est la première d'une série d'opérations financières qui le mèneront à la prospérité. Une prospérité économique assez importante pour que sa veuve puisse vivre avec seulement l'usufruit de ses biens plus le douaire de $4 000 promis dans le contrat de mariage [107] :

> Je donne et lègue à la dite Georgina Mathilde Faribault, mon épouse, l'usufruit et jouissance, sa vie durant, de tous les biens que je délaisserai à mon décès sans aucune exception pourvu qu'elle ne convole pas en secondes noces — auquel cas le dit usufruit cessera dès que nos deux enfans auront atteint l'âge de majorité ; mais si nos deux enfans venaient à mourir sans laisser d'hoirs de leurs corps, alors le dit usufruit retournera en faveur de ma dite épouse quand même elle se remarierait et elle reprendrait la dite jouissance et continuera à jouir de mes dits biens [108].

Sur le plan financier, la carrière de Théophile Hamel ne couvre que vingt-quatre ans. Il faut retrancher sur les trente-six ans d'activités artistiques, les six ans d'apprentissage, les trois ans de la première période québécoise et les trois ans d'études en Europe. Ses dix premières années de travail lui ont rapporté des gains substantiels dont nous avons la preuve au cours des années 1856 et 1858. Avant cette date, l'artiste ne semble pas avoir spéculé beaucoup. Le 11 août 1851 il prête $600 à la Fabrique de Saint-Pacôme. Le 28 septembre de l'année suivante, il prête à nouveau $400 qui serviront semble-t-il à « faire ériger une église et autres dépendances en la dite paroisse de St-Pacôme [109] ». Le 8 octobre 1857, il prête $800 « pour le profit et avantage de la dite œuvre et Fabrique (de Saint-Germain-de-Rimouski) et pour être employée à la construction d'une nouvelle église qui se bâtit dans la dite paroisse [110] ». Les intérêts sont de 6%. L'année précédente, Théophile Hamel avait réalisé un achat très important : un terrain et une maison. Le docteur George-Wellis Douglas cède sa propriété contre la somme de $5 200. Théophile Hamel donne $1 200 et s'engage à payer le reste en quatre ans plus les intérêts à 6% [111]. Un an et demi plus tard, l'artiste vend sa maison à George-Siméon Audette réalisant un profit de $1 400. La description donnée dans les deux actes de vente laisse deviner un terrain admirablement situé et une grande maison :

> un emplacement situé sur le cap aux Diamants en la Haute Ville de Québec, contenant vingt-huit pieds de front sur quatre vingts pieds de profondeur, plus ou moins mesure française ; avec ensemble la maison en pierres et en briques à trois étages et autres bâtisses dessus construites [112].

Il semble que cette vente ait été faite à cause de la nouvelle situation familiale de l'artiste plutôt que pour des considérations financières. En effet, Théophile Hamel épouse Georgina Faribault le 10 septembre 1857. Treize jours après, il vend sa maison et va demeurer chez sa femme. L'épouse de Georges-Barthélemy était morte en 1852 ; Georgina, fille unique, ne pouvait abandonner son père alors âgé de soixante-sept ans. Le **Québec Directory** pour l'année 1858-1859 ne donne pas le nom de Théophile Hamel. Il n'a donc pas de résidence propre. De 1859 à 1870, il est domicilié au no 4 de la rue des Carrières qui est depuis longtemps la résidence de Faribault. S'il en était besoin, des lettres comme celle d'Adolphe Puibusque viendraient confirmer le fait que le jeune ménage s'installe chez le beau-père. En effet, Puibusque se réjouit à l'idée que la « charmante maison » de Faribault « va s'animer et se peupler » [113].

De 1857 à sa mort

Considéré sous l'angle financier, le mariage offre d'abord à Théophile Hamel l'usage d'une confortable résidence. Son contrat de mariage prend un relief très marqué si nous le comparons à ceux de ses frères et sœurs à l'aide du tableau neuf. Comme Joseph et Élisa Routier, les époux se marient sous le régime de la séparation de biens. « Le dit futur époux autorise dès à présent la dite future épouse de gérer et administrer elle-même ses propres biens ; faire baux d'iceux et en retirer les loyers et donner quittance ; et de disposer de son mobilier comme elle le jugera à propos, sans plus ample ou spéciale autorisation [114] ». La mariée apporte une grosse somme d'argent. Son père lui lègue une assurance sur la vie évaluée à $4 000. Cette somme touchée au moment du décès servira à l'achat d'immeubles ou à des prêts hypothécaires. Le contrat ne parle pas de sommes additionnelles. Nous sommes mieux renseignés pour les meubles. La jeune mariée est propriétaire « d'un piano, de la bibliothèque qui est à l'usage du dit sieur G. B. Faribault, son père, d'un lot d'argenterie et de divers autres meubles et effets mobiliers ». Le tout est évalué à $2 000. C'est donc une dot très élevée pour l'époque. Les femmes des frères de Théophile n'apportent que leurs objets personnels au moment du mariage. Ni meubles de prix, ni dot. Seule Élisa Routier prendra soin de faire dresser un inventaire de ses biens évalués à $728. Sauf un lave-mains un poêle, un piano et quelques autres meubles de moindre prix, ses biens sont surtout constitués de vêtements personnels : environ 24 robes et 26 chemises, 17 jupons et 9 corsets. Ses bijoux sont évalués à environ $30 [115]. Beaucoup plus important, le mobilier de Georgina Faribault représente à lui seul trois fois la valeur de tous les biens accumulés sur la terre des parents de Théophile lors de l'inventaire de 1851. Alors que les autres couples de la famille s'entendent sur un préciput réciproque de $400 « que le survivant des futurs époux prendra en dernier comptant ou en meubles de la dite communauté suivant la prisée de l'inventaire [116] », le préciput concenti par Théophile Hamel à son épouse s'élève à $1 000. Aucune femme ne se voit assurée d'un douaire exceptée Cécile Roy qui aurait reçu la somme de 300 louis si elle avait survécu à son mari. Théophile offre un douaire de $4 000 dont son épouse pourra jouir au moment du décès.

Un an après son mariage, Théophile Hamel opère la plus importante transaction financière de sa carrière. Il prête à ses frères Joseph et Abraham la somme de $8 000. Marchands, associés sous le nom de A. Abraham et Frères, ils s'engagent à remettre la somme plus les intérêts à 6% au bout de quatre ans. Le prêt ne fut remboursé que le 7 juin 1876 soit dix-huit ans plus tard [117]. Pour garantir cet emprunt les frères de Théophile hypothèquent

Tableau 10 :

ASPECTS FINANCIERS DES CONTRATS DE MARIAGE DANS LA FAMILLE HAMEL

Noms	Profession du conjoint Hamel	Profession du conjoint étranger ou de son père	Type de contrat	Dot du conjoint étranger	Garanties du conjoint Hamel	Date du mariage
Michel-Abraham avec Cécile Roy	Marchand	Négociant (père)	Communauté de biens	nil	Douaire : 300 louis Préciput réciproque : $100	août 1839
Thomas-Stanislas avec Suzanne Routier	Cultivateur	?	Idem	nil	Préciput : $400	janvier 1842
Joseph avec Élisa Routier, veuve de Jean Mondelet	Marchand	Avocat (premier mari)	Séparation de biens	$728	Entretiendra la fille de sa femme	septembre 1847
Thomas-Stanislas avec Zoé Lockwell	Cultivateur	Mesureur et inspecteur de bois (père)	Communauté de biens	nil	Préciput : $400	novembre 1852
Ferdinant-Edmond avec Scholastique Routier	Marchand	?	Idem	nil	Préciput : $400	juin 1853
Léocadie Hamel avec André Lockwell	Fille de cultivateur	Menuisier	?	?	?	novembre 1855
Théophile Hamel avec Georgina Faribault	Peintre	Avocat et bibliothécaire de la province (père)	Séparation de biens	$2 000 de biens $4 000 d'assurance	Douaire : $4 000 Préciput : $1 000	septembre 1857

des biens considérables : trois lots et quatre maisons en pierre dont deux ont quatre étages et une trois étages.

Pour être moins spectaculaires, les opérations financières de la dernière décennie demeurent considérables. Les sommes varient beaucoup mais les garanties sont toujours solides. Le 20 avril 1861, il prête environ $50 à un cultivateur de Sainte-Foy à des intérêts de 8% moyennant l'hypothèque de deux terres [118]. En 1863, la veuve de Joseph Bolduc doit transférer son assurance sur la vie au nom de son fils afin de garantir un prêt de $3 400 que la femme de ce dernier vient d'obtenir de Théophile Hamel [119]. La même année l'artiste fait une transaction compliquée afin que sa femme reçoive des revenus de la Seigneurie de La Chevrotière dans le comté de Portneuf [120]. Le 8 janvier 1867, Théophile et sa femme se présentent chez le notaire Charles Huot pour nommer un procureur général afin de s'occuper de l'héritage reçu de G.-B. Faribault [121]. Il s'agit surtout des « arrérages ou balance de la pension viagère qu'il recevait, pendant sa vie, du gouvernement ». Le document ne donnant aucune autre précision, il est impossible de mesurer l'impact de cet héritage sur l'évolution financière de la famille Hamel. Au cours des dernières années, les opérations financières continuent régulièrement. Notons un prêt de $1 200 à 8% le 17 avril 1867 [122]. Son dernier prêt est consenti à un marchand de Château-Richer ; 600 louis à 8% contre diverses hypothèques comme à l'accoutumé [123]. Le testament de Théophile Hamel nous apprend peu de chose à part ce que nous avons mentionné à propos de sa femme qui conserve l'usufruit des biens de son mari plus le douaire de $4 000 consenti dans le contrat de mariage. Les deux enfants vivants Hermine et Gustave deviennent ses « légataires généraux et universels et [...] auront droit de prendre [les] dits biens après l'usufruit d'iceux [qu'il a] légué à leur mère, expiré[e] et non avant [124] ».

La veuve continue à faire prospérer la fortune qu'elle partagera ensuite entre ses deux enfants. Un sondage fait dans les archives judiciaires pour les vingt ans qui suivent le décès de Théophile ont mis à jour des marchés très importants.

Tableau 11 :

ACTIVITÉ FINANCIÈRE DE Mme THÉOPHILE HAMEL

Date	Prêt consenti en dollars	Argent recouvré en dollars	Intérêt	Noms
1871	200			Félix Belleau
1873	2 200		8 %	Joachin Bédard
1874	1 000		7 %	Madame Édouard Cazeau
1875	3 000			William Elliot
1875	717.30		8 %	Madame De Foy et ses filles
1876		16 000		Abraham et Joseph Hamel
1876	8 000		7 %	Joseph Hamel
1876	4 000		7 %	Alphonse Hamel
1877		200		Félix Belleau
1878	2 000		7 %	J.A. Trudel de St-Prosper
1880		3 000		William Elliot
1892	1 082			Il s'agit d'un achat de terres. L'affaire s'est compliquée au cours des années à cause des rentes dues. Un règlement est intervenu seulement en janvier 1975.

Sans doute conseillée par The Royal Trust, en qui elle déclare avoir « une belle confiance [125] », Mme Théophile Hamel rédige son propre testament en 1905. Les biens laissés par Théophile Hamel s'élèvent alors à $19 280 sans compter les meubles et les tableaux. La veuve estime ses propres biens à $14 854.34 omettant aussi les meubles, les argenteries ainsi que volumes et vêtements [126]. À la mort de Mme Théophile Hamel, son fils Gustave, avocat dans la Beauce, recevait la moitié des biens et Hermine l'usufruit de l'autre moitié. Berthe Lemay, fille d'Hermine, est donc entrée en possession de la moitié des biens du ménage Théophile Hamel quand sa mère mourut en 1911 [127]. Le testament de Mme Théophile stipulait qu'après la mort de Gustave ses enfants deviendraient propriétaires à parts égales alors que Mme Gustave Hamel ne disposerait que de l'usufruit. Asthmatique et faible des poumons, Gustave tombait gravement malade lors d'un voyage à Québec au cours de l'hiver 1917. Devenue veuve, Madame Gustave Hamel dut assurer péniblement l'éducation de quatre des neuf enfants issus de son mariage. Son avocat dira que « ses revenus la forceront à faire une vie tout autre que celle à laquelle elle était habituée [128] ». L'usufruit des biens laissés par son mari ne devait guère rapporter plus de $2 500 l'an [129]. De par l'article neuf du testament de son mari, elle héritait aussi des portraits de famille ainsi que des tableaux conservés à la maison, au Séminaire et à l'Université Laval [130]. Elle ne put guère tirer profit de ces œuvres [131]. Personne ne pensait encore à collectionner les tableaux de Théophile Hamel.

L'étude de la situation financière de Théophile Hamel nous mène aux conclusions suivantes. L'artiste possédait des biens et des sommes d'argent considérables. Comme les activités secondaires (restauration, cours) rapportaient peu, il est évident que la vente de ses tableaux a fait sa prospérité.

Membre de l'Institut canadien

L'action de Théophile Hamel au sein de l'Institut canadien n'est guère plus connue que ne l'étaient ses activités financières. Il en fut pourtant membre pendant dix-huit ans. Admis à la séance du 2 février 1852 présidée par François-Xavier Garneau [132], il a participé aux travaux de la société jusqu'à sa mort. Les archives de l'Institut fournissent trois types de renseignements : le paiement des souscriptions, les postes au sein des comités, les emprunts de volumes. La plupart des membres paient leur souscription annuelle en deux versements [133]. Théophile Hamel acquitte toujours la somme prescrite pour une année entière soit quatre dollars. Le premier versement fait au mois de mars 1852 [134] voisine ceux de Thomas Fournier, d'Amable Dionne et d'Antoine Dessane. Après une lacune de cinq ans, imputable sans doute à la tenue des registres, apparaît une série continue de versements de février 1857 à février 1864 [135]. Enfin deux versements de seize dollars sont inscrits ; le dernier couvre la période du 9 mai 1867 au 1er février 1868 [136].

Ses activités au sein du Bureau de direction et des comités nous renseigneraient bien davantage si les procès-verbaux n'étaient pas si laconiques. Nommé au Bureau de direction en 1859 et en 1860, Théophile Hamel ne semble pas avoir pris son rôle à cœur. La première année, il assiste à quatre séances sur douze. Il n'est d'ailleurs pas le seul à déserter les réunions, puisque du 1er août au 5 décembre, cinq séances durent être ajournées faute de quorum [137]. La seconde année, il se présente à six des quinze séances [138]. En janvier 1870, le lieutenant-gouverneur François Langelier, le docteur J.-B. Blanchet et L.-H. Huot feront remonter la décadence de l'Institut au « temps où le Bureau de direction [était] composé de membres qui y prenaient si peu d'intérêt qu'il n'y avait jamais quorum aux assemblées mensuelles [139] ». À cet égard, l'année 1859 fut la plus sombre. Il est cependant possible que Théophile Hamel ait concentré son activité au sein du comité de la salle de lecture (1859) et au sein du comité de lecture et de discussion (1860). À deux reprises encore, il fera partie du comité de la salle de lecture : en 1862 et en 1867. Par ailleurs, nous n'avons pas trouvé mention de conférence faite par l'artiste. Sa formation académique ne le préparait pas à ce genre d'activité. Et Théophile Hamel n'a pas été un lecteur assidu à l'Institut canadien. Six emprunts seulement figurent à son nom : Pierre-Joseph-Olivier Chauveau : **Charles Guérin** ; Fenimore Cooper : **Le corsaire rouge**, Schiller : **Théâtre**, Lemaître : **Soirées à St. Petersbourg** [140]. En juin 1856, il emprunte un cinquième volume et enfin, à la veille de son mariage, le 13 juin 1857, il lit les **Portraits de femmes** de Sainte-Beuve [141]. À partir de cette date, la bibliothèque de son beau-père le dispensait de se rendre à l'Institut. Au cours de la même période 1848 à

1857, certains lecteurs empruntent d'énormes quantités de volumes. François-Xavier Garneau vient sans doute en tête de liste. Il faut aussi mentionner le notaire Glackmeyer, Cyrice Tétu, Ulric Tessier et Amable Dionne. Thomas Fournier emprunte une quinzaine d'ouvrages du 19 avril au 10 décembre 1848 [142]. La plupart sont des volumes liés à sa profession : **Dictionnaire de l'industrie, L'art du peintre, Traité d'architecture**. La bibliothèque offrait un vaste choix pour l'époque. De 450 en 1848, le nombre des volumes s'élevait à 4 500 en 1858 [143] pour atteindre 6 000 en 1880 [144].

Les frères de Théophile Hamel ont aussi fait partie de l'Institut canadien. Joseph Colbert est membre du conseil de fondation de 1848 en tant que percepteur [145]. Du clan Hamel, c'est le plus régulier au Bureau de direction et pour le versement des souscriptions. Abraham a payé sa souscription régulièrement jusqu'en 1859 au moins [146]. La présence de Ferdinand semble plus intermittente. Alphonse, le fils d'Abraham, apparaît souvent dans le livre des comptes. Les marchands Hamel lisaient-ils ? Peu, mais plus que Théophile. Du 23 mars au 2 décembre 1848, Ferdinand emprunte trente-huit volumes [147] ; passion sans lendemain. Abraham emprunte de temps à autres le **Magazine pittoresque**, l'**Illustration de Paris**, l'**Illustrated London News** et même **Notre-Dame-de-Paris** de Victor Hugo [148]. Joseph Colbert ne peut davantage être considéré comme un lecteur assidu malgré les quatorze volumes empruntés du 2 décembre 1848 au 17 novembre 1849 [149].

Devons-nous souscrire entièrement aux jugements portés par le Bureau de direction lors du décès de Théophile Hamel en 1870 ? Le procès-verbal de la réunion du 24 décembre déclare que « M. Hamel était un des bienfaiteurs en même temps qu'un des fondateurs de l'Institut ». « En la personne de M. Théophile Hamel l'Institut canadien a perdu un de ses membres les plus anciens, les plus actifs et les plus dévoués [150] ». Rappelons-nous que l'artiste n'a probablement joué aucun rôle dans la fondation de l'Institut puisqu'il y fut admis en 1852 seulement [151]. Par ailleurs, il est possible que son dévouement ait été notoire sans que les procès-verbaux nous permettent de vérifier ce fait. Mais en définitive le rôle joué par Théophile Hamel au sein de l'Institut canadien semble assez modeste.

J'ai mené cette enquête pour deux raisons. La première est de savoir si Théophile Hamel peut être considéré comme un artiste cultivé. Or rien dans son activité au sein de l'Institut ne permet de déceler des goûts intellectuels. Théophile Hamel n'a pas prononcé de conférences. Il demeure cependant possible que la bibliothèque de son beau-père l'ait mis en contact avec les grands textes.

En second lieu, il faut se demander quel avantage Théophile Hamel retirait de sa participation à la vie de l'Institut.

L'honneur d'être admis au sein d'une société aussi prestigieuse fut certainement très apprécié de Théophile Hamel. François-Xavier Garneau, Pierre-Joseph-Olivier Chauveau, Ulric Tessier, juge de la cour du Banc de la Reine et maire de Québec, François Langelier, lieutenant-gouverneur, et Octave Crémazie devenaient en quelque sorte ses pairs. L'Institut confiait à ces hommes le développement culturel du peuple canadien-français. Voici les quatre champs d'action prioritaires :

1. entretenir une salle de lecture qui devra contenir les meilleures publications politiques et scientifiques de la Province et de l'étranger.
2. former une bibliothèque, en procurer l'usage à ses membres et recueillir tous les documents qui ont rapport à l'histoire du pays ainsi que tous les objets d'histoire naturelle qu'il lui sera possible de se procurer.
3. offrir à ses membres l'avantage d'une discussion hebdomadaire et au public une suite de lectures.
4. opérer la réunion des jeunes canadiens, les porter à l'amour et à la culture de la science et de l'histoire et les préparer aux luttes plus sérieuses de l'âge mûr [152].

L'Institut voulait aussi organiser un musée. De telles ambitions ne pouvaient être poursuivies que par des hommes éclairés. Hamel travaillait donc avec l'élite intellectuelle de Québec, ce qui lui valait un prestige social certain.

Capitaine de milice

Nous possédons une autre preuve de la considération sociale qui entourait Théophile Hamel. Comme tous les citoyens, il fit partie de la Milice sédentaire. Après avoir été lieutenant dans le 4ème bataillon de Québec, de 1848 à 1860 [153], il fut promu capitaine [154] et permuté au 1er bataillon avec qui il demeura probablement jusqu'à la réorganisation de la milice canadienne, au lendemain de la Confédération. Malgré ses vingt ans sous les drapeaux, Hamel n'est pas pour autant un militaire.

La Milice sédentaire groupait la population canadienne de dix-huit à soixante ans [155]. C'était une milice « sur papier », car les miliciens n'avaient ni armes ni uniformes. L'entraînement se limitait à défiler devant l'église, le 29 juin, fête de la Saint-Pierre ; dans le Haut-Canada, cette parade avait lieu le 24 mai, fête de la Reine. Le but de cette milice était de rappeler aux citoyens que la Patrie et la Reine pouvaient avoir besoin d'eux et qu'ils avaient le devoir d'être prêts à les défendre.

S'il est normal d'être milicien, il est cependant beaucoup plus exceptionnel d'être officier. En effet, seuls les membres de l'élite de la société — hommes politiques, professionnels et hommes d'affaires importants — peuvent obtenir un brevet d'officier. Il faut d'ailleurs une aisance financière et une recommandation politique. Et pour être promu capitaine de compagnie, il fallait être « un homme d'influence locale », car il était responsable, pour sa paroisse, du recensement annuel des hommes en état de porter les armes. Aucun revenu n'était attaché à cette fonction. Il y avait par contre plusieurs occasions de dépenser lors des multiples réceptions militaires, surtout à Québec, « la ville des colonels », avec la présence des militaires britanniques [156].

Parmi les autres artistes, aussi officiers de la Milice, nous retrouvons les compositeurs Ernest Gagnon et Joseph Vézina ainsi que le sculpteur Paul Ceredo. On relève aussi de nombreux écrivains. C'est donc dire que certains artistes avaient un prestige social reconnu à l'égal de celui des professionnels.

Maladie fatale

Écartons la légende relative à la forte fièvre qui faillit l'emporter dès son arrivée en Italie[157] ainsi que sa brève maladie au retour d'un voyage à New York en 1847 [158] pour concentrer notre attention sur les neuf dernières années de sa vie. Au cours de l'été 1861, Théophile Hamel fut obligé de suspendre ses activités à cause de douleurs aux yeux [159]. Napoléon Bourassa, qui avait beaucoup souffert de la vue en Italie, lui conseille « les bains de mer, le changement d'air [et] quelques variations dans [son] régime ». D'après lui, beaucoup de peintres éprouvent de tels maux en Italie ; il n'y a pas lieu de s'inquiéter cependant puisque la maladie « revient rarement et ne dure guère plus d'une saison ». Cette maladie ne semble pas avoir de relation avec le mal qui l'emportera. Il en va de même pour une chute qu'il fit au cours de l'été 1867 et qui l'obligea à garder la maison [160]. Dès ce moment, il est cependant gravement malade.

Il fait un long voyage en Gaspésie au cours de l'été 1867 dans l'espoir d'améliorer sa santé. Pendant un peu plus d'un mois, Théophile Hamel se fait menuisier, cultivateur et sportif. « J'observe toujours mon régime qui est, dit-il, de prendre un bon bain d'eau salée, bien froide, accompagné de frictions, etc., tous les matins, après lequel je fais une marche et reviens prendre un **léger** déjeuner, et puis, à dix heures, je vais chez un menuisier, **verlopper**, **embouffter** des madriers de trois pouces, et puis ensuite je fauche du foin pendant une demi-heure. Cela me fait plus de bien que toute autre chose au monde. Je me trouve beaucoup plus fort, et nul doute qu'à mon retour à St-Jean, tu vas me trouver un homme nouveau [161] ». « Vous avez mis vingt ans à détériorer votre excellente santé, il vous en faudra bien prendre dix pour la rétablir » lui écrit Napoléon Bourassa en novembre. Il lui conseille un régime, fondé comme le précédent, sur les exercices physiques et la frugalité.

> En hiver, le temps que l'on peut donner à la peinture n'est pas long, donnez le reste à la promenade, et prenez de bonnes provisions de cet air vif de vos hauteurs, cela fouette le sang et le vivifie. Fuyez les tables où vous voyez trop de plats ; et laissez vous mettre hors du lit à ces heures matinales que connaît votre aimable et attentive petite femme. Il ne faut pas vous lasser du régime ; il y a encore des ressources dans votre constitution, il vous sera facile, je crois, de triompher du mal [162].

Mais la maladie est tenace puisque l'été suivant il fait un autre voyage pour essayer de se guérir [163]. Le 24 juillet 1870, Napoléon Bourassa déplore le « délabrement » de sa constitution et l'invite à venir s'installer à Monte Bello pour prendre les eaux de Calédonia. « Je pourrais, écrit-il, aller vous installer aux sources après que vous auriez passé quelques jours avec nous [164] ». Malgré l'avis des médecins, le malade reste à la maison. L'inquiétude monte et Mme Hamel en fait part à ses « cousines » du Mans qui lui conseillent de se fier plus en la Providence qu'aux médecins [165]. Sur la fin de l'été, Napoléon Bourassa, apprenant que son maître est au plus mal, se hâte de lui faire une visite alors qu'il peut encore y être sensible [166]. Le disciple quitte Québec avec la conviction que Théophile Hamel n'en a plus pour longtemps à vivre. Le 23 décembre 1870 c'est la fin.

Responsable de la promotion sociale de sa famille

En une seule génération, la famille Hamel a connu une promotion sociale exceptionnelle dont Théophile fut plus que tout autre l'artisan. Thomas-Stanislas, Suzanne et Léocadie n'ont joué aucun rôle dans cette promotion. Alors que la dernière épouse un meniusier, Suzanne demeure célibataire et Thomas-Stanislas accumule les dettes sur la terre paternelle à Sainte-Foy. Les trois marchands — Abraham, Joseph et Ferdinand — accèdent à l'aristocratie financière et deviennent membres des sociétés les plus prestigieuses de Québec. Sauf Joseph qui épouse la veuve d'un avocat des Trois-Rivières, aucun ne peut cependant prétendre à un mariage de prestige. Théophile surpasse ses frères même sur le plan financier puisqu'il leur prêtait l'argent nécessaire au développement de la compagnie. Théophile Hamel a réalisé la promotion sociale de sa lignée grâce à des activités artistiques bien rémunérées. Pourtant sa carrière fut brève. Sa prospérité étonne d'autant plus que nous avons de bonnes raisons de croire qu'il a souffert pendant plusieurs années d'une maladie qui devait entraver son travail.

Chapitre II

Les thèmes

24. *Deux hommes assis.* Dessin circulaire. Diamètre 13 cm. Collection Madeleine Hamel.

Théophile Hamel et les sujets dessinés

À peine sorti de l'enfance, Théophile Hamel consacre toutes ses énergies à la peinture. Des expériences artistiques diverses le mettent en contact avec les plus grandes réalisations canadiennes et européennes. Son premier maître, Antoine Plamondon, fut le grand portraitiste du siècle. En Italie, Théophile découvre des formes artistiques nouvelles qu'il n'a pas été capable ou qu'il n'a pas voulu pratiquer mais qui ont enrichi sa compréhension de l'art. Pour la première fois, il est en contact direct avec la grande décoration murale. Pour la première fois, il contemple la faune des dieux engagés en d'interminables aventures guerrières ou amoureuses. La complexité de la peinture d'histoire et des tableaux religieux lui a-t-elle ouvert les yeux sur l'énorme différence entre la copie et la création ? Son œuvre n'en donne pas la preuve. Les portraitistes l'ont certainement touché puisque ce genre formera l'essentiel de sa production. Il a pu voir, s'il les a cherchées ; les réalisations récentes à Paris et en Belgique. C'est le moment où, en France, la critique d'art se développe avec vigueur bien que de façon fort inégale. Délécluse, Thoré et Gautier écrivent à propos de tout. Charles Baudelaire inaugure avec son Salon de 1845 une magistrale carrière de critique. Chaque tendance artistique trouve ses prêtres et ses persécuteurs. La formation de Théophile Hamel ne lui permettait sans doute pas de comprendre l'importance de ces débats sur l'évolution de la production artistique.

Bien informés à propos de sa vie et connaissant les étapes de sa carrière, nous pouvons concentrer notre attention sur les divers thèmes qui forment sa production artistique. Notons au passage que chez lui comme chez les autres artistes canadiens du 19ème siècle, le nombre des peintures à l'huile dépasse de beaucoup les autres types de réalisations. Il n'a jamais utilisé le burin ou le crayon lithographique mais il a fait graver plusieurs de ces œuvres. Sa production comporte quelques aquarelles et de beaux dessins.

25. *Portrait d'homme assis.* Dessin. Vers 1843-1845. H. 33 cm x 23 cm. Collection Madeleine Hamel.

Bien que peu nombreux ses dessins révèlent une sensibilité et surtout une vivacité que l'on ne retrouve jamais dans ses peintures. La collection Madeleine Hamel renferme une magnifique série de dessins où se révèle un Théophile Hamel amoureux de paysages insolites, de ruelles perdues dans l'ombre et d'œuvres antiques. Ce lot de cinquante dessins comporte d'abord un ensemble de trente-six œuvres exécutées dans un album pendant le voyage européen. On y trouve sept types d'œuvres de nombre très inégal. L'album s'ouvre sur trois études du **Laocoon** dont une belle tête. Le sexe et une partie des jambes n'ont pas été achevés. On remarque la même réserve pour une esquisse de femme nue : la seule dans toute l'œuvre de Théophile Hamel. Cette élégante figure a été biffée de traits de crayons. On trouve aussi un écorché comme en faisaient tous les étudiants. Deux seulement des huit personnages représentés sont des types religieux. Une Vierge prise en quelqu'**Annonciation** n'offre aucun intérêt. Un saint personnage ne vaut guère mieux malgré ses beaux vêtements. Par contre une **Femme angoissée** et une **Figure d'homme portant une épée** attirent l'attention par leur expressionnisme si peu fréquent chez Hamel. Les huit paysages dessinés avec minutie montrent son intérêt pour les sites pittoresques à flanc de montagnes et les lieux arides. Par contre, peu de chose à retenir dans la série des quinze dessins de monuments. Des temples, des ruines, des fontaines de Rome sèchement dessinées ne parviennent pas à retenir l'attention. Il faut mentionner une belle œuvre articulée sur une rue étroite où les personnages cherchent l'ombre. C'est l'un des plus beaux dessins réalisés par Hamel.

Exceptionnelle qualité des portraits dessinés

La série de quatorze dessins sur feuilles détachées est bien différente. Les débuts de sa carrière et les dernières années y sont représentés. Le **Rocher percé** date probablement de son voyage de santé à Gaspé en 1867. La plupart des dessins sont cependant des œuvres de jeunesse. Quatre portraits attirent l'attention pour des raisons qui méritent un examen. Un feuillet de forme circulaire représente deux hommes assis. C'est une chose rare sinon unique chez Théophile Hamel. Le regard s'attache immédiatement à cette ligne nerveuse et brève qui se multiplie pour construire un motif solide et dynamique. Les contours sont bien marqués sans jamais être durs. Pour les visages, la souplesse et les nuances l'emportent nettement sur la vigueur. Certaines boucles de cheveux du premier personnage rappellent les paraphes courants à l'époque. Un œil vif s'ajoute à cela pour constituer un visage très fin. La barbe du second personnage se fait remarquer tandis que le costume est à peine esquissé. Une heureuse disposition place les deux hommes épaule à épaule, un visage de face, l'autre de profil. Le jeu de relations ainsi créé entre les deux personnages puis entre le spectateur et chacun des hommes rend la composition très dynamique. Les personnages, paisibles et naturels, sont représentés avec une certaine vivacité que soulignent les contrastes

26. *Napoléon Aubin.* Dessin. Vers 1843-1845. H. 28 cm x L. 20 cm. Collection Madeleine Hamel.

visages — vêtements. La cravate et le veston sombres du premier personnage s'opposent au visage où les cheveux et les sourcils dessinent des ombres douces. La barbe noire du second tranche sur un gilet clair. Ce dessin — le meilleur de la série — réunit plusieurs qualités. La solidité de la composition où les plans sont clairement définis donne aux deux personnages une unité admirable. La qualité de chacun des détails, et leur liaison à l'ensemble par des ombres douces renforcent l'effet décoratif produit par la finesse de la ligne. L'originalité de cette composition laisse deviner ce qui aurait pu être la production de Théophile Hamel s'il avait travaillé dans un milieu moins orienté vers l'art de prestige et plus exigeant sur le plan esthétique.

Chacun des trois autres portraits présente des qualités comparables. Les personnages étant seuls, les relations sont moins complexes. Regardons d'abord le **Portrait d'un homme**. La qualité du visage en fait une exception dans l'œuvre de Théophile Hamel au même titre que l'originalité de la « mise en page » pour le dessin précédent. Ce jeune homme serein a l'allure d'un homme d'action. Le portrait de **Napoléon Aubin** nous met en présence d'un intellectuel assez spécial. D'origine suisse, il fut chimiste, journaliste, lithographe et fondateur du **Fantasque** ainsi que de quelques autres journaux. Il regarde le spectateur avec insistance à travers de petites lunettes de métal qui passent en plein milieu de l'œil droit. Napoléon Aubin corrigea cette imperfection dans la lithographie qu'il fit, à partir de ce dessin ou d'un tableau, pour le **Fantasque** du mois d'août 1837. Le troisième personnage, Nissen, placé de profil, pose sans aucune raideur. Alors que la barbe et la moustache peu fournies sont dessinées légèrement, l'aile du nez se détache d'une façon très marquée. La chevelure épaisse et soyeuse donne cependant une belle apparence au visage.

Cinq autres études représentent des types : deux moines, un musicien, une Romaine et une paysanne italienne. L'indifférence manifestée ici pour le visage contraste étrangement avec les portraits. Les contours sont nets et fermes mais on ne voit aucune richesse décorative. La lignc n'arrivc pas à faire surgir les accents qui sauveraient ces œuvres de la monotonie. Les corps ne possèdent guère plus d'expression que les visages. Absents sous l'habit religieux ou figés en une attitude banale ils ne comptent guère. **Le Moine avec un sceau** n'est pas une vilaine chose. Tout aussi conventionnels les deux paysages sont méticuleusement exécutés. Les traits de crayon très courts soulignent tous les détails mais n'en mettent aucun en relief. Cette profusion ne sert aucun but précis.

On voit que seul le visage libère l'imagination de Théophile Hamel. La peinture de mœurs et le paysage le laissent indifférent.

Peu de ces dessins sont datés. Si le **Napoléon Aubin** est antérieur au tableau, nous serions en présence de la première œuvre connue de l'artiste ; œuvre exécutée en 1837. Rien ne prouve cependant que le dessin ait précédé le tableau et la lithographie. L'**Album**, lui, a été réalisé en Europe. Deux paysages sont datés de 1845 époque du séjour européen. Un dessin d'après les bas-reliefs du Parthénon porte la même date. Conservée au musée du Québec, cette œuvre est réalisée d'un crayon très dur ; les traits sont indisciplinés et sans grande beauté. L'incendie de son atelier le 26 octobre

27. *Portrait de H. Nissen*. Vers 1843-1845. H. 23 cm x L. 15 cm. Collection Madeleine Hamel.

1862 [1] a peut-être détruit plusieurs dessins. Toutefois, il n'a certainement pas été un dessinateur prolixe, et jamais il n'a considéré cette technique capable de créer des œuvres définitives.

Des aquarelles sans originalité

Il n'en va pas de même pour l'aquarelle. Une vingtaine seraient actuellement en circulation. Le lot le plus important se trouve aussi dans la collection Madeleine Hamel. Elle en possède neuf. Il y en a d'autres dans la famille Hamel et le musée du Québec en conserve deux. Ces œuvres sont à rapprocher des études au crayon par certains aspects. Les costumes importent plus que les visages. Rien de très vigoureux dans les expressions et « mise en page » sans originalité [2]. L'ensemble fait penser aux séries de métiers ou de types régionaux courants en Europe à cette époque. Les personnages sont toujours immobiles, debout ou assis. La plupart représentent de jeunes femmes italiennes. Il y a aussi des personnages masculins dont quelques moines. Toute la série a pu être faite en Italie au cours de l'année 1843 car cette date apparaît quelques fois [3]. Contrairement aux dessins, ce sont des œuvres qui se suffisent à elles-mêmes et l'artiste a fait un effort visible surtout pour harmoniser les couleurs. Celles qui sont restées inachevées montrent une structure solide faite de contours bien définis. Les couleurs sont parfois très riches comme dans l'étude de **Femme assise.** Le rendu de la robe est exceptionnel. On retrouvera ce miroitement dans le portrait de **Madame Jean-Baptiste Renaud** mais assombri. Les bruns sont utilisés avec bonheur comme pour ce **Moine assis** le visage caché par un grand chapeau dont la sobriété est agréable. Même quand les couleurs sont nombreuses, la gamme se limite à des agencements de rouges, de jaunes et de bruns. Les qualités de ces œuvres en font de bonnes études mais ne laissent aucunement deviner un artiste exceptionnel. Il faut se rappeler que Théophile Hamel est âgé de vingt-six ans et qu'il a déjà exercé son métier trois ans après un long apprentissage de six années. Malgré l'absence d'audace et d'originalité, ces œuvres méritent considération à cause de la variété des poses, des costumes et de la liberté des couleurs. Son œuvre peinte s'orientera vers encore plus de sobriété.

Portraitiste du clergé

Les portraits d'ecclésiastiques l'ont occupé toute sa vie et sont en bonne partie responsables de ses succès. Gagner la confiance des prêtres importants de Québec, c'est en même temps s'asssurer des commandes de compositions religieuses pour orner les murs des églises de paroisses. C'est aussi s'attirer les bonnes grâces de la partie catholique de la population laïque. Théophile

28. *Joueur de cornemuse*. Dessin. Vers 1843-1845. H. 28 cm x L. 23 cm. Collection Madeleine Hamel.

29. *La Contadina*. Dessin. Vers 1843-1845. H. 28 cm L. 23 cm. Collection Madeleine Hamel.

Hamel ne s'est jamais identifié à un clan religieux ou politique. En dehors de toutes polémiques, il a pu recevoir des commandes aussi bien des dignitaires des églises protestantes que des évêques catholiques romains. Et parmi ces derniers, il en est qui sont d'origine anglaise.

Clergé catholique anglais

En 1867, le Séminaire fait exécuter le portrait de Monseigneur Edward-John Horan, évêque de Kingston de 1858 à 1874 [4]. C'est un grand tableau où le personnage se tient debout entouré d'objets propres à sa condition : une **Biblia Sacra** et un crucifix d'ivoire sur ébène. La croix épiscopale se détache sur un riche vêtement aux reflets rougeâtres. La dentelle de la manche laisse voir l'amarante de la soutane. Un autre cas intéressant est le portrait de l'abbé Patrick McMahon réalisé au cours de la seconde période québécoise soit en 1846. Le **Journal de Québec** du 16 janvier 1847 en donne la description suivante :

> Le peintre n'a certainement pas manqué cette expression de volonté puissante et d'incontrolable énergie, à demi voilée par la ruse de l'éloquent orateur irlandais. Il est debout dans l'attitude de quelqu'un qui expose un plan ou projet ; en effet il tient dans sa main gauche le plan de l'église de St-Patrice. Le peintre ne pouvait mieux choisir son motif, puisque M. McMahon est incontestablement le fondateur de cette église que son éloquence et son influence ont arrachée par lambeaux à toutes les croyances et à toutes les opinions : son attitude est naturelle.

L'abbé McMahon, appelé le « fondateur de la première église catholique irlandaise au Canada », a joué un rôle très important auprès des immigrants irlandais de Québec. Vers 1825, les six ou sept mille Irlandais catholiques ne disposaient d'aucun lieu pour célébrer l'office divin en leur langue. De 1819 à 1822, ils se réunirent dans la chapelle de la Congrégation puis de 1822 à 1828 à la basilique. La messe paroissiale catholique commençant à 9 heures le dimanche matin, les protestants disposaient de moins d'une heure pour entendre leur propre messe et la prédication. Puis de 1828 à 1833, les Irlandais se réunissent à Notre-Dame-des-Victoires. Le temple étant beaucoup trop petit, de nombreux fidèles restent sur la place du marché, exposés aux intempéries. Grâce aux efforts de Patrick McMahon, la traditionnelle pelletée de terre inaugurait les travaux de l'église Saint-Patrick en octobre 1831. Le 30 juin 1833, les fidèles assistaient à la première messe dans leur église.

Leur pasteur, Irlandais né à Abbeyleix le 24 août 1796, était arrivé au Canada en 1818. Ayant terminé ses études théologiques au collège de Saint-Hyacinthe, il fut ordonné prêtre en 1822. La même année, il fut chargé des catholiques irlandais de Québec avec une interruption de 1825 à 1828, alors qu'il fit du ministère à Saint-Jean au Nouveau-Brunswick. Dès son retour à Québec, il consacra toute son énergie à doter la commu-

30. *Moine assis dormant.* Dessin. Vers 1843. H. 28 cm x L. 23 cm. Collection Madeleine Hamel.

nauté irlandaise d'un temple conforme à ses besoins. Dix-huit ans plus tard, le 3 octobre 1851, il mourait et ses restes furent déposés au centre de son église.

Ce fut une coutume au 19ème siècle d'honorer un dignitaire en lui offrant son portrait avec solennité. Nous avons l'avantage de connaître les détails de la fête organisée le 21 mars 1847 pour remettre à l'abbé McMahon le portrait peint quelques mois plus tôt par Théophile Hamel. Un comité de vingt-cinq membres fut formé le 5 juillet 1846 pour recueillir les fonds et organiser la démonstration. Après la grand-messe du dimanche, John Sharples, président de la Congrégation, lut une longue adresse en présence de l'abbé McMahon et des fidèles. Les paroissiens lui offraient un service d'autel complet en argent, et la Congrégation, le portrait peint par Théophile Hamel :

> On the part of this congregation, Reverend Sir, We are instructed to thank you for the favor conferred on them, by sitting for your portrait, which they have caused Mr. Hamel, a native artist of great merit, to take and which, in its execution, fully realizes the high idea we have been led to form of his talent [5].

En même temps, les dispositions sont prises pour que le tableau soit placé dans la sacristie pour l'édification des générations futures [6]. Le pasteur s'empressa de remercier ses fidèles en soulignant l'importance de ce don supérieur à deux cents livres et les bonnes dispositions des autorités ecclésiastiques comme celles des catholiques de langue française. Pour diverses raisons, les relations avaient toujours été tendues entre les deux groupes. L'abbé McMahon s'était gagné la confiance des uns et des autres grâce à son habileté comme intermédiaire entre les autorités de langue française et le peuple de langue anglaise.

Théophile Hamel eut l'idée de tirer parti de cette popularité en faisant graver le portrait. Dès le 9 juin 1847, **Le Canadien** accuse réception de la lithographie considérée comme « l'une des plus belles que l'on ait vue encore ici : [...] Tous les amateurs des arts voudront se la procurer ; ils devront se hâter car nous sommes certains que les Irlandais de cette ville saisiront avec empressement l'occasion de conserver l'image fidèle du pasteur qu'ils vénèrent ». C'est un autre exemple du rôle très important joué par la gravure au Québec au cours du 19ème siècle. C'est le moyen par excellence pour entretenir la vénération envers le pasteur, pour soutenir une campagne contre l'ivrognerie — Chiniquy — ou pour faire connaître les hommes politiques. Généralement, les principaux journaux reçoivent un exemplaire gratuit et se chargent de la publicité. Le cas présent ne fait pas exception. Le 10 et le 15 juin respectivement, **Le Journal de Québec** et **L'Aurore du Canada** font écho au **Canadien** et invitent le public à se rendre chez McAndrews, marchand, rue Buade, le seul distributeur autorisé.

Il est difficile de partager l'enthousiasme manifesté par ces journalistes. Le passage de la tête aux épaules est manqué en sorte que le personnage semble très lourd ce qui contraste étrangement avec la finesse des mains. C'est le fondateur de l'église qu'on a voulu honorer ; sa main tient un plan

31. *Femme assise*. Aquarelle. Vers 1843. H. 25 cm x L. 18 cm. Collection Madeleine Hamel.

où on voit très bien la façade du temple. L'encombrement de la pièce produit cependant une impression étouffante. Alors que la table avec les livres, le crucifix, l'encrier et le plan évoquent une salle de travail de dimension modeste avec un tapis étroit, les énormes colonnes, le rideau et le motif d'architecture nous situent dans un édifice de grandes dimensions. L'artiste n'a pas réussi à articuler les divers objets symboliques accumulés autour du personnage afin d'attirer l'attention sur ses vertus et ses œuvres : le fauteuil, signe de l'autorité qu'il exerce sur les fidèles ; les livres et la plume, témoins de sa science ; le crucifix, signe de sainteté ; le plan et les détails d'architecture, pour montrer que l'abbé a non seulement conçu mais aussi réalisé le temple tant attendu par les Irlandais. Théophile Hamel n'arrivera jamais à établir des relations formelles harmonieuses quand le sujet atteint un certain degré de complexité.

les révérends protestants

Les ministres protestants de langue anglaise ont aussi fait appel à son art. Étudions deux cas particulièrement intéressants, l'évêque George Jehoshaphat Mountain (1789-1863) du Musée McCord et Alexander Neil Bethune. L'expression du visage de l'évêque Mountain montre une vivacité peu courante chez Hamel. Le mouvement de la tête, gracieux et dégagé, ainsi que la finesse des boucles de cheveux attirent l'attention. La tache de blanc placé sur l'iris de l'œil gauche ne ressemble pas au point très net que nous avons l'habitude de voir dans les portraits d'Hamel. Par contre le fond et le vêtement sont bien de la manière Hamel. Par ailleurs, si on rapproche cette œuvre du **Général John Murray** au Séminaire de Québec, on remarque une ressemblance assez frappante. Malgré certaines réserves, il semble bien que nous soyons en présence d'un Hamel authentique. Un autre indice renforce cette attribution. Nous savons que Théophile Hamel fit au cours des années 50 le portrait d'Alexander Neil Bethune (1800-1879) ministre de l'Église d'Angleterre et second évêque du diocèse de Toronto de 1867 à 1879 [7]. Or il reçut le diaconat et la prêtrise des mains de l'évêque Jacob Mountain (1749-1825) en 1823 à Québec. Son frère, John Bethune, avait été ordonné prêtre en 1814 par le même évêque. John devient recteur de l'Université McGill sous l'évêque George Jehoshaphat Mountain, fils de l'évêque Jacob. Ce dernier fut évêque de Montréal à partir de 1836 puis évêque de Québec jusqu'en 1863. Il fut responsable des deux diocèses de 1837 à 1850. Les liens qui unissaient ces personnages expliquent les commandes passées à Théophile Hamel. Le tableau représentant A. N. Bethune existe peut-être encore mais je n'ai pu le retrouver. Les Archives nationales du Québec conservent cependant une belle lithographie représentant le pasteur âgé d'environ cinquante ans. Fils d'un ministre protestant, prêtre à vingt-quatre ans, rédacteur en chef du **Church**, hebdomadaire au service de l'Église d'Angleterre, il joua un rôle très important dans l'organisation du diocèse de Toronto. En 1839, Québec autorisait la formation du diocèse de Toronto où John Stracham, professeur de Bethune pendant ses études secondaires, fut nommé évêque. Appelé comme aumônier, il devient directeur du collège de théologie puis archidiacre. Il se présenta sans succès au poste d'évêque pour les deux nouveaux diocèses formés en 1857 et 1862 à partir de celui de Toronto. À la mort de John Stracham, il fut nommé second évêque de Toronto. Délégué deux fois en Angleterre, honoré d'un doctorat en théologie et d'un doctorat en droit canon cet homme paisible fut placé au centre de toutes les grandes questions de l'évolution de l'Église d'Angleterre.

Il est probable que Bethune ait profité du passage de Théophile Hamel à Toronto en 1850 [8] pour faire exécuter son portrait. Sur la lithographie, le personnage se détache avec force sur un fond d'architecture assez neutre. Mais l'inertie de la main contraste étrangement avec ce visage fin et intelligent. Comparée à ce visage minutieusement détaillé la main semble un membre postiche.

Le clergé catholique anglais et les révérends protestants reconnaissent les talents de Théophile Hamel mais viennent loin derrière les ecclésiastiques canadiens-français pour le nombre de commandes. Dans l'échantillon sur lequel repose cette étude nous trouvons au moins cinq tableaux de prêtres d'origine française pour un d'origine anglaise et la proportion des protestants en regard des catholiques donne un rapport de un à neuf.

Clergé canadien-français

Le clergé catholique s'est intéressé très tôt aux œuvres de Théophile Hamel. Mais aucun personnage important ne réclame ses services avant son départ en 1843. Quelques curés et de jeunes abbés fréquentent son atelier. Le premier portrait daté est celui de l'abbé Pierre Huot, curé à Sainte-Foy à partir de 1836. Malheureusement disparue, cette œuvre au fusain ne nous est connue que par une mauvaise photographie. Signée et datée de 1839, c'est donc une œuvre faite vers la fin de son apprentissage. La seconde œuvre, signée et datée de 1841, représente Jean-Baptiste Bolduc (1818-1889), missionnaire, curé à Québec et auteur d'une **Mission en Colombie** (1844). C'est un fusain de bonne qualité. Au cours de cette même année, il peignit le deuxième curé de Saint-Roch de Québec, l'**abbé David-Henri Têtu** (1807-1875). Cette toile se situe à l'intérieur d'un courant important dans le portrait canadien-français par son allure naïve. La tête semble posée sur un mannequin plutôt que sur un corps vivant. De gros doigts pendent sur le livre qu'ils devraient tenir. Par contre des fleurs ont été peintes sur l'étole avec beaucoup de soin ; de légers empâtements les mettent en valeur. Mais les tons devaient être beaucoup plus vifs à l'origine. Le personnage est revêtu du surplis blanc aux manches bien amidonnées ; il existe peu de modèles peints avec le surplis. Conservé à la maison des Pères jésuites à Québec, le portrait de **Charles-Felix Cazeau** (1807-1881) ressemble beaucoup à celui que nous venons de mentionner et nous avons de bonnes raisons de penser qu'il aurait été fait à peu près au même moment. En effet l'**Inventaire des biens de la Congrégation des hommes** fait en 1863

32. *Ermite assis*. Aquarelle. 1843. H. 28 cm x L. 23 cm. Collection Madeleine Hamel.

mentionne ce tableau. Il a été exécuté avant 1845 puisque les registres furent brûlés au cours de l'année, et, de cette date à 1863, il n'y a aucune mention d'une telle commande [9]. Ordonné prêtre en 1830, puis sous-secrétaire de Mgr Plessis et secrétaire de trois évêques, il n'est pas encore un personnage important. Il deviendra vicaire général en 1850 seulement.

Deux autres portraits des débuts posent des problèmes de dates. **L'abbé Joseph Gagnon** (1763-1840), d'abord curé à la Pointe-du-Lac puis à Saint-François et enfin à Sainte-Famille (1826-1840) de l'Île d'Orléans, aurait été peint vers 1837. C'est une œuvre qui manque absolument de caractère ; si elle est de Théophile Hamel elle doit dater de ses années d'apprentissage et n'a probablement pas été terminée. Bien que de meilleure qualité, le **Mgr Bernard Parent** (1753-1833) conservé au Séminaire de Nicolet semble avoir été laissé inachevé lui aussi. Le rabat n'a été qu'esquissé en sorte qu'on voit en dessous le cordon de la croix épiscopale. Le visage où s'est concentrée l'attention de l'artiste est très bien conservé et les accessoires sont bien de Théophile Hamel. La croix dorée, la bague, le fauteuil et la facture des yeux ressemblent exactement à ce que nous voyons dans d'autres tableaux d'Hamel. Le tableau n'a pu être fait en présence du modèle puisque l'artiste n'avait pas encore commencé son apprentissage au moment de la mort de l'évêque. C'est donc une copie d'après un autre portrait. Étant donné le manque de points de repère, il est prudent de situer ce tableau avant le voyage en Europe sans prétendre à plus de précision [10].

Portrait de Chiniquy

À son retour d'Europe, Théophile Hamel gagne la confiance des évêques et des personnages les plus en vue du diocèse. Après la vogue du McMahon de 1846, il reçoit la commande d'un Chiniquy. La popularité du personnage assure au tableau une large publicité soutenue par la gravure de l'œuvre originale. Charles Chiniquy (1809-1899) est déjà célèbre en 1848. Il n'est pas inutile de rappeler les événements marquant la carrière de l'apôtre de la tempérance puisque l'importance du personnage rend compte du prestige de l'artiste à qui on confie la réalisation du portrait. Pris en charge à l'âge de douze ans par son oncle Amable Dionne, marchand à Kamouraska, Chiniquy est envoyé au Séminaire de Nicolet. Trois ans plus tard, Amable Dionne lui retire toute confiance à cause d'une aventure avec ses sœurs adoptives [11]. Ordonné prêtre en 1833, il passe à Saint-Charles-de-Bellechasse et à Charlesbourg puis devient vicaire à Saint-Roch-de-Québec pour quatre ans. Nommé curé de Beauport en 1838, il constate les ravages de l'alcoolisme dans cette paroisse renommée par le nombre de ses auberges et entreprend une campagne de tempérance. En moins de quatre ans c'est la célébrité. Il prêche à la cathédrale, fait élever une colonne de tempérance et reçoit en grande pompe son portrait peint par Antoine Plamondon. Mais une affaire de mœurs demeurée cachée aux paroissiens oblige l'évêque à le nommer curé à Kamouraska. Il prêche et publie son fameux **Manuel**. Sa réputation de sainteté est si fortement établie que personne ne soupçonne

33. *La Contadina.* Aquarelle. 1843. H. 25 cm. x L. 18 cm. Collection Madeleine Hamel.

les vraies raisons de son départ en 1846. Lors d'une retraite qu'il prêche à Saint-Pascal, la servante fait mine d'accepter ses propositions et délègue son propre curé au rendez-vous ! Certains paroissiens clairvoyants envoyaient cependant leurs enfants se confesser aux prêtres des autres paroisses. Obligé de quitter le diocèse de Québec, Chiniquy est admis dans celui de Montréal où Mgr Bourget le charge de prêcher la tempérance en lui remettant un crucifix d'or rapporté de Rome. Le 29 octobre 1848, les paroissiens de Longueuil organisent une cérémonie pour lui remettre son portrait par Théophile Hamel. Le scénario est le même que pour l'abbé McMahon mais avec plus d'éclat. En plus des paroissiens de Longueuil beaucoup de gens sont venus des paroisses voisines et même de Montréal. Les fidèles veulent d'abord témoigner leur estime à l'abbé Chiniquy et aussi leur « reconnaissance pour ses travaux utiles et fructueux dans l'œuvre de la Tempérance [...] On nous dit que l'assemblée était très imposante et organisée de manière à présenter un très beau coup d'œil. On a transporté le tableau à la porte de l'église au son de la musique, et le concours était suivi d'un corps de cavalerie formé par les jeunes gens de la paroisse de Longueuil. Parmi les orateurs qui ont porté la parole, on nous a nommé M. F. Valade, instituteur, ensuite le Père Chiniquy lui-même, M. Hamel, le peintre canadien, et M. le Dr Beaubien, représentant du comté [12] ». Des discours grandiloquents vantent l'apôtre et le tableau, « chef-d'œuvre sorti du pinceau de notre habile artiste, objet des regards empressés de tout un peuple ». Chiniquy répond avec son éloquence coutumière : « Je ne vous le cache pas, voici un des plus beaux jours de ma vie ; car après l'humble espérance d'être aimé de Dieu, il n'y a rien au monde de si doux au cœur de l'homme que de se voir aimé de ses frères ». Il eut alors un geste étonnant. Il remit sur-le-champ son portrait à l'abbé Brassard qui l'avait soutenu dans chacune de ses difficultés à commencer par l'affaire du Séminaire de Nicolet. L'habile Chiniquy, après avoir canalisé vers lui un flot d'honneurs, y ajoute encore un sujet d'admiration habilement camouflé sous cet élan de reconnaissance.

Quelques jours seulement après la présentation solennelle du portrait, les journaux font de la réclame pour la gravure. La rédaction de **L'Ami de la religion et de la patrie** accuse réception de la « magnifique lithographie du portrait du digne apôtre de la tempérance. Elle est parfaitement ressemblante et on y reconnaît le pinceau de M. Théop. Hamel. Nous remercions ce monsieur de l'envoi qu'il nous a fait, et nous espérons que tous les « tea total », s'empresseront de faire l'acquisition du portrait de leur patron qu'ils peuvent se procurer pour la modique somme de 30 sous [13] ». Le **Journal de Québec** insiste sur la beauté de l'œuvre. « Cette lithographie est belle de dessin et d'exécution et fait également honneur à l'artiste M. Hamel et au dessinateur sur pierre M. Davignon de New York. La ressemblance du portrait est telle qu'on ne saurait s'y méprendre. Nous sommes convaincus que le portrait de M. Chiniquy ornera toutes les demeures de nombreuses familles qui doivent de la reconnaissance à cet infatigable missionnaire ; et il y en a beaucoup. Ce serait récompenser le talent de M. Hamel et l'encourager à continuer à donner de bonnes lithographies au pays [14] ». C'est en effet l'une des meilleures lithographies de Théophile

34. *Mgr Edward-John Horan.* 1867. H. 1.24 m x L. 97 cm. Séminaire de Québec. Résidence des prêtres.

Hamel. Lui qui a tellement de difficulté à faire bouger ses modèles réussit ici à camper un personnage qui présente avec grâce un énorme crucifix. Les larges plis du vêtement, les rayons autour du Christ et le fini de la main droite font un décor délicat bien en harmonie avec le doux visage de l'apôtre [15]. Aussi éloquent par le geste que par la parole, Chiniquy prit certainement de lui-même une pose dramatique qui séduisit l'artiste habitué à la timidité naturelle du modèle gêné par la séance de pose. L'énorme succès de ses campagnes de tempérance dut propager un peu partout le nom de Théophile Hamel avec la gravure du prédicateur qui sera enfin obligé de quitter le diocèse de Montréal en 1851. Quelques années plus tard, les journaux parleront de ce « sépulcre blanchi, ce prêtre prévaricateur pourri jusqu'à la moelle des os, ce jouisseur éhonté qui viola tous ses serments [16] ».

Dignitaires, évêques et curés réclament ses services

Théophile Hamel reçoit régulièrement des commandes de la part des ecclésiastiques les plus importants de Québec. Pas de gravures, pas de cérémonies publiques mais la reconnaissance d'un talent prestigieux. En 1847, c'est le portrait de **Mgr Joseph Signay** (1778-1850), évêque (1833) puis archevêque de Québec depuis 1844. Vers 1851, **Mgr Charles-François Baillargeon** (1798-1870) commande son portrait pour lequel Hamel éclaircit sa pelette et réussit un magnique vêtement mauve. Archevêque de Québec de 1850 à 1867, **Mgr Pierre-Flavien Turgeon** (1787-1867) fait appel au talent d'Hamel en 1855. Le premier recteur de l'Université Laval, **Mgr Louis-Joseph Casault** (1808-1862), se fait peindre peu de temps avant sa mort. Le tableau porte la date de 1861. Au cours de l'année 1869, l'artiste trouve la force de terminer le portrait du cardinal Taschereau. Nulle défaillance dans la composition où l'hermine blanche produit un bel effet. Le cardinal incline la tête avec bonté ; l'artiste ne met cependant en valeur aucun caractère particulier. Il y a bien des tableaux de modestes curés comme l'**abbé Édouard Faucher** (1802-1865) de Lotbinière mais ils sont peu nombreux. Les carrières exceptionnelles comme celle de l'**abbé Joseph-David Déziel** (1806-1882) cadrent mieux avec l'ensemble des commandes de la maturité. Après avoir occupé plusieurs postes, le curé Déziel fondait la paroisse Notre-Dame-de-Victoire de Lévis. Il fit ériger l'église, le collège et le couvent. Le 19 mars 1853, les paroissiens profitent de la fête patronale du pasteur pour lui offrir solennellement son portrait [17]. Le cérémonial et même la composition du tableau rappellent le cas McMahon.

5. *Abbé Patrick McMahon*, 1847. H. 2.29 m x L. 45 cm. Musée du Québec.

36. *Monseigneur Joseph Signay*. 1847. H. 99 cm x L. 86 cm. Palais épiscopal de Québec.

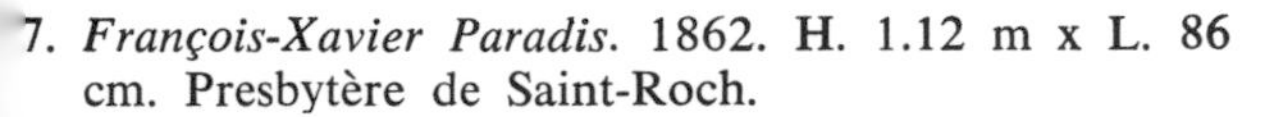

7. *François-Xavier Paradis*. 1862. H. 1.12 m x L. 86 cm. Presbytère de Saint-Roch.

38. *Général John Murray*. H. 86 cm x L. 63 m. Musée du Séminaire de Québec.

39. *Alexandre-Neil Bethune*. Lithographie. Archives nationales du Québec.

40. Titien. *Cardinal Pietro Bembo*. National Gallery Art. Washington.

41. *Benjamin Corriveau*. Détail. 1860. H. 99 cm x L. 74 cm. Hôpital général de Québec. Photo John Porter.

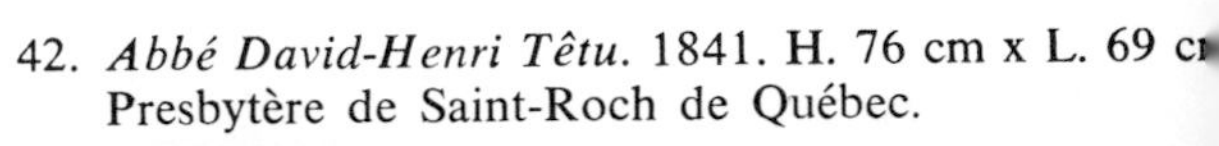

42. *Abbé David-Henri Têtu*. 1841. H. 76 cm x L. 69 c Presbytère de Saint-Roch de Québec.

43. *Mgr Charles-Félix Cazeau*. Avant 1845. H. 1.30 m x L. 1.04 m. Résidence des Pères Jésuites à Québec.

44. *Mgr Charles-François Baillargeon*. H. 63 cm x L. 79 cm. Monastère des Ursulines.

45. *Abbé Louis-Jacques Casault*. 1861. H. 1.22 m x L. 91 cm. Séminaire de Québec. Grand salon.

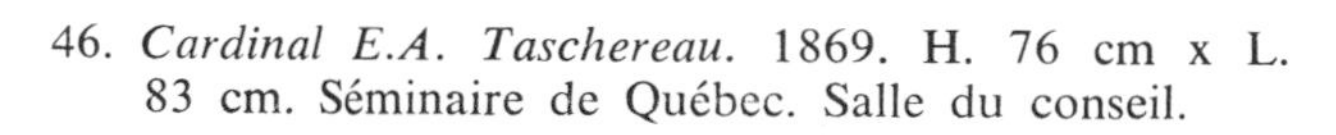

46. *Cardinal E.A. Taschereau*. 1869. H. 76 cm x L. 83 cm. Séminaire de Québec. Salle du conseil.

47. *Abbé Charles Chiniquy*. Lithographie. 1848. Archives nationales du Québec.

48. *Mère Marie-Rose*. 1849. H. 1 m environ x L. 43 cm. Couvent des Sœurs des Saints Noms de Jésus et de Marie. Outremont.

49. *Abbé Édouard Faucher.* 1855. H. 1.07 m x L. 81 cm. Église de Lotbinière.

Portrait d'une fondatrice : Mère Marie-Rose

Théophile Hamel n'a eu que peu de contacts avec les religieuses. Sauf le portrait de **Mère Saint-Henri** des religieuses Ursulines de Québec, nous ne connaissons que le portrait de **Mère Marie-Rose,** fondatrice des Sœurs des Saints Noms de Jésus et de Marie (1811-1849). En 1849, la communauté naissante est installée à Longueuil. Voyant décliner les forces de la supérieure, les religieuses veulent qu'un artiste vienne faire son portrait. Il ne faut pas moins qu'un ordre de Mgr Bourget pour qu'elle accepte. Pourquoi avoir choisi Théophile Hamel ? À peine un an auparavant, le tableau de Chiniquy avait été offert avec éclat et les religieuses ont peut-être vu l'artiste quand il prononça son discours. Mais étant donné les relations tendues entre la communauté et l'abbé Brassard qui appuyait Chiniquy dans son désir de diriger les religieuses, il est possible qu'elles n'aient pas assisté à la fête. Mgr Bourget a peut-être suggéré lui-même qu'on fasse appel aux talents de Théophile Hamel. Le tableau fut présenté à la communauté d'une façon particulièrement dramatique. Pendant qu'on chantait un second service religieux à l'église paroissiale, le portrait fut installé dans la chapelle des religieuses où le cortège funèbre revint pour l'inhumation [18]. Il est facile d'imaginer les religieuses et les petites filles devant la tendresse un peu triste peinte sur ce beau visage.

Après une telle réussite, on s'étonne qu'Hamel ait négligé le portrait de religieuses. La sobriété du couvent s'accordait pourtant très bien avec sa manière de peindre et cette harmonie l'a mené à produire un des plus beaux tableaux de notre 19ème siècle en ce genre. La pratique du vœu de pauvreté et l'idée qu'on se faisait alors de l'humilité sont probablement responsables de l'absence de religieuses dans l'œuvre de Théophile Hamel.

Portraitiste national

Il est vrai que sa renommée de portraitiste mondain lui apportait assez de commandes pour vivre de son art. Et un événement de grande portée allait bientôt le hausser au-dessus de tous les artistes canadiens en lui assurant des commandes prestigieuses.

> « M. **Turcotte** a proposé, secondé par M. **Langton,** et la question ayant été mise, que l'honorable Orateur de cette chambre soit requis de prendre des arrangements avec **Théophile Hamel**, écuyer, artiste de cette Cité, pour avoir des portraits des différents Orateurs des Assemblées Législatives du **Haut** et du **Bas-Canada**, et de la province du **Canada**, en autant qu'on peut les avoir ; ainsi que les portraits des personnes distinguées que la province possédait avant l'incendie de l'Hôtel du Parlement, à **Montréal** ; la Chambre s'est

divisée, et les noms ayant été demandés, ils ont été pris comme suit : [les noms suivent]
pour : 31
contre : 3
Ainsi, elle a été résolue dans l'affirmative [19] ».

À partir de 1853, Théophile Hamel est donc peintre officiel du gouvernement. Son talent ne pouvait recevoir une plus grande marque de considération. L'année mil huit cent cinquante-trois marque le faîte de sa carrière. À trente-six ans, il s'est gagné la confiance des dirigeants religieux et civils. Mgr Signay, archevêque de Québec, l'a honoré d'une commande dès 1844. La population de langue française s'est adressée à lui pour les fêtes en l'honneur de Patrick McMahon. Ses talents ont servi un moment la cause de l'apôtre Chiniquy. Une communauté religieuse lui doit l'image de sa fondatrice. Et voilà que la Nation lui confie la tâche de peindre les principaux hommes d'État.

Les présidents de l'Assemblée législative

Les présidents de l'Assemblée législative l'occupent pendant quatre ans. Il s'agit de quatorze tableaux ; sept présidents de l'Assemblée du Bas-Canada et sept pour celle du Haut-Canada [20]. Sur ce nombre, huit furent exécutés en présence du modèle. Rien ne fut épargné pour atteindre les buts fixés. En octobre 1853, Théophile Hamel se rendit à New York pour faire le portrait de l'honorable Marshall Spring Bidwell [21]. Les six autres tableaux furent réalisés d'après des portraits de famille. Celui d'Allan Napier McNab avait été fait auparavant. Plus tard Théophile Hamel exécuta le portrait de **J.-E. Turcotte** qui devint orateur en 1862. Les quatorze portraits furent expédiés à Toronto au cours du mois de novembre 1856 [22]. Sept tableaux portent la date de 1854. Quatre seulement furent faits en 1855 et un seul porte la date de 1856.

Présidents des Conseils législatifs

Deux autres séries furent entreprises avant même la livraison des quatorze premiers tableaux : les présidents du Conseil législatif des provinces et du Conseil législatif du Canada. Le portrait de **William D. Powell** porte la date de 1855. Sur les huit portraits des présidents des Conseils provinciaux sept sont des copies à partir de documents familiaux. Seul **John Beverley Robinson** fait exception [23]. Par contre sept des huit portraits des présidents furent faits d'après nature. Le gros de la besogne fut exécuté en 1856 et 1857. Ces deux séries de quatorze tableaux constituent l'essentiel du travail réalisé par Hamel au service du gouvernement. S'y ajouteront **Allan Napier McNab** en 1862, avec cette fois une veste rouge à motifs ; aussi **Ulric J. Tessier** et sans doute **Édouard Bowen**. Théophile Hamel pensait avoir accompli en-

50. *Allan-Napier MacNab (1798-1862). Lithographie.* Archives nationales du Québec.

51. *Fillette*. H. 13 cm x L. 8 cm. Collection Madeleine Hamel.

52. *Madame Jean-Baptiste Renaud.* Détail. 1853. H. 1.14 m x L. 86 cm. Musée du Québec.

53. *Un pèlerin*. Aquarelle. Vers 1843. H. 25 cm x L. 18 cm. Collection Madeleine Hamel.

54. *Femme debout.* Aquarelle. 1843. H. 25 cm x L. 18 cm. Collection Madeleine Hamel.

55. *John Beverly*. Détail. 1856. H. 1.22 m x L. 87 cm. Sénat. Ottawa.

tièrement sa tâche puisqu'en 1861, il adressait la lettre suivante à l'honorable N.-F. Belleau, président du Conseil législatif de la province de Québec :

> M. L'Orateur,
>
> Désirant témoigner ma reconnaissance au Conseil Législatif pour l'encouragement libéral qu'il a bien voulu m'accorder dans mon art, j'ose vous prier, M. l'Orateur, de vouloir offrir à l'honorable Conseil, de ma part, un portrait de Son Excellence le Gouverneur Général Sir **Edmund Head**, que je viens d'achever.
>
> J'ai l'honneur d'être,
>
> Avec la plus grande considération
> Votre reconnaissant serviteur,
> Théop. Hamel [24]

Galerie de personnages historiques

Mais une autre commande d'envergure lui vint du gouvernement : une galerie de personnages historiques. Onze de ces tableaux ornent les murs de son atelier pendant plusieurs mois. En novembre 1864, le public peut déjà admirer les portraits de **Wolfe**, **Montcalm**, **Lévis**, **Murray**, **Champlain** et **George Prevost** [25]. Le 17 mars 1865, il ne manque que le portrait du **Chancelier Blake** du Haut-Canada. Se sont ajoutés les tableaux représentant **John Neilson**, **Andrew Stuart** et **Louis Bourdages**. **Le Courrier du Canada** félicite l'artiste pour avoir mis dans ces portraits « une expression, une vie et un coloris frappants ». Ce succès lui mérite le titre de « peintre national ». Le journal loue aussi le gouvernement « d'avoir eu l'heureuse inspiration » de confier à Théophile Hamel la charge « de compléter l'intéressante gallerie de portraits historiques qui ornent déjà les deux salles de la Chambre d'Assemblée et du Conseil Législatif » [26].

Étant donné les déplacements de la capitale et les incendies des parlements, ces tableaux ont subi des avatars nombreux et n'ont jamais été accessibles à la population canadienne. L'explication admise par tous fut que les tableaux avaient été détruits par le feu. L'hypothèse émise par Magnan en 1922 [27] devient une certitude sous la plume de Bellerive trois ans plus tard. D'après lui, tous les tableaux furent détruits dans les incendies des parlements [28]. Gérard Morisset affirme que « tous ces tableaux de présidents ont péri dans le sinistre du Parlement de Québec en 1854 et du Parlement fédéral en 1916 » [29]. L'erreur fut rectifiée par R. H. Hubbard en 1971. Nous savons, grâce à lui, que les tableaux furent non seulement sauvés mais déposés à la Galerie nationale du Canada jusqu'en 1921 [30]. J'ignore ce qui s'est passé depuis 1921 mais je puis affirmer — pour les avoir étudiés sur place — que la quasi-totalité des tableaux sont à Ottawa. La plupart sont suspendus dans les corridors du Sénat et de la Chambre d'assemblée. La Galerie nationale en conserve neuf dans un magasin situé sur la rue Wellington. Les tableaux qui suivent donnent les détails essentiels relatifs à cette collection qui fut, selon Bellerive, « la plus grande gloire » de Théophile Hamel [31].

Peintre de la bourgeoisie

L'aristocratie et les gens riches de toutes professions ont accordé leur confiance à Théophile Hamel. Son rôle de portraitiste mondain a donc été extrêmement important au sein de la population canadienne. Contrairement à ce que nous avons observé pour les portraits d'ecclésiastiques, des personnages importants sollicitent Théophile Hamel dès le début de sa carrière. Le premier tableau de cette série porte la date de 1840 et représente l'avocat **Pierre Moreau** dont la famille allait plus tard se lier à celle des Berthelot, cousins eux-mêmes, de Théophile Hamel par alliance [32]. Amable Dionne (1781-1852) « l'homme le plus riche, sinon le plus influent du comté » de Kamouraska lui commandait un portrait en 1841. Bien que peu instruit, cet homme devint un marchand important et un homme politique respecté. Député de Kamouraska en 1830, il fut conseiller législatif en 1835 et en 1842. Il fut aussi capitaine de milice et lieutenant-colonel. Sa fermeté à l'égard de son fils adoptif Charles Chiniquy prouve sa clairvoyance et son intégrité [33]. Les contemporains ont vu en lui un « homme remarquable [...] s'occupant de promouvoir tous les intérêts de sa paroisse et de son comté [34] ». La même année, Théophile Hamel peint le couple **Charles-Hilaire Têtu**, l'une des familles les plus importantes de la région et qui fournira deux sénateurs au pays. En 1842, **Michel Bilodeau**, riche marchand de Québec demande trois portraits : sa femme, lui-même et la petite **Léocadie** (1833-1871) qui devint religieuse de Jésus-Marie en 1857 [35]. À la veille de son départ pour l'Europe, Hamel exécute le portrait de **Mme Balaston**, dont la fille avait épousé M. Calford, aide de camp du gouverneur Metcalfe. Sa première clientèle mondaine se compose surtout de riches marchands et de parents d'hommes politiques assez modestes. Il faut ajouter à cela bon nombre de personnages anonymes et les portraits de ses père et mère.

Personnages de premier plan

Bien que son retour d'Europe ne marque pas un changement radical dans la clientèle on remarque une forte proportion de personnages de premier plan. En 1846, le couple **René-Édouard Caron** (1800-1876) se fait portraiturer. Depuis trois ans, R.-E. Caron était président du Conseil législatif. Avocat, huit ans maire de Québec, neuf ans président du Conseil législatif, juge de la cour supérieure du Bas-Canada, et enfin, lieutenant-gouverneur de Québec de 1873 à 1876, il fut peint à nouveau par Thophile Hamel pour la série des présidents commandés par le gouvernement. L'année suivante **Narcisse Belleau** commande le portrait de sa femme et le sien. Il deviendra

Tableau 12 :

PRÉSIDENTS DE L'ASSEMBLÉE LÉGISLATIVE : 1853-1856

Bas-Canada		Haut-Canada	
Nom	Lieu	Nom	Lieu
Louis-Joseph Papineau	Collection Corbeil (?)	Archibald McLean (1854)	Magasin de la Galerie nationale
A.-N. Morin (1854)	Chambre d'Assemblée	John Wilson (1855)	Magasin de la Galerie nationale
J.-E. Turcotte (fait après)	Chambre d'Assemblée	Marshall Spring Bidwell (1854)	Magasin de la Galerie nationale
Louis-Victor Sicotte (1855)	Chambre d'Assemblée	Sheriff Ruttam (1856)	Magasin de la Galerie nationale
		Allan Napier McNab (fait avant)	Chambre d'Assemblée
		John Sandfield McDonald (1854)	Chambre d'Assemblée
* J.-R. Vallières de Saint-Réal (1854)	Magasin de la Galerie nationale	* Juge Sherwood (1855)	Magasin de la Galerie nationale
* Juge Panet (1855)	Magasin de la Galerie nationale	* Alexander Macdonell (1854)	Magasin de la Galerie nationale
* Michel G. C. de Lotbinière (1854)	Magasin de la Galerie nationale	@ McLean de Kingston	
* A. Cuvillier (?)	Chambre d'Assemblée	@ David Smith	
		@ Richard Beasley	
		@ M. Street	

Tableau 13 :

PRÉSIDENTS DU CONSEIL LÉGISLATIF : 1856

Bas-Canada		Haut-Canada	
Nom	Lieu	Nom	Lieu
* Jonathan Sewell (1857)	Sénat	John Beverley Robinson (1856)	Sénat
* William Smith	Sénat	* Juge Jones	Sénat
Édouard Bowen (Hamel ?)	Sénat	* John Elmsley (1856)	Sénat
		* William D. Powell (1855)	Sénat
		* James Baby	Sénat
		* William Campbell (1857)	Sénat
		@ Gregory	
		@ Hey	
		@ Osgood	
		@ Allcook	
		@ Scott	

* Copie.
@ Jamais exécuté.

Tableau 14 :

PRÉSIDENTS DU CONSEIL LÉGISLATIF DU CANADA : 1856

Noms	Lieu
* Robert Jameson (1856)	Sénat
René-Édouard Caron (1856)	Sénat
James Morris	Sénat
Peter McGill (1857)	Sénat
John Ross (1857)	Sénat
E.-P. Taché (1856)	Sénat
Allan N. MacNab (1862)	Sénat
Ulric-J. Tessier (1857)	Sénat

Tableau 15 :

PORTRAITS HISTORIQUES : 1864

* Champlain (1870)	Bureau du président de la Chambre, Ottawa
* Charlevoix	Hôtel-Dieu de Québec
* Montcalm	
* Wolfe (d'après Reynolds)	
* Lévis	
* Murray	Séminaire de Québec
* Georges Prevost	
* John Neilson	
* Andrew Stuart	
* Louis Bourdages	
* Chancelier Blake	

le premier lieutenant-gouverneur de Québec de 1867 à 1873. **Robert Baldwin** et **Louis-Hippolyte Lafontaine** font faire leur portrait au moment de leur retour au pouvoir en 1848. La même année le juge **Jean-Roch Rolland**, **Denis-Benjamin Viger** et le maire **Charles Wilson** s'ajoutent aux nombreux portraits faits par Hamel pendant les deux années qui suivent son retour d'Europe.

Seulement pour la décennie 1850, nous trouvons plus de trente portraits mondains datés par Théophile Hamel. Ce nombre dépasse légèrement la production des années 1840 et représente plus du double de la production des dernières dix années. Les grands de l'industrie et de la politique continuent à défiler devant son chevalet. En 1852, il peint son ami **Cyrice Têtu**, riche commerçant de Québec. La petite Caroline, représentée près de son père, épousera Henri-Jules Duchesnay et donnera naissance à Amélie, femme de Gustave Hamel, seul fils vivant de Théophile. D'autres personnages alors importants comme **Wells** le constructeur de navires seront représentés par Hamel.

Le Château de Ramezay conserve le magnifique portrait de **James Bruce, Comte d'Elgin** qui fut gouverneur du Canada de 1847 à 1854 avant de devenir vice-roi des Indes. L'original demeure introuvable [36], mais il reste le tableau de Montréal (1854) et la copie du Séminaire (1870). Le personnage le plus important peint vers la fin de sa carrière semble **George-Barthélemy Faribault** dont l'activité intellectuelle peut être comparée à celle de Viger à Montréal.

Sa réputation s'étend bien au-delà des centres urbains et gagne des régions éloignées comme le Saguenay. Peter McLeod, fondateur de Chicoutimi, a été peint en 1854 d'après une photo puisqu'il était mort depuis deux ans. Cet homme « fait de plusieurs bêtes fauves » vit surtout grâce à sa légende. Les faits connus avec certitude sont peu nombreux. Né d'un Écossais marié à une Indienne montagnaise, il possédait une scierie à la

56. *Pierre Moreau.* 1840. H. 71 cm x L. 61 cm. Musée du Québec.

Rivière-Noire (Saint-Siméon, comté de Charlevoix) quand, en juillet 1842, William Price acquit les biens de la Société des Vingt-et-Un le long du fjord Saguenay. Devançant la date de l'ouverture du territoire du Saguenay à la colonisation (2 octobre), il s'autorisa de son sang montagnais pour entrer dans le pays ; il commença à la Rivière-du-Moulin un établissement industriel, et l'année suivante, un plus considérable à la rivière Chicoutimi, ce qui donna naissance à la ville actuelle.

La ressemblance avec le portrait est parfaite. Alors que beaucoup de personnages de Théophile Hamel semblent figés devant la caméra qui exigeait à l'époque une longue immobilité, McLeod s'anime sur la toile et esquisse un sourire. La pose est dégagée ; le léger déséquilibre occasionné par la position d'une épaule plus basse que l'autre libère de la trop grande symétrie habituelle chez Hamel. Et surtout le personnage se tient devant un paysage agrémenté de quelques arbres. Il s'agit d'un décor exceptionnel chez Théophile Hamel.

Deux autres tableaux se rapportent à la région : les portraits de John Kane et de sa femme Marie-Louise Cimon. En 1938, Damase Potvin découvrait ces tableaux chez le notaire Michaud de Rivière-du-Loup en même temps que le portrait de McLeod. Né en 1810, John Kane exerça la profession de notaire jusqu'à sa mort en 1875. Dix ans après avoir reçu sa commission de notaire, il se fixait définitivement à la Grande-Baie devenant le premier notaire résidant de la région de Chicoutimi. Il a occupé des postes très importants ; agent des terres de la couronne pour la région du Saguenay en 1843 ; agent local pour l'Association de colonisation des comtés de l'Islet et de Kamouraska en 1850 ; président du premier conseil de la municipalité du comté du Saguenay en 1851, président de la Société d'agriculture de la seconde division du Saguenay en 1854 ; maire de Bagot en 1855. Il fut en outre préfet de comté, commissaire d'écoles, marguillier et candidat aux élections de 1863.

Sa vie familiale est peu connue. Le 26 novembre 1838, il signait un contrat de mariage avec sa future épouse Marie-Louise Cimon dont le père d'abord cultivateur devint marchand et membre du Parlement provincial dans le Bas-Canada. Le mariage fut célébré le 28 novembre 1838 à la Baie-Saint-Paul. Quatorze ans plus tard, le couple Kane se fit peindre par Théophile Hamel. Déjà âgée de trente-deux ans lors de son mariage, Marie-Louise Cimon en aurait donc quarante-six à ce moment. Jeune d'apparence bien qu'un peu morose, elle porte une coiffure à laquelle Hamel a consacré plus d'attention qu'à l'accoutumée. Nous possédons par ailleurs une photographie ancienne du notaire Kane où malgré le poids des ans, on retrouve la même énergie calme que Théophile Hamel avait bien rendue sur la toile en 1852.

Théophile Hamel a beaucoup travaillé d'après des photographies et il semble que ce soit le cas pour ces trois tableaux car l'apparence des personnages ne correspond pas à leur âge réel. La photographie de McLeod est de Jules-Ernest Livernois qui devint propriétaire en 1865 du studio ouvert par son père en 1845. Or McLeod est mort en 1852. Les Kane se sont fait peindre la même année. La photographie est donc très certainement antérieure à la prise en charge de l'entreprise par Jules-Ernest. Son

57. *Charles-Hilaire Têtu*. Années 1840. H. 69 cm x L. 79 cm. Musée des Beaux Arts de Montréal.

58. *Madame Charles-Hilaire Têtu et son fils Eugène.* 1841. H. 1.14 m x L. 97 cm. Musée des Beaux Arts de Montréal.

59. *René-Édouard Caron.* 1846. H. 1.24 m x L. 1.99 m. Musée du Québec.

60. Titien. *Charles V.* Bayerische staatsgemäldesammlungan, Munich

61. *Madame René-Édouard Caron et sa fille.* 1846. H. 1.24 m x L. 99 cm. Musée du Québec.

62. *Georges-Barthélemy Faribault*. Ovale. H. 69 cm x L. 58 cm. Collection Madeleine Hamel.

63. *Georges-Barthélemy Faribault*. Photo. Collection Madeleine Hamel.

64. *Docteur Joseh Morrin.* 1859. H. 1.09 m x L. 81 cm. Musée de l'Hôtel-Dieu de Québec.

nom sur la photo s'explique facilement puisqu'il eut l'idée de reproduire des photos anciennes ainsi que des plans et des gravures. Nos trois personnages ont pu faire exécuter leur photo par les amateurs qui venaient régulièrement à Québec depuis 1840 ou par Jules-Benoit Livernois après 1845. Théophile Hamel aurait travaillé d'après des daguerréotypes des années 1840 reproduits par Jules-Ernest. Ceci explique que les trois personnages semblent dans la trentaine sur les tableaux.

Clivage social

On voit que des personnages éminents de toutes les sphères d'activités ont eu recours à Théophile Hamel. Cependant les ouvriers, les petits commerçants et les cultivateurs sont à peu près absents de son œuvre. Il y a bien le portrait de ses parents mais ils sont investis d'une dignité comparable à celle des riches bourgeois. Le peuple est absent de l'œuvre de Théophile Hamel. Le **Catalogue** de l'œuvre montre que le clivage ne se fait pas au niveau de la race mais par le moyen des groupes sociaux. Nous trouvons en effet beaucoup de Canadiens anglais parmi les clients de l'artiste. Nous avons déjà mentionné Lord Elgin, Baldwin, le maire Wilson, McLeod. Il y en a beaucoup d'autres. En 1848, le Shakespeare Club suspend dans la salle de réunion le portrait de **Joseph Lee**, fondateur de l'association [37]. Des médecins comme le **docteur Bradelard** [38] et le **docteur Joseph Morrin** sont même représentés à plusieurs reprises. Le 4 décembre 1972, Le Prêt hypothécaire de Québec remettait à l'Hôtel-Dieu un portrait du docteur Morrin. C'est la version de 1859 qui est certainement la plus belle. Né en 1792, cet homme fut médecin de l'Hôtel-Dieu et de la communauté des religieuses de 1825 à 1860. Maire de Québec, fondateur du Morrin College, président de l'école des médecins, il fonda aussi la compagnie du prêt hypothécaire dont il devint président de 1856 à 1861. Une liste complète devrait inclure les portraits de Mme John Ross, de Sir Francis Hinks, de Wolfred Nelson, de William Campbell et de plusieurs autres.

Peintre de compositions religieuses

« Vous m'anoncerez je l'espère dans votre prochaine quelques bonnes compositions faites ou sur le point de sortir du néan ; je ne vous pardonnerais plus, si vous vous en teniez encore à refaire les figures que tout le monde vous présente, moyennant 2 heures par séance et 50 piastres de façon. Vous pouvez maintenant vous donner plus librement à quelques sujets de votre goût, faite-le ; il en est temps, si vous tenez à ne pas laisser s'endormir l'imagination, et s'effacer les souvenirs d'Italie [39] ».

Imagination, bonnes compositions, souvenirs d'Italie ! Ces lignes enthousiastes écrites par Napoléon Bourassa lors de son voyage européen en 1853 n'ont pas eu l'écho souhaité chez Théophile Hamel. La collection Desjardins lui a ouvert la voie facile de la copie de laquelle il n'a pu sortir. Malgré son admiration pour les grandes œuvres religieuses et historiques contemplées en Europe, il n'a pu créer au Canada une iconographie nationale fondée sur un style original. Aucun de nos artistes ne l'a d'ailleurs fait au 19ème siècle. Sauf dans son tableau du **Typhus,** Théophile Hamel n'a jamais imaginé des compositions tirées de l'histoire nationale et de la vie religieuse locale. Et puis personne ne le lui demandait. Le gouvernement lui a commandé des portraits mais point de scènes historiques. Le clergé voulait des œuvres traditionnelles capables de stimuler la dévotion des fidèles ; la nouveauté est plutôt un inconvénient dans la poursuite de ces objectifs. Plusieurs fabriques se sont adressées à lui pour orner les murs de leur église. Nous avons vu que Théophile Hamel avait la confiance des dignitaires ecclésiastiques et de nombreux curés dont nous conservons encore les portraits. Ses deux voyages dans le Bas-du-Fleuve Saint-Laurent l'ont mis en contact avec plusieurs curés de paroisses éloignées [40]. Les prêts consentis à diverses paroisses le faisaient aussi connaître un peu partout hors Québec. Plusieurs de ses compositions religieuses ont disparu et d'autres ne sont pas datées. Le tableau suivant donne une idée de sa production.

Tableaux de Saint-Ours et de la collection Desjardins

À l'origine de sa série, nous trouvons deux immenses toiles dans le sanctuaire de Saint-Ours : **Repos de la Sainte Famille** et **Jésus parmi les docteurs**. Les deux tableaux sont signés et portent la date de 1842. Les **Livres de comptes** de Saint-Ours font état de la décision d'acheter « deux tableaux pour achever d'orner le sanctuaire » et mentionnent les prix. « Le quatre novembre mil huit cent quarante-deux, dans une assemblée des anciens et nouveaux marguilliers, la dite assemblée annoncée au prône de la messe paroissiale et convoquée au son de la cloche à l'issue de la messe ; il a été décidé et réglé par la dite assemblée que la fabrique fournirait au curé l'argent suffisant pour l'achat d'un bon orgue dans l'année prochaine et que le dit sieur curé demanderait deux tableaux pour achever d'orner le sanctuaire ; présens Augustin Richard, Ed. Girouard, Joseph Chapdelaine, Louis Larivière, Jean Langevin, J. Bt. Haller, Joseph Goulet, J. Bte. Gu. Hamel et plusieurs autres qui n'ont su signer.

J. Bte. Bélanger, ptre [41] ».

Tableau 16 :

COMPOSITIONS RELIGIEUSES DE THÉOPHILE HAMEL

Date	Titre	Lieu
1842	**Jésus parmi les docteurs**	Église de Saint-Ours
1842	**Repos de la Sainte Famille**	Église de Saint-Ours
1844 ou 1846	**Le pèlerin**	Collection Madeleine Hamel
1845 ou	**Martyre de Saint-Pierre de Vérone**	Église Saint-Dominique à Québec
1846	**Notre-Dame du Rosaire**	Église de Grondines
1847	**Éducation de la Vierge**	Musée Saint-Gabriel, Montréal
1848	**Saint-Hugues**	Église Saint-Hugues
1849	**Le typhus**	Église Bon-Secours, Montréal
v. 1849	**Adoration des bergers**	Saint-Charles-de-Bellechasse
1856	**Baptême du Christ**	Saint-Charles-de-Bellechasse
1856	**Christ mort**	Musée du Québec
1857	**Sainte-Geneviève**	Église Notre-Dame-des-Victoires
1860	**Samson poursuivant les Philistins**	Incendié
v. 1860 1861 ou	**La présentation au temple**	Chapelle des Pères Jésuites
1862	**Repos de la Sainte Famille**	Basilique de Québec. Incendié
v. 1867	**Vierge et enfant**	Église Notre-Dame-des-Victoires
?	**Saint-Louis-de-Gonzague** (vers 1847)	Église de Grondines
?	**Repos de la Sainte Famille**	Église Saint-Jean-Baptiste
?	**Repos de la Sainte Famille**	Église de Rivière-Ouelle
?	**Repos de la Sainte Famille**	Église de Sillery
?	**Saint-Laurent présentant les pauvres de Rome**	Musée du Québec
?	**Saint-Laurent présentant les pauvres de Rome**	Musée du Québec
?	**Le pèlerin**	Musée du Québec
?	**Assomption de la Vierge**	Inconnu
?	**Descente de la croix** (d'après Rubens)	Inconnu
?	**Descente de la croix**	Inconnu
?	**Les filles de Jethro**	Inconnu
?	**Saint-François d'Assise**	Inconnu
?	**Sainte-Geneviève**	Inconnu
?	**Marie-Madeleine**	Inconnu
?	**Saint-Raphaël**	Inconnu
?	**Vierge à l'oiseau** (d'après Coypel)	Inconnu
?	**Famille de Zacharie**	Inconnu
?	**La Vierge, Jésus et Jean-Baptiste**	Inconnu

Deux ans plus tard, Joseph Gaudet, marguillier en charge, rend compte de l'état financier de la paroisse [42].

Recettes			Dépenses		
Rentes des bancs de la nef	£ 1421	15 shillings	Réparer les deux presbytères, crépir la sacristie et l'église	£ 1618	12 shillings
Rentes des bancs du jubé	£ 403	15 shillings	Deux tableaux et les cadres	£ 1465	10 shillings
Quêtes dominicales	£ 9	10 shillings	Placer les 2 poêles de l'église	£ 912	
Quête de l'Enfant-Jésus	£ 111	12 shillings	Un orgue complet et le placer	£ 9600	
Casuel de l'Église	£ 272	10 shillings			

Plusieurs curés de l'époque ont eu à cœur la décoration de leur église. On peut déplorer leur peu de culture artistique mais en cela ils ne sont pas différents des autres groupes sociaux. En bien des paroisses, il n'y aurait eu aucune œuvre d'art si le curé n'avait incité les marguilliers à s'attacher autant à l'ornementation de l'église qu'au chauffage et à l'entretien. Les paroissiens de Saint-Ours ont commandé à Théophile Hamel deux grandes toiles d'environ 3m par 1.98m. Maintenant placées à l'arrière de l'église, les deux œuvres s'offrent avantageusement à la vue. Ces tableaux dévoilent entièrement les procédés de Théophile Hamel peintre de compositions religieuses. Ne perdons pas de vue que le jeune homme commence sa carrière et que cette commande peut le lancer. Nous ignorons si le sujet fut laissé à sa discrétion. Quoi qu'il en soit, on s'attend à ce que l'artiste montre ses aptitudes en composant des œuvres novatrices. Au lieu de cela Théophile Hamel fait deux copies absolument dépourvues d'originalité.

Faut-il rendre les fabriques entièrement responsables du peu d'imagination manifesté par Théophile Hamel dans la peinture religieuse ? D'une part, nous ignorons souvent qui suggère le thème du tableau. D'autre part, quand le thème est suggéré à l'artiste, on peut penser que, très souvent, on lui laisse la liberté de composer le tableau à sa guise. Il semble bien que l'artiste doive assumer ici une part de responsabilité.

Il faut remonter au 17 mars 1817 pour trouver l'origine du **Jésus au milieu des docteurs**. Profitant d'une réunion des marguilliers, l'abbé Louis Raby, curé de Saint-Antoine-de-Tilly propose l'achat de tableaux de la collection Desjardins exposés à l'Hôtel-Dieu de Québec. Il est décidé d'acheter cinq tableaux dont le suivant :

> « 64 — **Jésus et les docteurs.** Massé (Saint Antoine),
> H.2.69m × L. 2.26m.

De toute évidence l'artiste serait Samuel Massé (1671-1753), peintre de sujets mythologiques [44]. Né à Tours, il fut reçu en 1705 à l'Académie royale de peinture puis travailla à Paris jusqu'à sa mort. Le tableau qui

65. *Repos pendant la fuite en Égypte*. 1842. H. environ 2.74 m x L. 2.13 m. Église de Saint-Ours.

66. *Jésus au milieu des docteurs.* 1842. H. environ 2.74 m x L. 2.13 m. Église de Saint-Ours.

nous intéresse a été copié d'un autre artiste indiqué ainsi sur la toile : Ex. D. D. Garis. L'œuvre de Théophile Hamel reproduit très exactement le tableau de Samuel Massé. C'est donc la copie d'une copie. Mais puisque le tableau était à Saint-Antoine-de-Tilly avant même le commencement de son apprentissage, il est possible que Joseph Légaré ou Antoine Plamondon en aient fait une copie qui aurait servi à Hamel. Seule la découverte d'un tableau signé et daté permettrait de confirmer cette hypothèse. La composition, chacun des personnages et même les couleurs sont en tous points semblables à ceux du tableau de Massé. Au lieu d'une œuvre originale, Théophile Hamel brosse une copie dépourvue de tout caractère distinctif. L'autre composition prend place dans une imposante lignée de copies toutes inspirées d'un même tableau de la Sainte Famille attribué à Carle Van Loo.

Le repos de la Sainte Famille

La vogue de ce tableau chez nos artistes exige qu'on s'arrête afin de démêler l'écheveau que forment les nombreuses versions. Selon Morisset, l'original aurait été donné après la Conquête au Séminaire de Québec par le Séminaire des Missions étrangères de Paris [45]. J'ai trouvé mention de quatorze copies dont voici la liste :

Joseph Légaré : 1820	
Antoine Plamondon :	Saint-Roch, 1830
	Saint-Enselme,1852
	Neuville, 1855
	Saint-Jean-Baptiste, 1862
	* trois tableaux qui lui sont attribués à Baie-Saint-Paul, Saint-Charles-de-Bellechasse et Saint-Pierre-Les-Becquets
Théophile Hamel :	Saint-Ours, 1842
	Cathédrale, 1867
	Saint-Jean-Baptiste,
	Rivière-Ouelle
Sœur Marie-de-Jésus :	copie du Hamel de la Cathédrale
	copie du Plamondon de Saint-Roch

Il reste trois copies de Théophile Hamel : à Saint-Ours, à Rivière-Ouelle et dans la sacristie de l'église Saint-Jean-Baptiste à Québec. La version de la cathédrale pose un problème particulier [46]. La copie de Théophile Hamel avait remplacé dans la cathédrale l'original abîmé le 5 mai 1866 par un début d'incendie [47]. Cet original fut par la suite placé dans la chapelle du Séminaire et fut sauvé de l'incendie de 1888. Le 28 janvier 1910, le tableau est à nouveau mentionné dans le **Journal du Séminaire.** Il est alors remis à sa place après la réparation par Carter. Ce tableau existe toujours au musée du Séminaire. L'incendie de la basilique en 1922 détruisit la copie de Théophile Hamel [48]. Trois ans plus tard Mgr Eugène Laflamme sollicitait des tableaux de diverses communautés religieuses afin d'orner la basilique. Dans une lettre où les ordres sont habilement camouflés sous les formules de respect, il demande le **Repos de la Sainte Famille** des religieuses du Bon Pasteur :

Le 9 août 1925

Très Révérende Mère,

Permettez-moi de solliciter de votre communauté un don pour la Basilique. [...]

Une de vos sœurs avait obtenu, il y a plusieurs années, la permission de copier notre tableau. Je croyais retrouver chez vous cette copie. Mais on m'a fait savoir, ces jours derniers, que la dite copie avait-été vendue depuis très longtemps déjà.

Du même coup j'ai appris que vous aviez une autre copie du même tableau, d'après celui de l'église saint Roch dû au pinceau de Plamondon.

C'est le don de cette copie à la Basilique que je viens solliciter respectueusement.

Notre trésor artistique a particulièrement souffert de l'incendie. Il ne nous est resté qu'une seule — et en quel état ! — des dix peintures originales. Et qu'une seule également des dix copies de tableaux que nous possédions.

Nous travaillons à reconstituer ce trésor artistique. Le Gouvernement français y a largement contribué en nous envoyant six tableaux, dont une pièce originale et cinq copies de grands maîtres. Un citoyen nous a procuré une copie de la Crucifixion de Van Dyck, l'une des belles toiles originales qui ornaient notre église. Les Sœurs de la Charité vont nous donner une copie de la « Nativité » qui faisait pendant au tableau de Van Dyck.

Ceci me rend audacieux jusqu'au point de vous demander le don de votre copie de la « Sainte Famille », que tous seraient si heureux de revoir au-dessus de l'autel du même nom.

J'ai confiance que ma supplique sera considérée avec bienveillance et que les paroissiens de Notre-Dame ainsi que les nombreux visiteurs de la cathédrale, pourront bientôt, grâce à votre générosité, admirer, à sa place le tableau qui couronnait jadis notre autel de la sainte Famille.

Avec le ferme espoir d'une réponse favorable, je vous prie, Très Révérende Mère, d'agréer l'hommage de ma respectueuse gratitude et de mon cordial dévouement en N.S.

Eug. C. Laflamme, ptre. »

La réponse ne se fit pas attendre.

Monseigneur,

Comment ne serions-nous pas flattées de l'honneur que vous nous faites de penser à nous pour aider à l'ornementation artistique de notre cathédrale ! Ce nous est un bonheur de coopérer un peu à reconstituer, tel qu'autrefois, ce sanctuaire si cher à la piété québecoise et canadienne. C'est dire, Monseigneur, que nous accordons de tout cœur la faveur demandée, ajoutant que nous sommes très honorées de ce que vous n'avez pas oublié le Bon-Pasteur dans cette circonstance : notre tableau de la Sainte-Famille est dès maintenant à votre disposition.

Veuillez nous pardonner, Monseigneur, de ne pas avoir répondu plus tôt à votre lettre, c'est qu'une partie du Conseil Général était en grande retraite annuelle lors de sa réception.

En vous renouvelant, Monseigneur, mes respectueux hommages, je me dis, au nom de ma Communauté,

Votre humble servante,

S.-M.-de-St-Eugène, s.c.i.m., sup. gén.

Asile du Bon-Pasteur
Québec, 15 août 1925.

Le tableau en place dans la chapelle de la Sainte-Famille serait l'œuvre de Sœur Saint-Aubin, religieuse du Bon-Pasteur qui le fit d'après la copie d'Antoine Plamondon alors conservée à Saint-Roch-de-Québec. L'œuvre de Saint-Ours est ainsi la première des quatre copies faites par Théophile Hamel à partir du tableau de la Sainte-Famille. La version de Saint-Roch par Antoine Plamondon étant beaucoup plus accessible que celle de Saint-Antoine-de-Tilly, il est raisonnable de penser que là aussi, il s'agit d'une copie à partir d'une copie. On voit que l'enseignement reçu chez Antoine Plamondon ne tendait pas à développer l'imagination créatrice chez Théophile Hamel.

Le « Typhus », une audace sans lendemain

Après trois ans passés en Europe, où le jeune homme a vu beaucoup de compositions complexes, on s'attend à ce qu'il invente enfin des tableaux audacieux sur des thèmes nouveaux. L'occasion lui en est fournie lors de son arrivée à Montréal à la fin de l'automne 1847.

Montréal devient une grande ville avec ses quarante-cinq mille habitants. Le chiffre de la population augmente rapidement grâce à l'accroissement naturel et aux immigrants. De nombreux Irlandais chassés par la famine viennent se réfugier à Montréal. Mais « l'émigration irlandaise, qui était regardée comme une source de développement et de prospérité pour cette colonie, devient, cette année, une calamité désastreuse... Parlons de notre ville infortunée. Nous ne savons pas ce que le bon Dieu nous destine ! Aujourd'hui, on compte (27 juillet 1847) mille sept cents malades, au milieu desquels règne le typhus dans toute sa violence [49] ». Une vingtaine de hangars de cent à cent cinquante pieds de longueur sont érigés à la hâte à la pointe Saint-Charles. Les médecins et les dignitaires donnent l'exemple pour apporter secours aux malades. Le maire Mills visite les malades et meurt du typhus quelques jours plus tard [50]. À la suite de Mgr Bourget — atteint lui-même le 13 août — le clergé se précipite vers les « sheds » de la mort. Les statistiques sont effarantes : dix-sept Sœurs grises sont atteintes et sept meurent, trois religieuses succombent à l'Hôtel-Dieu, trois autres à l'Asile de la Providence, douze Sulpiciens contractent la maladie et cinq meurent avant la fin de juillet. La population s'élève par la voie des journaux contre cette situation qui oblige le personnel des hospices à délaisser leurs malades pour voler au secours des nouveaux arrivés. L'administration est blâmée alors que le zèle des hommes publics et des religieux fait l'objet de tous les éloges. Trois mille huit cent soixante-deux personnes meurent en quelques mois [51].

Mgr Bourget lui-même aurait demandé à Théophile Hamel d'immortaliser le dévouement des communautés religieuses. Sur le tableau peint en 1849, trois religieuses représentent les Sœurs grises, les religieuses de la Providence et celles du cloître de l'Hôtel-Dieu. Un prêtre debout à l'arrière-plan administre les derniers sacrements. L'**Aurore** a admirablement décrit les pestiférés : « hâvres, grelottant de fièvre [et qui] se traînaient à peine(...). Couchés sur de misérables grabats, le jour le soleil les brûlait, et la nuit le froid les empêchait de dormir. Ici une mère sans force regarde mourir son mari, ses enfants ; là, des enfants assistent aux derniers moments de leurs parents. On frissonne à la pensée des souffrances qui ont réduit ces malheureux à un tel degré de misère... Jamais la population de Montréal n'a contemplé un pareil spectacle... On ne peut concevoir l'horreur de cette situation [52] ».

Le parti adopté par Hamel rappelle à plusieurs points de vue **Le massacre de Scio** (1824) de Delacroix. La composition comporte aussi trois zones : personnages au premier plan, paysage vague, ciel immense. La différence réside surtout dans la simplification. Alors que Delacroix place seize personnages en contact immédiat avec le spectateur, Hamel n'en peint que sept, plus quatre autres en retrait. Le paysage ne comporte qu'un hangar, le fleuve et la ville au loin. Le ciel occupe un très large espace où la Vierge assise sur un énorme nuage se presse béatement la poitrine. Le contraste entre le regard serein de la Sœur grise et l'effroi de la moribonde est atteint au prix d'une grimace mélodramatique. L'enfant étendu à ses côtés semble détaché d'un crucifix. Somme toute c'est une pauvre composition. Théophile Hamel ne réussira jamais un tableau à moins qu'il ne s'appuie sur un modèle. Pourtant le tableau a été admiré et un mauvais poète a même crié au chef-d'œuvre :

> Par milliers ils quittent la plage
> De leur patrie en proie à mille maux,
> Peste, famine ; on les voit par troupeaux,
> Ici, côtoyer le rivage,
> Spectres vivants, les yeux hagards ;
>
> ....
>
> Aux abris, aux abris, cœurs généreux, sensibles !
> Appaisez leurs gémissements !
>
> ....
>
> Et toi, dont le génie
> A tracé leur tableau
> Même en trompant la mort, tu leur donnes la vie.
> Hamel, nous admirons ton vigoureux pinceau.
> Oui, l'immortalité qui décerne la gloire
> T'accueille dans son char.

67. *Le typhus*. Vers 1849. H. 1.52 m x L. 1.22 m.
Église Bon-Secours à Montréal.

68. Eugène Delacroix. *Le Massacre de Scio*. 1824. Musée du Louvr

69. *Saint-Hugues*. 1949. H. environ 2.44 m x L. 1.52 m. Église de Saint-Hugues.

70. Achille Stocchi. *Saint-Bernard*. Gravure d'après la statue. Collection particulière. Ottawa.

71. *La présentation au temple.* Résidence des Pères Jésuites à Québec.

Ton chef-d'œvre de l'art
Si digne de l'histoire
Fera graver ton nom au temple de mémoire [53]

Utilisé plus tard à des fins politiques, le tableau fut reproduit dans **La Presse** du 28 octobre 1922 pour appuyer les récriminations contre les Irlandais de l'Ontario engagés dans une lutte à propos de la langue française [54]. La toile est maintenant collée au plafond à l'entrée de l'église du Bon-Secours à Montréal où la tuyauterie a tous les droits y compris celui de passer à travers le tableau !

C'est le seul cas de décoration religieuse fondée sur un événement contemporain. Hamel n'a pas renouvelé cette expérience bien que la tradition picturale européenne qui lui sert de base ait constamment produit des œuvres inspirées de la vie nationale. Les romantiques s'étaient beaucoup intéressés aux grands faits politiques. Mentionnons Delacroix avec **La Grèce expirant sur les ruines de Missolonghi** (1826), **La liberté guidant le peuple** (1830), **Boissy d'Anglas à la convention** (1831), Gros avec **Les pestiférés de Jaffa** (1804) ou Géricault auteur du **Radeau de la Méduse** (1819). Hamel est resté imperméable à la grande peinture européenne. Il a préféré les sujets religieux conventionnels et la copie.

La copie

Il faut cependant éviter de frapper d'anathème toute œuvre d'art reconnue coupable d'être une copie. En bien des milieux, la copie jouit d'un certain prestige tout au long du 19e siècle. Sébastien Falardeau, spécialiste de la copie, fait fortune en Italie même [55]. Les expositions de la Real Academia de San-Fernando à Madrid comportent toujours des copies dont plusieurs de la main de la reine Isabelle [56]. Un jour que De Fenouillet accompagné de Théophile Hamel regardait le **Christ** attribué à Van Dyck à la cathédrale de Québec, il exprimait l'idée que des copies de cette valeur « s'évaluent bien souvent au prix des œuvres originales [57] ». Par ailleurs, Napoléon Bourassa a très bien posé le problème dans son article intitulé, « Du développement du goût dans les arts au Canada » (1868). Ne pas admettre « qu'une copie est une œuvre d'art, une bonne chose », c'est parler en Européen. Dans les pays comme le nôtre, « le reflet de la pensée d'un grand maître vaudra toujours mieux que rien. [...] Il est possible d'obtenir des copies satisfaisantes de la main des artistes en réputation, qui s'appliquent spécialement à ce genre. Mais je dois ajouter qu'il ne faut pas songer à se procurer ces copies pour quelques francs. Une bonne copie est un travail sérieux qui doit être rémunéré ». On comprend que les fabriques aient commandé des copies pour décorer le chœur même de leur église.

Grands tableaux d'église Les commandes de la Fabrique de Saint-Hugues en 1849 et celle de la Congrégation à Québec en 1861 sont particulièrement intéressantes. Les comptes et délibérations de Saint-Hugues mentionnent le paiement d'un tableau 1 200 livres cours ancien soit environ $240 cours vers 1850 plus le transport et le posage [58]. C'est un grand tableau de 2.44m par 1.52m représentant l'abbé de Cluny debout avec sa crosse. Le personnage disparaît entièrement sous les vêtements sacerdotaux. Même le visage est caché par la mitre qui est énorme et une barbe ouatée de père Noël. Malgré l'étrange disposition des pieds et la pauvreté du décor, le tableau devait produire un bel effet au-dessus du maître-autel. L'or de la mitre, de l'étole et de la chape se détache vigoureusement sur le blanc de l'aube. Le tableau est maintenant dérobé à l'admiration de la population puisqu'on l'a placé dans le « jubé » très loin des regards.

Pièce principale d'un programme complexe, la **Présentation au temple** de la chapelle de la Congrégation occupe toujours le centre de l'église. Le **Diarium** des Pères Jésuites et les **Registres des procès-verbaux de la Congrégation des hommes** contiennent des renseignements précieux non seulement pour l'étude des tableaux mais pour la connaissance des démarches qui mènent à l'ornementation d'une église au cours du 19ème siècle. Un mot d'abord de la Congrégation elle-même. Fondée par les Pères Jésuites, la Congrégation passa aux mains de l'évêque lors du départ des Pères au 18ème siècle. Les Anglais interdirent les réunions qui se tenaient toujours dans la chapelle abandonnée du premier collège des Jésuites. Après s'être réunis quelque temps au-dessus de la sacristie de la cathédrale, les Congréganistes construisirent leur propre chapelle sur un terrain donné par le gouverneur Sherbrooke. En 1849, les Jésuites reviennent à Québec et assument à nouveau la direction de la Congrégation qui leur fait don en 1907 de la chapelle avec le mobilier.

Théophile Hamel prend contact avec la Congrégation par l'intermédiaire de son frère Abraham. Plusieurs membres de la famille Hamel ont d'ailleurs fait partie de cette confrérie pieuse.

Tableau 17 :

PRÉSENCE DES HAMEL DANS LA CONGRÉGATION DES HOMMES

Nom	Date d'entrée	Âge
Abraham Hamel	12 juin 1842	28 ans
Ferdinand Hamel	20 février 1848	21 ans
Joseph Hamel	6 février 1860	37 ans
Alphonse fils d'Abraham	18 septembre 1859	19 ans
Adolphe fils d'Abraham	8 avril 1860	18 ans

L'année 1861 marque le début d'un grand programme de décoration qui s'étendra sur plusieurs années et fera appel à plusieurs artistes dont surtout Théophile et Eugène Hamel ainsi que Meloche. Il existait des tableaux dans l'église mais il fut décidé de les remplacer en commençant par celui du maître-autel qui avait été prêté par Madame Abraham Hamel. Le 31 mars 1861, les Congréganistes décident « de s'entendre avec Mr. Théophile Hamel ou autres artices » pour un nouveau tableau [59]. Un mois plus tard, le marché est conclu :

> Aujourd'hui septième jour d'avril de l'année mil huit cent soixante-un, le Conseil de la Congrégation étant assemblé au lieu ordinaire après la Messe, le Révérend Père Directeur et autres membres du Conseil chargés de s'entendre avec Mr Théophile Hamel et autres artices de cette ville, font rapport que Mr Théophile Hamel se seroit engagé à faire un tableau pour remplacer celui du maître autel et de le livrer d'hui en un an, à raison de quarante livres courant. Et ont signé, lecture faite.
> A. B. Sirois
> Secrétaire
>
> Conilleau S J.
> Gaspard Drolet
> Préfet [60].

L'inventaire du mobilier de la Congrégation présenté le 25 octobre 1863 fait état d'un « grand tableau au dessus du M^tre^ autel [61] ». Le tableau a probablement été livré avant le 7 avril 1862. Chose surprenante, les Congréganistes ne parlent jamais du sujet de l'œuvre. L'artiste aurait-il eu le loisir de choisir dans son lot d'œuvres et de gravures une composition selon son goût ? C'est possible. De toute façon, il s'agit d'une copie d'après l'œuvre de Louis de Boullogne (1608-1674) conservée alors à Notre-Dame-de-Paris [62]. L'éclat de ce tableau s'explique par divers travaux de restauration dont il est impossible d'évaluer l'importance avec les moyens ordinaires. Nous savons que le Père Désy fit dorer le cadre du tableau en 1888 [63]. Du 13 au 21 juillet 1916, le doreur Louis Morency nettoie et ajoute un verni au tableau [64]. De plus, « le cadre a été bronzé de nouveau, à l'exception des endroits dorés au brunis, auxquels on n'a pas touché [65] ».

En 1887, une seconde phase commence pour la décoration de la chapelle. On décide de remplacer les deux tableaux des autels latéraux en demandant les services d'Eugène Hamel [66]. Le programme répond aux dévotions à la mode : **Saint-Joseph** et l'**Apparition du Sacré-Cœur à Sainte Marguerite-Marie** [67]. Il fut aussi question de l'achat d'un autel de marbre et de fresques [68]. Cet élargissement du programme et les transformations exécutées en 1948 n'ont fait que mettre davantage en valeur l'œuvre de Théophile Hamel qui demeure l'attraction principale de la chapelle.

À Saint-Charles-de-Grondines, Théophile Hamel se trouvait, en regard de Roy-Audy, dans la même situation qu'Eugène Hamel à la chapelle de la Congrégation. Vers 1820, Roy-Audy avait exécuté un grand tableau représentant **Saint-Charles-Borromée communiant les pestiférés de Milan**.

À Théophile Hamel échoit la décoration secondaire ; un **Saint-Louis-de-Gonzague** et une **Notre-Dame-du-Rosaire** pour les autels latéraux. Ces deux tableaux exécutés en 1847 sont de grandes compositions (2.13m × 1.52m) qu'on voit difficilement vu l'espace réduit entre les autels et le « jubé ». **Notre-Dame-du-Rosaire** reprend une composition de Sassoferrato de Sainte-Sabine à Rome [69]. Le **Saint-Louis** est beaucoup moins intéressant. Ces deux exemples montrent que les fabriques n'arrivent pas à composer un programme cohérent se laissant plutôt guider par les dévotions à la mode et parfois aussi par les goûts de l'artiste.

Cela vaut bien davantage pour les œuvres isolées. L'une des plus pathétique est certainement le grand **Christ** autrefois chez les Sœurs de la Charité de Québec. Les gouttes de sang mêlées à la chevelure et coagulées sur les mains, les pieds et le côté donnent un caractère quasi morbide à ce géant légèrement tourné vers le spectateur. Il n'est pas impossible que ce tableau soit la copie d'une œuvre attribuée à Simon Vouet. Son **Christ mort** de Saint-Germain-l'Auxerrois à Paris fut confisqué pendant la Révolution. Nous ignorons cependant s'il nous est parvenu dans la collection Desjardins. Mais le musée de Dijon conserve un tableau qui serait une réplique du Simon Vouet. Ce tableau, envoyé à Dijon par les Musées nationaux avant 1814, ressemble en tous points à celui de Théophile Hamel. L'œuvre de Vouet a pu être diffusée par la gravure ce qui expliquerait l'inversion du sujet [70].

Deux compositions originales dépourvues d'originalité

La **Sainte-Geneviève** et la **Vierge à l'enfant** nous ramènent à la tentative peu heureuse de 1849 avec la différence que le sujet n'est plus emprunté à la vie contemporaine. Pour que l'artiste délaisse ses habitudes de copiste, il fallait une contrainte extérieure ; les règlements de l'Exposition universelle de Paris en 1867 interdisent les copies. Un **Autoportrait** (Galerie nationale) et le portrait du **Colonel de Salaberry** ne montrant qu'une facette de son art, il imagina donc ces deux compositions. Il est impossible de partager l'opinion du **Journal de Québec** affirmant que « la Sainte-Geneviève est un tableau d'un grand mérite ; la figure est parfaite de régularité et d'expression, la candeur angélique de la bergère est très bien rendue. J'aime moins le vêtement et il me semble y avoir une certaine crudité de ton dans cette robe [71] ». La grâce que l'artiste a voulu donner aux mains du modèle contraste péniblement avec la lourdeur de cette personne habillée comme une religieuse. La fadeur du visage s'accorde avec le paysage et les animaux où aucun accent n'attire le regard. La **Vierge à l'enfant** est plus attachante mais on s'étonne de trouver la même robe, le même voile et le même modèle en deux œuvres présentées ensemble dans une grande exposition. La jeune personne est la femme de son neveu Alphonse et le bambin serait Gustave, son propre fils. Le talent du portraitiste sauve cette œuvre. Le décor est d'ailleurs celui que nous avons l'habitude de voir dans ses portraits : rideau, base de colonne et esquisse de paysage.

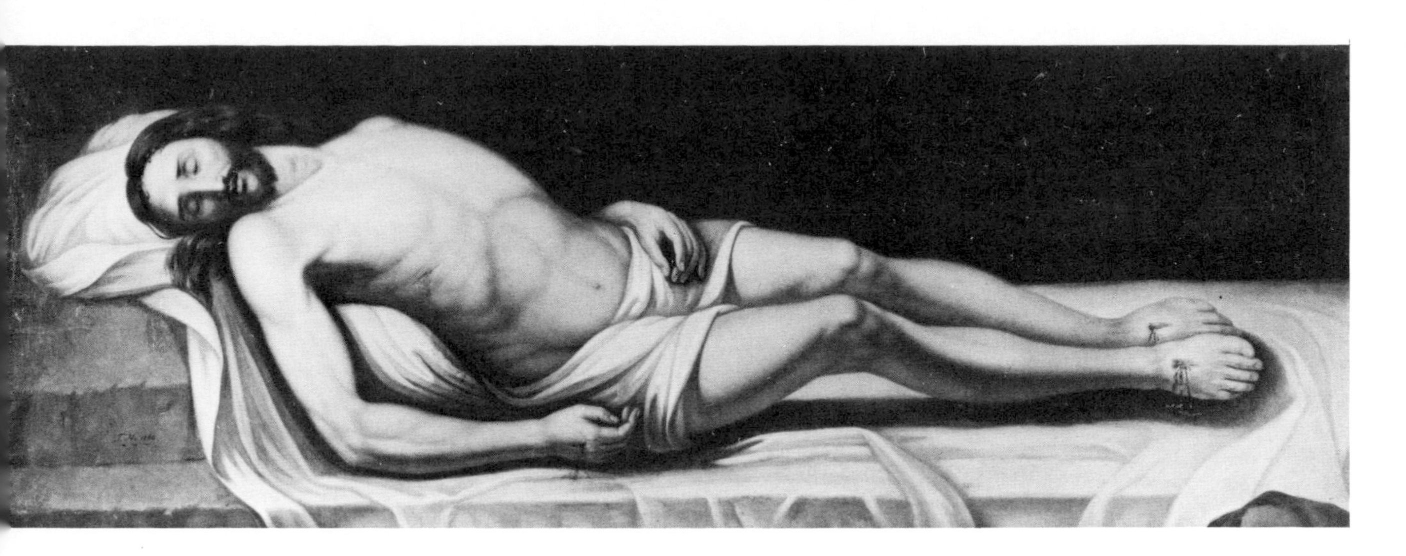

72. *Christ mort*. 1860. H. 84 cm x L. 2.26 m. Musée du Québec.

73. D'après Simon Vouet. *Christ mort*. Musée de Dijon.

74. *Vierge et l'enfant*. H. 89 cm x L. 86 cm. Église Notre-Dame-des-Victoires.

75. *Sainte Geneviève*. 1867. H. 1.52 m x L. 1.07 m. Église Notre-Dame-des-Victoires.

Il aurait été surprenant que Théophile Hamel produise subitement une grande œuvre d'imagination à cause d'un règlement d'exposition. Aucun stimulant ne l'a poussé vers les compositions religieuses originales. Les commandes ne l'exigent pas, les expositions d'art sont inexistantes et la presse loue toute œuvre sortie de son atelier. De superficies importantes, seules œuvres d'art offertes à la piété populaire en beaucoup de paroisses, la plupart de ces compositions n'ajoutent rien à sa réputation. Deux éléments leur donnent une certaine valeur : la qualité de l'œuvre copiée et la tendance « portrait » de certains visages.

Peintre d'histoire

Ce dernier aspect est responsable de la meilleure tenue de ses œuvres historiques. À part le **Jacques Cartier,** les grands hommes passés n'ont pas eu l'heur de l'enthousiasmer. Nous avons vu que le gouvernement lui avait demandé les portraits de **Champlain**, **Charlevoix**, **Montcalm**, **Lévis**, **Wolfe** et **Murray**. Ce dernier tableau est ensuite passé à Hermine, la fille de Théophile. Après son mariage avec Albert Lemay, elle le céda au Séminaire de Québec où il se trouve toujours. Le **Champlain** exécuté d'après le portrait de Moncornet fut gravé en 1878 [72]. Déjà en 1853, un journaliste s'indignait de ce que le « conseil municipal de Québec [n'avait] pas encore pensé à se procurer le portrait de l'illustre fondateur de notre ville » [73]. Le même article nous apprend que Théophile Hamel vient de faire le portrait de M. de Bienville, l'un des fondateurs de la Nouvelle-Orléans pour répondre à une commande des autorités municipales de l'endroit. Le très actif Jacques Viger avait aussi devancé le gouvernement avec son fameux **Album** où figurent quelques personnages historiques.

L'Album Viger

Dans une lettre à Joseph Légaré datée du 23 novembre 1839, Viger donne une description détaillée de son album et de ce qu'il veut y mettre. « Je fais, dans ce moment-ci, un album, mais à ma façon, c'est-à-dire non pas tout à fait aussi petite, léger et insignifiant que cette sorte de livre l'est généralement et je tâche de le rendre aussi canadien que possible tant par le choix des sujets que j'y admets que par la main des ouvriers que j'y employe. Artistes et amateurs, tout ce qui sait dessiner ou peindrc à Montréal a été mis à contribution. J'ai déjà près de cent pièces dont bon nombre ne sont certes pas à mépriser, mais je n'ai rien encore de Québec, ça viendra. J'ai de tout dans ce livre : fleurs, fruits, animaux, paysages, bâtiments, monumens, médaillons, bas-reliefs, portraits. Aussi, j'ai du gai, du triste, du tendre, de l'effrayant, du sacré, du profane... mais de la décence avant tout. J'y ai enfin de la gravure, du dessin à la plume et au crayon, du mezzotinto, du lavis, de l'aquarelle et de la gouache et même de la décou-

76. *Gilles Hocquart*. Fusain. H. 28 cm x L. 23 cm. Album Viger. Bibliothèque municipale de Montréal.

Léocadie Bilodeau. Détail. Vers 1842. Musée du Séminaire. Québec.

Madame Lemoine-Angers. 1854. Collection Docteur Brouillet. Loretteville.

Madame Lemoine-Angers. Détail. 1854. Collection Docteur Brouillet. Loretteville.

René-Édouard Caron. Détail. 1846. Musée du Québec.

pure [74] ». Joseph Légaré répond à la demande de vues d'édifices et de grands portraits et offre une liste de petites esquisses à l'huile représentant des paysages [75]. Viger décide d'acheter quelques-uns de ces paysages [76]. En février 1840, Légaré l'informe qu'il ne peut lui fournir un portrait de la duchesse d'Aiguillon car l'abbé Desjardins considère sans valeur le portrait conservé à l'Hôtel-Dieu [77]. Il y a pourtant aux pages 120 et 121 de l'album, un grand portrait non signé de la duchesse. Gérard Morisset l'attribue à Théophile Hamel et le date d'environ 1842 [78]. Le **Cardinal de Richelieu** aux pages 76-77 lui ressemble en tous points. Plusieurs éléments amènent à penser que ce ne sont pas des œuvres de Théophile Hamel. La technique sèche et dure contraste avec le **Talon** et le **Hocquart** du même album qui eux, sont signés par Hamel. Les rehauts de craie blanche, le grand format et l'absence de signature étonnent aussi. À la page 99, se trouve un beau fusain représentant **Gilles Hocquart**, intendant de la Nouvelle-France. L'œuvre porte la signature de Théophile Hamel comme le **Jean Talon** de la page 164. L'effet vaporeux de ces deux œuvres est assez réussi. Beaucoup plus intéressant est le **Jacques Cartier** de la page 275. C'est une très belle aquarelle reprenant son tableau. Jacques Viger connaissait le **Jacques Cartier** d'Hamel puisque Georges-Barthélemy Faribault lui en avait parlé dès le 4 janvier 1848 [79]. Dans ces conditions, il n'est pas surprenant de voir apparaître ce thème dans l'**Album** qui comporte ainsi trois œuvres certaines de Théophile Hamel.

Portrait de Jacques Cartier

Le **Jacques Cartier** pose encore plusieurs questions. Nous avons déjà noté l'importance de cette œuvre alors que Théophile Hamel voulait attirer l'attention des membres du gouvernement. Cette idée entre en contradiction avec l'opinion émise par Bellerive en 1925 voulant que l'**Autoportrait dans l'atelier** ait été responsable de sa popularité après son retour d'Europe. « Son premier tableau, dit-il, fut un coup de maître. Connaissant ses aptitudes pour le portrait, il eut l'idée de se peindre lui-même avec son béret, son manteau d'artiste, sa palette et son pinceau et réussit si bien qu'il fut dès lors réputé un portraitiste d'une grande habileté [80] ». Outre que cette hypothèse ne repose sur aucun fait, nous savons que le tableau fut réalisé trois ans après son retour d'Europe. L'une des deux toiles représentées à l'arrière-plan est le **Typhus** qui se trouvait encore dans l'atelier de l'artiste en décembre 1849. Le tableau de droite est le Salaberry des religieuses Ursulines de Québec. Ce tableau porte la date de 1850. L'**Autoportrait dans l'atelier** fut donc exécuté au cours des années 1849 ou 1850. Aucune publicité ne fut faite autour de ce tableau qui ne fut jamais gravé. La presse est restée muette.

Par contre les journaux ont abondamment commenté le **Jacques Cartier.** Théophile Hamel lui-même en fit quelques repliques. La lithographie, le dollar, et, récemment les billets de l'Inter-loto l'ont fait connaître à la population entière. Étudions de plus près cette étonnante popu-

77. *Jacques Cartier*. 1860. H. 1.30 m x L. 97 cm.
Archives publiques du Canada.

larité. Théophile Hamel aurait d'abord réalisé un dessin au fusain à partir d'un tableau envoyé de Saint-Malo au parlement de Québec. Ce dessin porte la date de 1847. L'effigie de Jacques Cartier a pu venir de Saint-Malo grâce à Georges-Barthélemy Faribault qui fit aussi des recherches pour retrouver un portrait de Montcalm [81]. Le 26 octobre 1847, Théophile Hamel a déjà terminé deux copies du portrait de Jacques Cartier ; l'une pour la Chambre d'assemblée et l'autre pour Sir A. McNab [82]. Un journaliste confronte le modèle français avec les copies d'Hamel dont il vante la « parfaite ressemblance » ainsi que « le dessin, l'impression, l'attitude et le coloris [qui] sont parfaitement reproduits ». Le public de Québec est invité à souscrire pour la lithographie de l'œuvre. **La Revue canadienne**, du 29 octobre 1847, lance la même invitation au public montréalais. En 1847 et 1848, les journaux parlent au moins sept fois de cette lithographie. Il y en aura pendant très longtemps dans le commerce. En 1889, Thomas Fournier fera encore de la réclame soulignant que ces lithographies ont « leur légende héroïque » puisqu'elles furent sauvées de l'incendie de l'atelier de l'artiste survenu en 1862 [83]. L'engouement pour cette œuvre obligeait Théophile Hamel à multiplier les copies. Celle conservée aux Archives publiques à Ottawa est signée et porte la date de 1860. Le tableau fut offert par l'artiste à la Chambre, en mars 1860 « comme marque de gratitude pour le bienveillant patronage qu'elle lui a accordé [84] ». En avril 1870, Hamel offrait un autre tableau à l'Institut canadien de Québec [85]. Il en existe de plus au moins deux copies non signées. Celle du Château Ramezay fut donnée en 1897 par le président de la Compagnie de navigation du Richelieu et d'Ontario. Le tableau se trouvait dans la vapeur **Jacques Cartier** [86]. Celui des Ursulines de Québec a été habilement copié par une religieuse créant ainsi la confusion.

L'énigme Jacques Cartier

Deux questions viennent encore à l'esprit à propos de ce portrait. De qui était l'effigie venue de Saint-Malo ? Ce tableau représentait-il vraiment les traits de Jacques Cartier ? La tradition veut que le tableau venu de France soit une copie de l'œuvre de François Riss (1804-1866) peinte en 1839 et conservée à l'Hôtel de ville de Saint-Malo. Ce peintre a en effet exécuté une série de portraits de même format consacrés aux divers grands hommes de cette ville [87]. La commande fut probablement passée par la ville de Saint-Malo à une date que nous ignorons. Une notice sur Saint-Malo mentionne le tableau de Riss en 1892. Mais l'Hôtel de ville fut détruit en 1944 avec le tableau de Riss qui s'y trouvait. Il est peu probable que ce tableau ait fixé les traits véritables de Jacques Cartier. À défaut d'une autre image plus certaine, l'œuvre de Riss a cependant fait connaître le navigateur malouin non seulement au Canada mais aussi en France. En effet, le Musée municipal de Saint-Malo possède actuellement une toile de A. Lemoine datée de 1895 et qui ressemble beaucoup à celle de Théophile Hamel. Lui aussi aurait copié la toile de Riss. La ville de Paramé possédait encore cette toile en 1957 quand la fusion de trois anciennes communes la fit passer à Saint-Malo. Ceci nous amène à formuler une autre hypothèse. Il a pu exister une œuvre plus ancienne copiée par Riss, par Lemoine et pour le Canada. La chose n'est pas invraisemblable puisque vers 1955 est apparu à Paris un présumé portrait authentique conservé par la famille De Villefranche apparentée avec les Cartier. Beaucoup plus ancienne que l'œuvre de Riss, elle daterait du début du 17ème siècle. Cette œuvre, actuellement en Belgique, ne peut être placée en tête de série mais permet d'espérer une réponse à toutes ces questions suscitées par les représentations de Jacques Cartier.

Thèmes secondaires

Un thème : le portrait ; une technique : la peinture à l'huile. L'œuvre de Théophile Hamel forme une unité assez étonnante. Nous avons vu que le fusain, le dessin et l'aquarelle ont produit peu d'œuvres et que l'artiste n'a jamais considéré ces techniques égales à la peinture. Les portraits ont établi et maintenu sa réputation. Ses compositions religieuses ont eu aussi une large audience mais pour des raisons étrangères à l'art. Par ailleurs, Théophile Hamel a laissé quelques œuvres hors-série sans lesquelles la connaissance de sa thématique resterait incomplète. Je veux parler des Indiens, de la nature morte, de l'allégorie et du paysage. Aux quelques dessins déjà mentionnés, il faut ajouter un paysage peint conservé au musée du Québec.

78. *Paysage*. H. 56 cm x L. 69 cm. Musée du Québec.

Les Indiens, McLeod, la nature morte et l'allégorie

Comme la plupart de nos artistes, Théophile Hamel s'est intéressé aux Indiens. Nous connaissons trois cas. Les **Deux Indiennes** de la Collection Corbeil qui posent dans un vaste paysage. Le groupe d'Indiens dansant devant trois tentes dressées à l'orée d'un bois que masquent les fortes épaules du missionnaire **Amable Charest**. Enfin la toile intitulée **Lord Durham avec trois chefs indiens** qui appelle des rectifications pour la date et le sujet. Le catalogue **Deux peintres de Québec** la situe aux alentours de 1838. Cette date vient du fait que la famille reconnaît dans le personnage de droite Lord Durham qui fut gouverneur du Canada en 1838. **Le Journal de Québec** du 18 mars 1848 publiait un article qu'il faut reproduire ici en entier :

> Une députation de trois chefs Sauvages, de la tribu des Montagnais, occupant le territoire du Saguenay, connue autrefois sous le nom de Postes du Roi, accompagnée de leurs interprètes, MM. Peter McLeod, Thos. Simard, McLaren, et de l'hon. de Sales La Terrière, membre du parlement provincial pour ce comté, s'est rendue hier chez le gouverneur-général, lord Elgin, et lui a présenté le mémorial suivant : —
>
> A NOTRE PLUS GRAND BOURGEOIS, NOTRE PERE.
> NOUS LES SOUSSIGNES, VRAIS SAUVAGES.
>
> Il y a déjà quatre hivers passés, nous avons demandé pour qu'on fut pris en pitié, mais nous avons encore rien entendu parler que l'on faisait quelque chose pour que notre misère fut arrêtée.
>
> Mais peut-être que nous aurions obtenu ce que nous avons demandé de notre bon père, si sa vie eut été prolongée.
>
> Oh ! mais si tu savais comme nous sommes misérables, notre bon père, et dans quelle pauvreté nous sommes ! tu nous prendrais assurément en pitié et tu verserais des larmes, tu nous accorderais tout de suite ce que nous avons à te demander, tu ne dirais pas vraiment mes sauvages me demandent trop. etc., etc.
>
> J'invite vos lecteurs d'une nature privilégiée qui doutent que ces êtres, à faces humaines, ne sont point de leurs frères, de se porter à l'atelier de notre habile artiste, M. Hamel, où ils verront le tableau de ces trois chefs, présentant à Son Excellence, lord Elgin, le mémorial de leurs frères Sauvages.
>
> Cette peinture est un acte de record, toute une histoire dont M. Hamel a bien voulu, dans son enthousiasme artistique, gratifier son pays pour humilier, humaniser l'homme superbe en lui faisant voir d'où il origine.
>
> Si vous croyez ces observations dignes d'être insérées dans votre journal, en les publiant, vous obligeriez celui qui a l'honneur d'être, monsieur, Votre Sc.
>
> M. DE SALES LA TERRIERE, M.P.P.
> Hôtel Doneganna, 12 mars 1848. — Minerve.

79. *Abbé Amable Charest.* Détail. 1866 (?). H. 84 cm x L. 69 cm. Collection particulière. Québec.

Le personnage de droite pose une énigme. Il ne saurait s'agir de Lord Elgin déjà chauve au début de la quarantaine ; il avait trente-sept ans en 1848. D'ailleurs ses traits ne ressemblent en rien à ceux de ce personnage. Il faut éliminer aussi De Sales La Terrière dont Hamel nous a laissé un beau portrait. Nous ne connaissons pas les visages de McLaren et de Simard. Nous pouvons cependant comparer avec le portrait de McLeod exécuté en 1854 d'après une photographie. Même forme de visage, même façon de peigner les cheveux, mêmes yeux vifs. Enfin, la tradition veut que Peter McLeod ait une ascendance montagnaise. Le titre serait donc **Chefs indiens et Peter McLeod présentant une pétition à Lord Elgin**. Et puisque la délégation s'était rendue à Montréal vers la mi-mars [88], le tableau a probablement été exécuté au cours de l'année 1848 pendant le séjour montréalais de Théophile Hamel.

La collection Madeleine Hamel possède la seule nature morte connue. C'est une toile conventionnelle à rapprocher de certains portraits où apparaissent des fruits comme celui de **Flore et Olympe Chauveau**. Il faut citer, pour son caractère exceptionnel, une toile inventoriée en 1939 par Gérard Morisset chez l'antiquaire Morency de Québec, et portant le titre suivant : **ABC** par T. Hamel/Roma, 1845. Cette allégorie aujourd'hui disparue représentait trois enfants : deux garçons et une fillette tenant un livre [89].

Conclusion : le portrait

Les journaux de l'époque s'intéressent uniquement à Théophile Hamel portraitiste et peintre de sujets religieux. Les techniques secondaires et les sujets occasionnels n'ont pas retenu l'attention du public. Mais la critique est unanime à louer toutes les compositions conventionnelles qui sortent de son atelier. Il ne saurait en être autrement. Comment un journaliste sans culture artistique se hasarderait-il à signaler des lacunes chez un disciple des maîtres européens que l'État, l'Église et la société honorent de commandes prestigieuses. Une seule voix discordante s'est élevée en 1860 pour stigmatiser l'inutilité d'une galerie d'hommes politiques, celle d'Antoine Plamondon :

> Et pourquoi tous ces visages, s'il-vous-plaît ? Pour les exposer, parbleu. Mais pourquoi encore et à quel titre ? A quel titre ! que demandez-vous là, mais vous êtes un ostrogoth ! Parce que ces messieurs présidaient les assemblées populassières, excusez, je veux dire du peuple. Et puis, n'est-il pas intéressant de constater que M. l'Orateur celui-ci avait le nez droit ! que cet autre orateur l'avait retroussé ! que ce troisième l'avait épaté ! Que celui-ci avait le visage de couleur rouge ! Que celui-là l'avait de couleur olive ! (...) c'est en effet du plus haut intérêt pour l'histoire du pays.
>
> Un peintre laboureur [90].

L'attitude de Plamondon montre que la critique comme la production picturale elle-même n'est pas uniquement fonction de l'habileté spécifique de l'artiste. Des considérations conceptuelles venant de la religion ou de la

81. *Trois chefs indiens et Peter McLeod.* Vers 1848. H. 46 cm x L. 36 cm. Collection du Comte d'Elgin et de Kincardine, Broomhall, Dunfermline, Écosse.

82. *Trois chefs indiens et Peter McLeod.* Détail.

80. *Abbé Amable Charest.* 1866 (?). H. 84 cm x L. 69 cm. Collection particulière. Québec.

83. *Peter McLeod*. 1854. H. 1.02 m x L. 76 cm. Musée de Chicoutimi.

84. *Peter McLeod*. Photo de J.E. Livernois. Collection de la Société historique du Saguenay.

85. *Madame John Kane*. 1852. H. 63 cm x L. 76 cm. Musée de Chicoutimi.

86. *John Kane (vers 1810-1875).* H. 63 cm x L. 76 cm.
Musée de Chicoutimi.

87. *John Kane.* Photo. Collection de la Société historique du Saguenay.

société influencent ces phénomènes. Et Théophile Hamel fut très sensible aux besoins de la population intéressée à l'art. Cette question fera l'objet d'un développement en conclusion. Pour le moment contentons-nous de constater la spécialisation de sa technique afin de concentrer notre attention sur la partie essentielle de son œuvre : le portrait. La vue panoramique de ses thèmes que nous venons de brosser à larges traits montre l'absence presque absolue de compositions complexes originales. Seul le visage sauve Théophile Hamel de la médiocrité et beaucoup de ses bons tableaux ne sont qu'un visage. L'analyse des procédés de l'artiste peut seule nous faire découvrir le secrets de tant de réussites attachantes.

Chapitre III

La technique du portrait

88. *Flore et Olympe Chauveau.* H. 76 cm x L. 89 cm. Musée du Québec.

Québec, 24 juin 1841

M. L'Editeur,

Je dois attirer l'attention du public sur un jeune artiste dont les talents promettent de faire honneur au pays. M. Hamel est de retour depuis quelques jours des paroisses inférieures avec une nombreuse collection de portraits des plus respectables familles des endroits. [...] Je me contenterai d'inviter les amateurs de cet art magique à aller visiter M. Hamel ; ils pourront juger par eux-mêmes de ces progrès d'un tableau à l'autre, ils pourront voir comment l'artiste procède dans son coloris, dans la position qu'il donne aux personnages, dans la manière qu'il éclaire les têtes pour les faire ressortir de la toile, comment il travaille les contours et comment il modèle les carnations ; alors ils auront la mesure de son talent.

Un amateur de la peinture [1].

Plus de cent trente années se sont écoulées depuis cette invitation. Comme les amateurs du siècle dernier, « mesurons » son talent en passant « d'un tableau à l'autre ». Le lecteur voudra bien adopter l'attitude du promeneur et regarder les œuvres révélatrices pour l'environnement, les personnages et la technique. Ce travail nous permettra en outre de situer Théophile Hamel dans la tradition picturale.

Environnement sobre

Mis à part le paysagiste, aucun peintre n'est plus intéressé par l'environnement que le portraitiste, semble-t-il. Alors que la nature morte, la peinture religieuse et le nu s'accommodent de décors fantaisistes, on croit que le peintre de portraits place le personnage dans le milieu qui lui est habituel. Pourtant rien n'est plus faux que le décor de la plupart des portraits. Bien des raisons amènent l'artiste à transposer et à construire un jeu d'équivalences où le souci réaliste disparaît.

Les éléments majeurs :
a) Le paysage

Chez Théophile Hamel, nous retrouvons trois types d'environnements : le paysage, l'intérieur ouvert sur la nature, l'intérieur clos. Depuis la fin du 15ème siècle, les Italiens ont très souvent placé le modèle devant un vaste paysage. Cette formule aura périodiquement ses heures de vogue. Bien que Théophile Hamel n'ait presque jamais pratiqué cette manière qui nécessite un effort d'imagination et un surcroît de travail, il faut situer dans cette catégorie ses tableaux les plus célèbres et quelques belles œuvres encore inconnues du public. Son premier **Autoportrait dans un paysage** a été tellement reproduit que beaucoup de gens associent faussement Théophile Hamel et peinture de plein air. Une dizaine de portraits situent le personnage devant un paysage. Il faudrait ajouter à cela quelques aquarelles et certaines compositions religieuses comme **Sainte-Geneviève, Saint-Laurent présentant les pauvres au gouverneur de Rome** ou le **Typhus**. Quatre de ces paysages sont fonctionnels. Il est en effet normal que **Jacques Cartier** soit placé en pleine mer, que **Peter McLeod** domine une forêt et que les jeunes Indiennes soient assises dans la nature. Le portrait d'**Amable Charest** offre une particularité intéressante. Dans un paysage sans accent où on reconnaît les alentours de Québec, des tentes sont dressées devant lesquelles les Indiens exécutent une danse animée. Ces tableaux fournissent une base bien fragile pour parler de couleur locale et de romantisme comme on l'a fait ! Par ailleurs l'artiste s'est peint devant un paysage fantaisiste des plus conventionnels. **Flore et Olympe Chauveau** ont droit à un décor semblable dont l'aspect artificiel est accentué par la nature morte placée en équilibre sur les genoux d'Olympe.

b) Intérieurs ouverts sur la nature

Tous les autres personnages de Théophile Hamel sont placés à l'intérieur. Un premier groupe très restreint peut être formé par les intérieurs ouverts sur la nature. Cette ouverture ne se laisse pas facilement définir. Le personnage occupe-t-il une pièce dans un palais ou se trouve-t-il sur un péristyle ? À quelques reprises cependant l'échappée de paysage s'inscrit dans une fenêtre : l'**Abbé Déziel**, **Deux enfants**, **Mme R. Rolland** et **A. Campbell**. Ces fenêtres sans châssis ni vitre ne tiennent aucun compte de l'architecture et du climat québécois. Aucun écran entre Mme Molson avec ses petites filles aux épaules nues et l'arbre couvert de neige que l'on voit à droite du tableau. Le spectacle que nous apercevons grâce à ces percées est d'une désolation extrême. Un cas limite nous est offert par les portraits du couple **Cyrice Têtu** où la nature se résume à un bout de ciel indéfini. Le plus souvent nous voyons quelques coteaux évoquant sans doute les Laurentides. Tout cela est bien pauvre surtout dans le portrait de **Mme C. H. Têtu** et dans celui de **Gustave et Hermine Hamel**. L'artiste a voulu animer ce paysage en y plaçant des attributs propres au modèle : un bateau

Cécile Bernier. 1858. Musée du Québec.

Saint-Laurent présentant les pauvres au gouverneur de Rome. Musée du Québec.

Flore et Olympe Chauveau. Musée du Québec.

Autoportrait dans un paysage. Vers 1840. Musée du Séminaire. Québec.

. *Corbeille de fruits.* H. 46 cm x L. 53 cm. Collection Madeleine Hamel.

90. *Gustave et Hermine Hamel.* H. 66 cm x L. 86 cm. Musée du Québec.

danse sur une mer orageuse dans le portrait de **A. Campbell**, une église orne le paysage derrière l'abbé Déziel et, du palais de Lord Elgin, on aperçoit un bastion de la citadelle. En tout dix tableaux qui jouent d'un façon bien peu originale sur l'insertion d'un espace dans un autre grâce à une ouverture. Cette « percée » ne compte guère dans la composition puisqu'elle n'influence même pas l'éclairage. Ce procédé offrait pourtant quantité de variations plastiques possibles. Nous connaissons tous des tableaux où le jeu des volumes s'enrichit de pièces en enfilades, de portes révélant un autre espace, de miroirs, de tapisseries ou de tableaux dans le tableau. Et ces « échappées » peuvent être situées au fond ou sur les côtés ou même révéler des personnages situés là où se tiennent les spectateurs comme on le voit dans le **Mariage des Arnolfini** de Van Eyck ou dans les **Ménines** de Velazquez. Théophile Hamel n'a pas exploité ces variantes : l'ouverture toujours rectangulaire est invariablement placée au fond du tableau.

c) Intérieur clos

La quasi-totalité des portraits de Théophile Hamel se situent donc dans un intérieur clos. L'examen des œuvres permet de les classer en trois catégories selon les éléments majeurs du décor : portraits avec colonnes, avec rideaux, neutres. Les motifs architecturaux — toujours des colonnes — apparaissaient déjà dans quelques-uns des tableaux que nous venons de regarder. Ici l'architecture joue le même rôle qui est de fournir une équivalence plastique à la dignité du personnage. Dans les cas les plus simples, le personnage est reporté d'un côté et une énorme base de colonne munie de un ou deux tores occupe ce qui reste d'espace. **Mme Dorion** et **Mgr Casault** du Séminaire de Québec ainsi que **Chartier de Lotbinière** illustrent bien ce procédé. Le plus souvent un grand rideau dissimule à demi la colonne et crée le seul accent oblique de la composition. Il arrive aussi que le rideau et la colonne soient placés de part et d'autre du personnage. Ainsi **James Stuart** se tient dignement entre une lourde draperie et un pilastre cannelé. Ce décor devient parfois envahissant et dispute l'espace au personnage comme on peut voir dans le portrait de l'**Abbé McMahon**. Exceptionnellement, le rideau assume seul la fonction décorative dans les portraits de **J.-B. Renaud** et du **Maire Wilson**. Le rideau tend à s'incorporer au mur pour créer un espace uni. Avant de passer à cette catégorie, plus simple, il faut noter deux tableaux hors série : le **Jeune homme** appelé autrefois M. Panet et **Sir Étienne-Pascal Taché** des Archives publiques à Ottawa. Un rideau se soulève pour laisser voir une imposante collection de volumes. En 1838, Roy-Audy avait représenté une bibliothèque semblable près de **Mgr Rémy Gaulin** [2].

La plupart des portraits peints par Théophile Hamel placent le personnage devant un fond abstrait généralement sombre. Ce parti offre plusieurs avantages qui ne conduisent pas nécessairement à une qualité supérieure. Idéalement, un portraitiste consciencieux voudrait placer le modèle dans son décor journalier [3]. Mais l'exiguïté des pièces et l'éclairage rendent difficile la réalisation de ce dessein. Le peintre a besoin d'espace pour reculer devant le modèle. Il préfère aussi l'éclairage venant du haut, à la fenêtre qui fatigue le modèle et crée des reflets sur la toile. Le travail au studio en plus de résoudre ces difficultés, permet de faire asseoir le modèle sur une tribune ; il se trouve alors au même niveau que le peintre. Si le personnage est représenté debout, il faut un plancher et le plancher appelle des murs et des meubles. Mais les personnages de Théophile Hamel sont presque toujours assis. La tendance générale consiste alors à détacher la figure en assombrissant le fond. La « radiance » du personnage pourra devenir très forte si le personnage possède un visage doux comme nous pouvons le constater dans le portrait de **Vallière de Saint Réal** [4]. La lithographie utilisera un procédé inverse. Le portrait de **Napoléon Aubin** est significatif à cet égard. Occasionnellement l'artiste se souvient des tableaux de sainteté où des rayons lumineux émanent de la tête des personnages. Si le personnage se présente de face comme l'**Abbé Langevin**, une vague luminosité peut éclairer tout le fond du tableau. S'il est vu de profil, la luminosité ne

1. *Madame Jean-Roch Rolland.* H. 94 cm x L. 74 cm. Musée McCord.

. Titien. *Portrait d'un homme.* Collection du duc de Devonshire. Londres.

se manifestera que d'un côté. Le portrait de **Baldwin** présente cette particularité assez rare.

Les accessoires

L'examen de l'environnement mené jusqu'ici à partir des éléments prioritaires du décor doit être poursuivi en intégrant les accessoires. Procédons du simple au complexe pour former des groupes d'œuvres. Nous avons déjà noté qu'un très grand nombre de tableaux ne présentent aucun accessoire. Et ce ne sont pas les plus dépourvus de « radiance ». Notons le **Pierre Moreau,** le **Dessane**, le **Wolfred Nelson** et l'**Abbé Ferland** qui sont des œuvres puissantes même si la simplification va jusqu'à la suppression des mains. Aucune femme n'est cependant représentée dans ce groupe sauf une version de la mère de l'artiste.

Beaucoup de tableaux de Théophile Hamel ne comportent qu'un accessoire qui est presque toujours le fauteuil où a pris place le modèle. Et encore ce fauteuil n'est-il sugggéré que par un infime détail, dossier ou accoudoir. Voici une liste des principaux tableaux :

Mme McDonald
B. Corriveau
M. Kane
P.-E. Rousseau
F.-X. Hamel
Ernest Morisset
F.-X. Paradis
Plusieurs présidents de l'Assemblée et du Conseil
Dr Morrin (deux versions)
Abbé Faucher
Mme Dessane
Mme Th. Hamel
Abraham Hamel
Curé de l'Évêché de Montréal
Abbé Têtu
C. H. Têtu

Il existe aussi quelques cas où l'unique accessoire est un objet quelconque :

Suzanne : poupée
Léocadie Bilodeau : chien
Abbé Chiniquy : crucifix
Mme de Sales Laterrière : table
Mme Belleau : fleur
Mme Balaston : mouchoir.

93. *Archibald Campbell. (1790-1862).* 1847. H. 99 cm x L. 81 cm. Musée du Québec.

94. Titien. *Portrait d'homme.* New York.

95. *Mme Narcisse Belleau.* 1847. H. 86 cm x L. 1.71 m. Musée McCord.

96. *Madame Isaac Dorion.* H. 99 cm x L. 76 cm Séminaire de Québec. Résidence des prêtres.

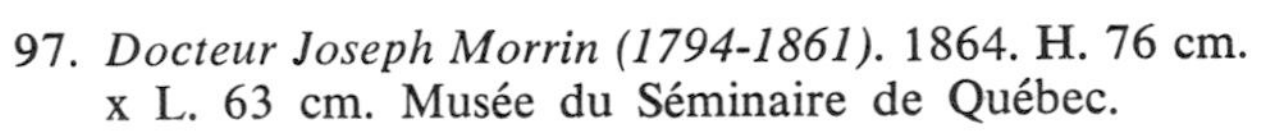

97. *Docteur Joseph Morrin (1794-1861).* 1864. H. 76 cm. x L. 63 cm. Musée du Séminaire de Québec.

98. *François-Xavier Hamel.* H. 69 cm x L. 56 cm. Collection Madeleine Hamel.

99. *James Stuart*. 1852. H. 1.22 m x L. 91 cm. Archives publiques du Canada.

100. *Madame Cyrice Têtu et son fils Amable.* 1852. H. 1.22 m x L. 91 cm. Musée du Québec.

101. *Cyrice Têtu et sa fille Caroline.* 1852. H. 1.22 m x L. 91 cm. Musée du Québec.

102. *Charles Wilson*. 1849. H. 1.02 m x L. 84 cm. Musée des Beaux Arts de Montréal.

103. Titien. *L'homme au gant*. Paris Louvre.

104. ***Jean-Baptiste Renaud*. 1853. H. 1.17 m x L. 86 cm. Musée du Québec.**

105. *Madame Jean-Baptiste Renaud avec ses deux enfants.* 1853. H. 1.14 m x L. 86 cm. Musée du Québec.

106. Portefeuille de l'école de dessin. *La petite espiègle.* Lithographie imprimée anonyme par Monrocq à Paris. Collection particulière. Ottawa.

107. *Robert Baldwin.* H. 1.02 m x L. 76 cm. Musée du Séminaire de Québec.

108. *Joseph-Rémi Vallière de Saint-Réal.* H. 76 cm x L. 63 cm. Musée du Québec.

09. *Wolfred Nelson*. 1848. H. 79 cm x L. 63 cm. Musée McCord à Montréal.

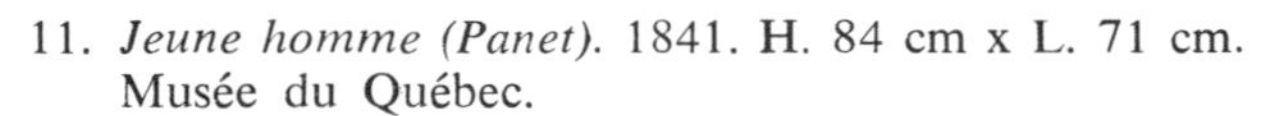

11. *Jeune homme (Panet)*. 1841. H. 84 cm x L. 71 cm. Musée du Québec.

110. *Abbé Antoine Langevin.*. 1858. H. 51 cm x L. 36 cm. Lieu inconnu.

112. *Abbé Jean-Baptiste Ferland*. H. 76 cm x L. 63 cm. Séminaire de Québec. Résidence des prêtres.

113. *Benjamin Corriveau*. 1860. H. 99 cm x L. 74 cm. Hôpital général de Québec. Photo John Porter.

114. Titien. *Portrait de Daniele Barbaro*. Ottawa. Galerie nationale.

Le fauteuil est aussi l'élément le plus fréquent dans les tableaux à deux accessoires. On trouve au moins une douzaine de fois un personnage assis dans un fauteuil et tenant un livre ou une lettre. Les autres agencements possibles sont les suivants :

chaise	+ rideau :	**Maire Wilson**
chaise	+ fleur :	**Jeune femme** (Panet)
colonne	+ livre :	**Chartier de Lotbinière**
colonne	+ mouchoir :	**Mme Dorion**
livre	+ mouchoir :	**Mme Michel Bilodeau**
coussin	+ jouet :	**Ernest Hamel**
paysage	+ rocher :	**Peter McLeod**
mouchoir	+ lunettes :	**Mme Guay**

Les tableaux à trois accessoires sont les moins nombreux.

table	+ rideau	+ paysage :	**Mme R. Rolland**
			Mme C.-H. Têtu
table	+ rideau	+ paysage :	**M. Cyrice Têtu**
fauteuil	+ colonne	+ livre :	**Mgr Caseault**
fauteuil	+ colonne	+ lettre :	**Docteur Morrin**
paysage	+ carton	+ crayon :	**Autoportrait**
colonne	+ rideau	+ livre :	**Mme Cyrice Têtu**
			M. J.-R. Rolland
bibliothèque	+ rideau	+ livre :	**Jeune homme** (Panet)

Enfin quelques rares tableaux comportent quatre objets et plus. **Les Deux enfants**, **J. R. Rolland**, la **Femme à la Rose**, **Flore et Olympe Chauveau** ainsi que l'**Autoportrait dans l'atelier** groupent chacun quatre accessoires. Viennent ensuite les portraits de **James Stuart**, **Mgr Horan**, **A. Campbell**, **R.-E. Caron**. Enfin le portrait de **McMahon** et celui de **Lord Elgin** sont les plus riches avec leurs huit ou neuf éléments décoratifs. Attachons-nous à ces deux tableaux qui sont construits exactement de la même façon :

Abbé McMahon	**Lord Elgin**
fauteuil	fauteuil
rideau	rideau
tapis	tapis
plan	document
table avec tapis	table sculptée
livre à la main	chapeau à la main
livres sur la table	livres sur la table
écritoire	écritoire
crucifix	...
...	chapeau à panache
architecture	citadelle
main gauche sur la table	main gauche sur la table
pied droit avancé	pied droit avancé
insigne de ses fonctions de pasteur	insignes de ses fonctions de gouverneur.

115. *Lord Elgin*. 1854. Château de Ramezay. Environ H. 75 cm x L. 45 cm.

116. Ingres. *Bonaparte en premier consul.* Musée des Beaux Arts de Liège.

117. *Sir Étienne-Pascal Taché.* 1848. H. 67 cm x L. 48 cm. Archives publiques du Canada.

118. *Abbé McMahon*. 1847. H. 2.29 m x L. 45 cm. Musée du Québec.

119. *John-Sandfield MacDonald.* H. 69 cm x L. 53 cm. Archives publiques du Canada.

120 *Madame Georges-Barthélemy Faribault.* H. 84 cm x L. 66 cm. Musée du Québec.

Notons enfin que ce sont les deux seuls cas de personnages entiers dans toute l'œuvre de Théophile Hamel avec ceux de l'abbé Déziel et de **Sir Étienne-Pascal Taché**. Il faut cependant lui refuser la paternité de la composition. Le **Bonaparte en premier consul** signé par Ingres en 1804 est trop semblable pour ne pas le mettre en tête de série. Quelques changements mineurs comme un crucifix à la place de l'une des plumes ou la citadelle plutôt que l'église de Saint-Lambert du quartier d'Amercœur à Liège ne peuvent faire oublier tous les points de ressemblance que le lecteur découvrira lui-même sans peine.

Les vêtements et les bijoux

L'étude des accessoires ne peut négliger le vêtement et les bijoux. Les hommes sont généralement vêtus de la redingote noire fermée au cou d'une large cravate à boucle et agrémentée de la chemise blanche amidonnée. **Benjamin Corriveau** représente le type le plus achevé en ce genre. Les personnages officiels possèdent parfois des attributs propres à leur charge. Lord Elgin porte un uniforme chargé de décorations. C'est une brillante exception dont

121. *Ernest Morisset*. 1858. H. 76 cm x L. 61 cm. Musée du Séminaire de Québec.

122. *Madame Lemoine-Anger*. H. 99 cm x L. 79 cm. Collection docteur Brouillet. Loretteville.

124. *Ernest Hamel*. 1854. H. 74 cm x L. 63 cm. Mus du Québec.

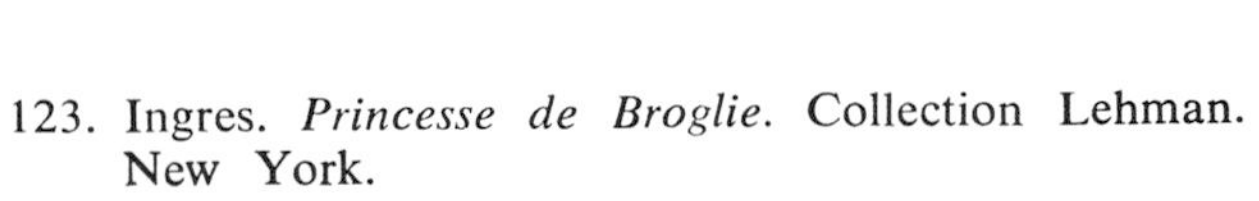

123. Ingres. *Princesse de Broglie*. Collection Lehman. New York.

se tiennent très éloignés même des personnages aussi importants que **René-Édouard Caron** et le **Maire Wilson**. Le premier, qui fut lieutenant-gouverneur du Québec de 1873 à 1876, est représenté lors de la présidence de la Chambre en 1846. Il a revêtu la toge des magistrats avec le long rabat blanc. Un cordon est suspendu à son cou. Il porte de plus une bague à la main droite. Charles Wilson qui fut membre du Conseil législatif et du Sénat arbore la croix de l'Ordre de Saint-Grégoire-le-Grand. Dans la version de 1852, il porte le collier en or commandé par le Conseil de ville et conféré solennellement par Lord Elgin lors d'une assemblée tenue le 2 octobre 1851 [5]. Quelques hommes portent un bijou, sur la cravate (**A. Campbell, Baldwin**), ou sur la chemise comme **Peter McLeod**. Indiquons quelques cas isolés : la montre de Cyrice Têtu tenue par sa fille, la bague d'**Isaac Dorion** et des accessoires vestimentaires comme la coiffure de Théophile Hamel dans le premier **Autoportrait dans un paysage**, les lunettes de **Napoléon Aubin** et la boucle de la ceinture du petit **Ernest Morisset**.

Dans leur simplicité apprêtée, les membres du clergé sont plus décoratifs. Surplis empesés, rabat noir entouré de blanc, larges étoles brodées, toge enrichie d'hermine (**Cardinal Taschereau**), larges manches doublées de satin (**Mgr Caseault**), cordons, glands et camails sont souvent utilisés dans le même tableau.

Les ecclésiastiques se sont montrés plus dociles à la tyrannie du vêtement que bien des femmes peintes par Théophile Hamel. Magnifique de simplicité, **Mme John Sanfield Macdonald** ne porte qu'une robe claire ornée d'une dentelle discrète. Aucun bijou, aucun apprêt pour rehausser l'éclat de la chevelure. À l'autre extrémité, on peut placer **Madame Lemoine Angers** de la collection Brouillet. À la richesse du décor s'ajoutent de beaux vêtements, des cheveux savamment disposés, des bijoux énormes, et même, une fourrure ! C'est un cas rare chez Théophile Hamel à tel point qu'on se demande s'il ne connaissait pas l'éclatante **Princesse de Broglie** peinte par Ingres. Entre ces deux grandes œuvres, il y a place pour d'infinies combinaisons costume-chevelure-bijoux. Théophile Hamel s'en est tenu à quelques arrangements sobres. D'abord un groupe de dames tête découverte, aux robes modestes sur lesquelles figurent des bijoux ou des dentelles peu élaborées :

Mme Dessane
Jeune femme (Panet)
Mme Belleau
Mme Théophile Hamel
Cécile Bernier
Léocadie Bilodeau

Alors qu'on s'attendrait à des chevelures très variées chez les femmes, nous devons constater que la chevelure des hommes est beaucoup moins uniforme. Sauf de rarissimes exceptions, toutes ont les cheveux séparés sur le milieu et sagement ordonnés de chaque côté, à peu près à la hauteur des oreilles. **Léocadie Bilodeau** et **Mme Lemoine-Angers** sont les seules à désobéir à cette règle avec la **Jeune femme (Panet)**, **Olympe Chauveau** et l'aînée de

125. *Ernest Hamel*. Collection Madame Dubuc à Québec.

26. *Léocadie Bilodeau.* Vers 1842. H. 84 cm x L. 71 cm. Musée du Séminaire de Québec.

127. Titien. *Federico Gonzaga, duc de Mantoue.* Madrid. Prado. Reproduction inversée pour fin de comparaison.

128. *Madame Sophia Melvin-Place (1801-1895).* 1854. H. 84 cm x L. 66 cm. Maison généralice des Sœurs du Bon-Pasteur à Québec.

129. *Madame Michel Bilodeau.* 1842. H. 81 cm x L. 71 cm. Musée du Séminaire.

Madame J. B. Renaud. L'infinie variété des coiffures aurait facilité la mise en valeur des caractères particuliers au modèle. Mais Théophile Hamel se contente de deux types de coiffe qu'il répète sans cesse. L'une, dérivée de la coiffe monastique, n'a été utilisée que pour sa mère, **Mme F. X. Hamel**, et pour **Mme Place**, épouse du fondateur de la communauté des Sœurs du Bon-Pasteur. Un coup d'œil au portrait de **Mère Marie-Rose** montre que l'artiste a donné à ces deux œuvres un accent méditatif qui sied bien à une veuve vivant au monastère et à la condition sociale de sa mère. Plus fantaisiste, l'autre type de coiffure est formé d'un bandeau placé sur le dessus de la tête et orné de touffes de dentelles de chaque côté. Parfois un ruban est noué sous le menton. À première vue, toutes ces dames semblent faire leurs achats chez la même modiste. À l'examen, on se rend compte de subtiles dosages soit dans l'importance et la finesse des dentelles ou dans la beauté des rubans. **Mme Kane** porte un modèle sobre qui représente sans doute le type le plus courant. Les portraits de Mesdames **C. H. Têtu**, **R. E. Caron** et **R. Rolland** montrent comment on pouvait ajouter des ornements et des fleurs. **La Femme à la rose** offre le modèle le plus achevé. Les dimensions de cet ornement font paraître les épaules extrêmement menues. Les énormes bouffants des manches accentuent encore cette impression. Ex-

130. *Jeune femme à la rose.* H. 86 cm x L. 71 cm. Musée du Québec.

131. *Madame René-Édouard Caron.* 1846. H. 1.24 m x L. 99 cm. Musée du Québec. Détail.

132. *Madame Charles-Hilaire Têtu.* 1841. H. 1.14 m x L. 97 cm. Musée des Beaux Arts de Montréal. Détail.

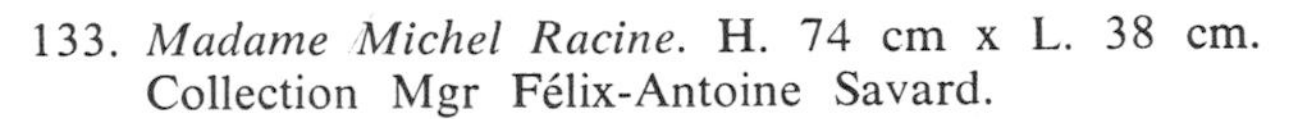

133. *Madame Michel Racine.* H. 74 cm x L. 38 cm. Collection Mgr Félix-Antoine Savard.

134. *Jeune femme.* Dessin. H. 25 cm. x L. 20 cm. Collection particulière à Québec.

135. *Madame René-Édouard Caron*. 1846. H. 1.24m x L. 99 cm. Musée du Québec. Détail Sculpture.

136. *Léocadie Bilodeau*. Vers 1842. Détail. H. 84 cm. x L. 71 cm. Musée du Séminaire de Québec.

ceptionnelle comme tout dans cet admirable chose qu'est le portrait de **Mme de Sales Laterrière**, la coiffe est de couleur sombre. De tels ornements appellent des collets de dentelles, des robes complexes et des avalanches de bijoux. Il n'en est pourtant rien. Arrêtons-nous cependant aux quatre tableaux les plus significatifs :

La Femme à la rose
Mme R. E. Caron
Mme C. H. Têtu
Mme Michel Bilodeau.

Mme Bilodeau est affublée d'une robe invraisemblable qui le dispute en complications aux étranges créations de Velazquez. Les teintes demeurent cependant très sévères et elle ne porte qu'un modeste bijou. Le vêtement de Madame **C. H. Têtu** confère au personnage des dimensions colossales. C'est la Vierge des **Pieta** sur les genoux de laquelle repose le corps étendu du Christ mort sans que la disproportion ne choque. Au modeste camée qui retient le châle, s'ajoute une montre avec cordon. Revenons à **La Femme à la rose** pour noter deux bagues et l'originalité de la robe qui découvre légèrement les épaules. Ce parti décoratif ne sera pleinement exploité que dans le tableau de **Mme R. E. Caron**. L'opulence ici se manifeste avec une profusion exceptionnelle. Une magnifique sculpture sous cloche de verre est placée devant la colonne. La mère porte un bracelet et un curieux bijou en forme de castor. Sa robe recouverte en partie d'un châle aux reflets précieux découvre des épaules dont le charme perd son effet à cause de la rigidité de la pose et du sérieux de ce visage figé. Chez Théophile Hamel seuls les enfants auront droit aux épaules découvertes. En outre, les seins seront impitoyablement comprimés par ces vêtements qui ne laissent deviner aucune rondeur si ce n'est chez **Mme J. B. Renaud** qui, avec ses deux enfants, semble une personnification de la **Charité**.

Des compositions plus simples offriront parfois la surprise d'un très beau motif. Bien que très sobre, le petit collet blanc qui entoure les épaules de **Léocadie Bilodeau** est d'un très bel effet. La dentelle des manches chez **Cécile Bernier** et surtout le long bijou de **Mme de Sales Laterrière** retiennent le regard.

Un fanatique du fignolage

Théophile Hamel a été défini comme « un fanatique du fignolage [6] ». Comme les meubles sculptés, les dentelles et les bijoux sont généralement des champs privilégiés pour ce genre de subtilités. Mais le nombre de ces accessoires est plus que restreint chez Théophile Hamel. Les bagues et les anneaux sont généralement trop rudimentaires pour qu'on s'y attarde. Les bijoux de **Mme R. Rolland** créent un effet voisin de la caricature. Cette bonne dame confortablement installée dans ce qui semble une berceuse exhibe quatre bagues, un bracelet et une broche agrémentée d'un lacet qui se veut décoratif. La pauvreté de la composition est un aveu assez

137. *Marc-Pascal de Sales Laterrière*. 1853. H. 94 cm x L. 74 cm. Séminaire de Chicoutimi.

138. *Madame Marc-Pascal de Sales Laterrière.* 1853. H. 94 cm x L. 74 cm. Séminaire de Chicoutimi.

139. *Madame Antoine Dessane*. 1857. Détail. H. 76 cm x L. 61 cm. Musée du Québec.

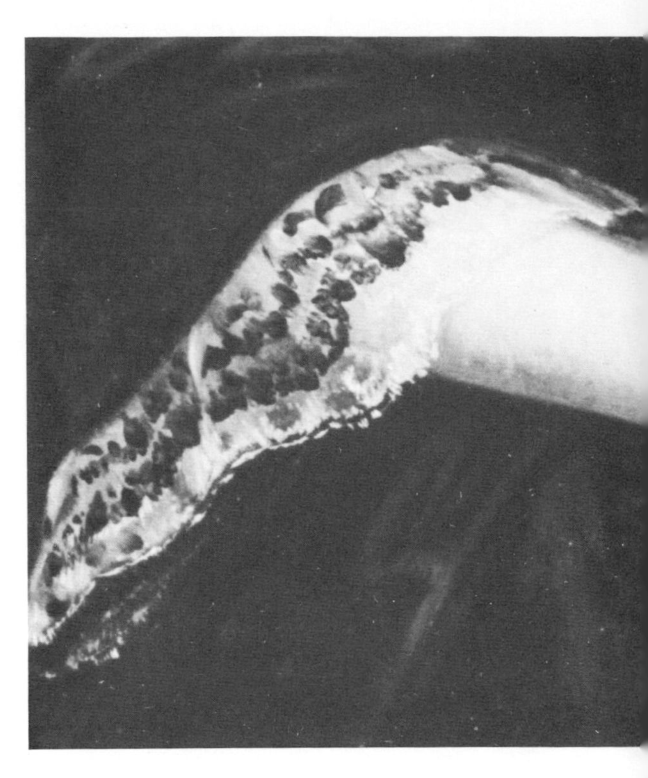

140. *Cécile Bernier*. 1858. Détail. H. 99 cm x L. 76 cm Musée du Québec

pénible de l'incapacité de Théophile Hamel à créer un personnage dont la « radiance » aurait trouvé un complément dans ces bijoux, ce châle abandonné sur l'accoudoir du fauteuil et la draperie. Peu de femmes portent des boucles d'oreilles ; le bonnet ou le type de chevelure les en dispensent. **Mme Belleau** et **Mme C. H. Têtu** en portent même si la chavelure couvre les oreilles. La broche placée au cou a été reprise plusieurs fois par Théophile Hamel. Rectangulaires, ovales ou en grappes (**Jeune femme** (Panet), **Mme Michel Bilodeau, Mme Théophile Hamel**), ces bijoux retiennent parfois un long cordon comme celui de **Mme R. Rolland**. Le plus original est sans contredit, celui de **Mme de Sales Laterrière** qui fait jeu avec le bracelet. Cette longue ligne dont les courbes s'harmonisent avec les plis de la robe, passe entre les doigts très fins et crée un effet rare avec la plus belle main sortie de l'atelier de Théophile Hamel. La grâce de la main ajoute à la beauté de cette œuvre déjà exceptionnelle. Les seuls bijoux fignolés semblent bien le castor que portent **Mme R. E. Caron**, **Mme Belleau** et **Mme Cyrice Tétu**. Chez Mme Belleau, il forme un ensemble avec les boucles d'oreilles qui représentent des feuilles. Les épingles à cravates portées par les hommes sont minuscules (**A. Campbell**, **Peter McLeod**) et parfois de forme rectangulaire comme celle de **Baldwin**.

141. *Madame François-Xavier Hamel*. Détail. H. 69 cm x L. 56 cm. Collection particulière à Québec.

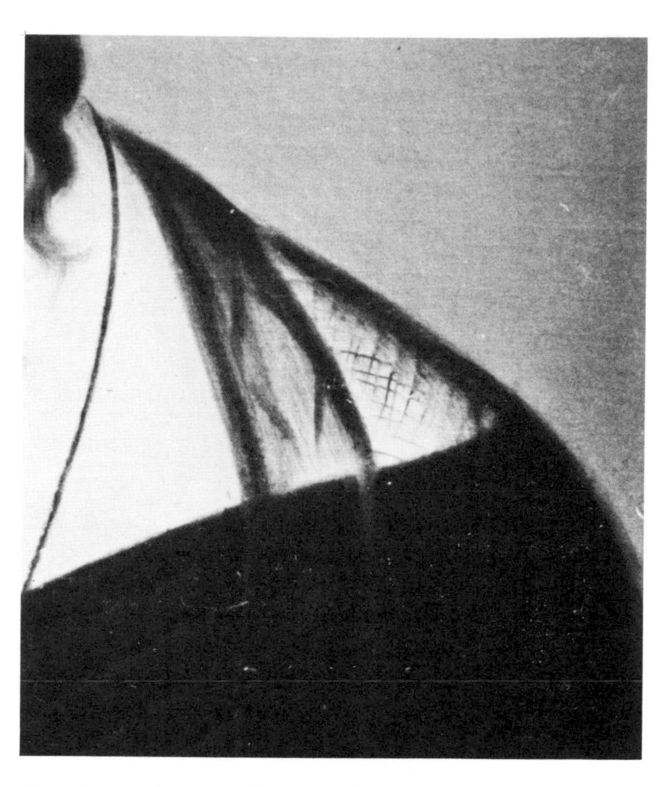

142. *Jeune femme (Panet)*. 1841. Détail. H. 81 cm x 71 cm. Musée du Québec. Détail.

Les dentelles ont plu davantage à Théophile Hamel qui en a dessinées peu mais de très belles. Celle qui recouvre les épaules de la **Jeune femme** (Panet) est faite de quelques traits croisés en forme de X. C'est la plus légère de toutes. Un autre type, très opaque, comporte un travail au crochet sur une base de toile. **Mme Dessane** et **Mme J. B. Renaud** en portent de beaux exemples. Plus intéressantes, les dentelles mouchetées (**Cécile Bernier**) et transparentes (**Mme F. X. Hamel, Madame Michel Bilodeau**) tempèrent l'austérité de ces lourds vêtements. L'artiste obtient des effets remarquables même quand son travail demeure peu élaboré : en effet le dessin n'est pas très ferme et les motifs souvent approximatifs. Il s'agit de donner une impression plutôt que de créer un morceau de bravoure qui force l'admiration. Le lecteur peut se faire une idée plus exacte en comparant avec la technique des Flamands ou avec certaines œuvres de Ingres comme **Napoléon sur son trône** du musée des Invalides [7].

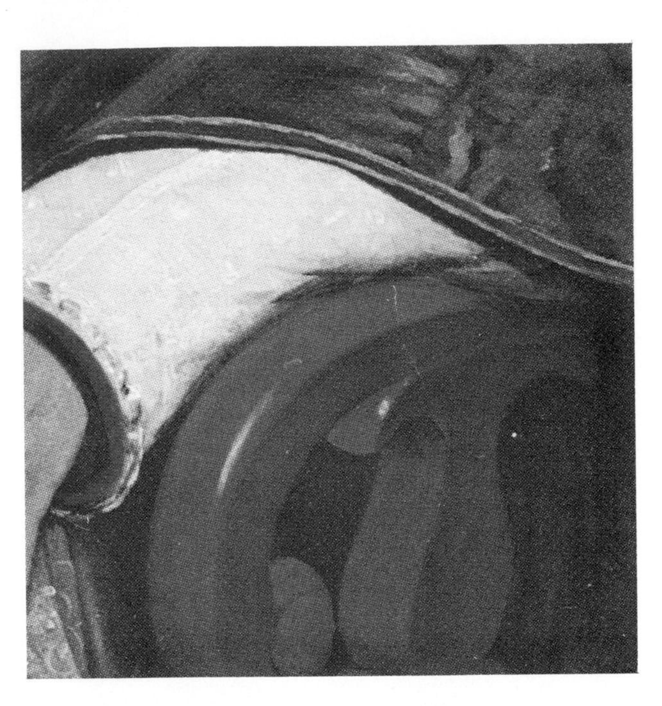

143. *Mgr Joseph Signay*. 1847. Détail. H. 99 cm x L. 86 cm. Palais épiscopal de Québec.

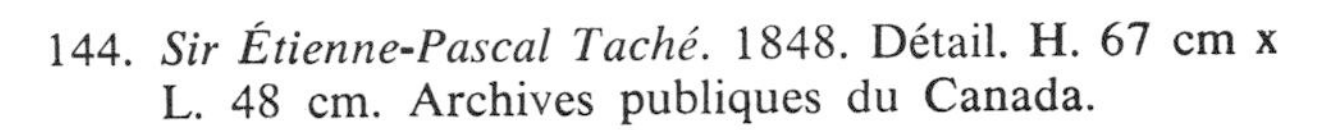

144. *Sir Étienne-Pascal Taché*. 1848. Détail. H. 67 cm x L. 48 cm. Archives publiques du Canada.

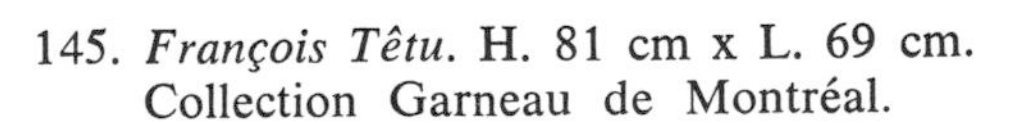

145. *François Têtu*. H. 81 cm x L. 69 cm. Collection Garneau de Montréal.

146. *Madame François Têtu*. 1841. H. 7 cm x L. 66 cm. Collection Garnea de Montréal.

147. *René-Édouard Caron*. 1856. Détail. H. 1.24 m x L. 99 cm. Musée du Québec.

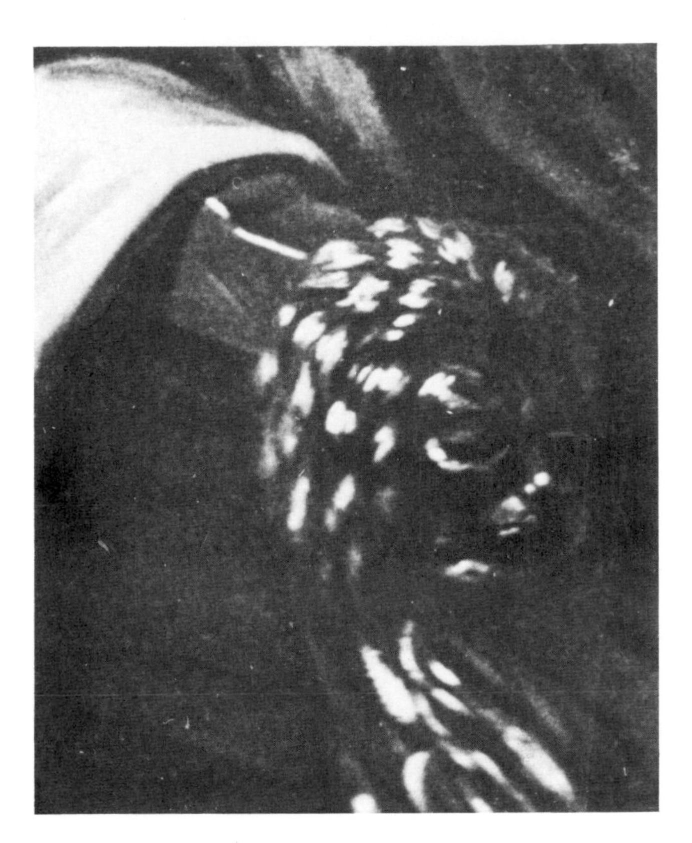

148. *Abbé Louis-Jacques Casault*. 1861. Détail. H. 1.22 m x L. 91 cm. Musée du Séminaire de Québec.

Les fauteuils sont tellement nombreux dans la production de Théophile Hamel qu'on s'attendrait à trouver là quelques pièces finement ciselées. Le modèle le plus courant comporte un dossier orné d'une moulure qui se termine en accoudoir. Plus complexe, le fauteuil de certaines personnalités possède un dossier assez élevé orné de deux volutes. On peut en voir des exemples dans les portraits suivants : **Mgr Signay**, **R. E. Caron** et **Étienne Dallaire**. Seuls quelques grands seigneurs ont droit à des fauteuils sculptés. De meuble utile, le siège devient-il un objet symbolique exprimant la dignité du personnage qui peut s'asseoir — et qui effectivement s'assoit — même en notre présence, ou manifeste la considération qu'il nous porte en restant debout ? Ces nuances propres à l'art de cour n'étaient sans doute pas connues de Théophile Hamel. Le fauteuil varie donc peu sauf pour certains personnages importants. Il est alors plus ou moins sculpté. La moulure du dossier est quelque peu ouvragée chez l'**Abbé Casault**, **Sir Allan MacNab**, **Ulric Tessier** et **R. E. Caron** (1856). Une tête de lion orne les accoudoirs du siège où ont pris place l'**Abbé Casault**, **Sir MacNab** et le **Docteur Morrin** (Hôtel-Dieu). Elle n'est qu'esquissée à grands traits. Chose surprenante, le magnifique fauteuil du Gouverneur général n'est aucunement mis en valeur. En comparaison, le siège près duquel Napoléon se tient dans le tableau de Liège et la tête de lion ornant la chaire de **Monsieur Rivière** par Ingres font preuve d'un goût exceptionnel pour la décoration.

Quelques bijoux placés comme au hasard sur les robes de grandes dames, une dizaine de jolies dentelles et autant d'accoudoirs sculptés révèlent bien peu de passion pour le fignolage et aucune trace de fanatisme. Les éléments majeurs de la composition n'offrent pas plus d'originalité. Dans un portrait, tout l'espace se définit en fonction du personnage qui doit demeurer au premier plan. Les variantes possibles comportent des « percées » latérales ou en profondeur et des élargissements de l'espace jalonnés par des motifs dont la variété est théoriquement presque infinie. Chez Théophile Hamel, les quelques essais de profondeur se résument à encadrer un paysage dans une fenêtre située au fond de la composition et à ajouter ici ou là une draperie et un fût de colonne. Jamais de pièces immenses, de miroirs, de fleurs ou de meubles de prestige. Par ailleurs, Théophile Hamel ne fait jamais référence à l'habitation québécoise ni à notre climat. Le monde artistique offre beaucoup d'exemples où l'enseignement a tué « l'observation directe de l'homme dans son cadre naturel » [8]. L'environnement apparemment réaliste qu'on trouve chez Théophile Hamel est élaboré à partir d'impératifs idéologiques et sociaux pour des gens qui jouent un rôle important dans leur milieu et l'affirment au moyen de l'art comme par leur costume, leurs réceptions ou leurs relations mondaines. Quelques tableaux toujours reproduits ont faussé les perspectives. Le gentil visage de **Léocadie Bilodeau** et certains vêtements ont donné à penser qu'Hamel se plaisait surtout à peindre la grâce des enfants et la finesse des motifs décoratifs. L'examen que nous venons de faire mène à une tout autre conclusion. Loin de concevoir des formules originales, Théophile Hamel a choisi dans l'éventail des schémas traditionnels en retenant les plus simples. La répétition constante d'un environnement conventionnel vouait son art à la plus désolante platitude.

Les types de portraits

Par contre les personnages présentent souvent beaucoup d'intérêt. Théoriquement, le réseau des relations entre le personnage et son environnement définit trois grandes catégories de portraits. Un premier type que nous pourrions appeler le portrait d'apparat comprend le portrait de cour, le portrait officiel, le portrait allégorique et le portrait instrument de prestige. La plupart des portraits de Théophile Hamel appartiennent à cette catégorie. Un second type que nous appellerons portrait moral se veut une prédication. Le personnage y est associé à un objet symbolique comme un squelette (Wiertz, **La Belle Rosine**), des volumes de piété (Valdès Léal, **Conversion de don Miguel de Mañara**) ou des ustensiles de cuisine comme en beaucoup de tableaux flamands. Théophile Hamel n'a pas exploité cette veine. Un certain nombre d'œuvres se situent à l'intérieur d'un troisième type que nous appellerons le portrait intime. Par ailleurs, l'attitude extérieure permet d'établir une autre différenciation en groupant les portraits de groupe, les autoportraits et le portrait individuel. Théophile Hamel s'est spécialisé dans ce dernier genre. Attachons-nous d'abord à cette question.

49. *Madame Charles-Hilaire Têtu et son fils Eugène.* 1841. Détail. H. 1.14 m x L. 97 cm. Musée des Beaux-Arts de Montréal.

150. *Madame René-Édouard Caron et sa fille.* 1846. Détail. H. 1.24 m x L. 99 cm. Musée du Québec.

Portraits de groupe

Nous ne connaissons actuellement qu'un portrait de groupe : **Chefs indiens et Peter McLeod.** Le vrai portrait de groupe demande qu'un prétexte réunisse plusieurs personnes qui entretiendront des relations entre eux aussi bien qu'avec le spectateur [9]. Il peut s'agir d'un repas, d'une chasse, d'une promenade, d'une cérémonie religieuse ou d'un travail quelconque. Si les personnages n'entretiennent de relation qu'avec le spectateur, c'est alors une extension du portrait individuel plutôt qu'un véritable portrait de groupe. C'est justement le parti adopté par Théophile Hamel ; les personnages s'adressent à un interlocuteur unique placé droit devant eux.

Quelques toiles groupent plusieurs personnages : enfants avec leur parent ou enfants seuls. **Mme Molson** et **Mme J. B. Renaud** ont respectivement trois et deux enfants. **Mme R. E. Caron**, **Mme C. H. Têtu** et **Mme Cyrice Têtu** n'en ont qu'un. Un seul homme, Cyrice Têtu, est représenté avec un enfant.

Théophile Hamel, peintre d'enfants, est très inégal. Certains enfants sont affreux (**Gustave et Hermine Hamel**) et d'autres ont une raideur de primitif (Eugène dans le tableau de **Mme C. H. Têtu**). La plupart, sages et attentifs, portent de belles toilettes qui découvrent largement les épaules (fillette de **Mme R. E. Caron**, enfants de **Mme J. B. Renaud**). À deux reprises, il a été admirablement inspiré. **Léocadie Bilodeau** sérieuse comme une grande personne, possède une densité psychologique remarquable. **Olympe et Flore Chauveau** peuvent être considérées comme la meilleure réussite de Théophile Hamel en ce domaine. C'est peut-être même le plus beau portrait d'enfants de notre 19ème siècle. Le tableau ne porte ni date ni signature. Mais les documents ne laissent aucun doute. La toile est mentionnée dans le testament de Pierre-Joseph-Olivier Chauveau rédigé le 12 septembre 1884 [10]. Il y donnait ce tableau à sa fille Honorine, femme d'Arthur Vallée. Olympe, la cadette, naquit le 31 mars 1844 et fut baptisée à Notre-Dame-de-Québec [11] ; même chose pour Flore née le 26 octobre 1842 [12]. Le tableau fut donc peint au début des années 1850. Élégantes et gracieuses en leurs robes de toilette, elles ont des visages d'une fraîcheur inégalable.

Autoportrait et personnage seul

Mis à part les tableaux où il y a des enfants, les personnages sont toujours seuls. Théophile Hamel n'a jamais représenté une famille ou un couple sur une même toile. L'autoportrait forme une catégorie à part car l'artiste et le modèle sont la même personne. D'après Friedlander [13] les autoportraits sont « agressifs, dramatiques et souvent théâtraux » car l'artiste se peint en état de tension. Généralement le modèle trouve le temps long pendant les séances de pose et n'arrive pas à cacher son ennui. Par contre, le peintre s'observant lui-même dans un miroir se trouve constamment devant une figure animée. Dans son premier **Autoportrait dans un paysage**, Théophile Hamel se donne l'allure d'un jeune aristocrate parcourant la nature avec ses crayons. Une pointe de vanité accompagne cette évidente déclaration d'ambition sociale. L'**Autoportrait dans l'atelier** est très différent. Entouré de ses œuvres l'artiste attire l'attention sur ses capacités professionnelles plus que sur sa personne. Le vague sourire de l'adolescent espérant un mot d'approbation a fait place à la détermination de l'homme d'action. On est plus sensible à cette vérité qu'à l'auto-flatterie du premier tableau bien que les deux soient de très belles œuvres.

Outre l'autoportrait, il faut aussi mettre à part les portraits de personnages disparus. Théophile en a fait plusieurs — maintenant oubliés — pour répondre aux commandes gouvernementales. Des personnages historiques comme **Montcalm**, **Murray** ou **Talon** ont été éclipsés par le succès de son **Jacques Cartier**. Les portraits des présidents de la Chambre faits d'après photos ou tableaux portent généralement la mention **copie**. Ces personnages se distinguent très nettement des autres par la sérénité répandue sur des visages sans rides qu'encadrent des cheveux gris poudrés.

151. *Madame Antoine Dessane*. 1859. H. 76 cm x L. 61 cm. Musée du Québec.

152. *Antoine Dessane*. Vers 1859. H. 76 cm. x L. 61 cm. Musée du Québec.

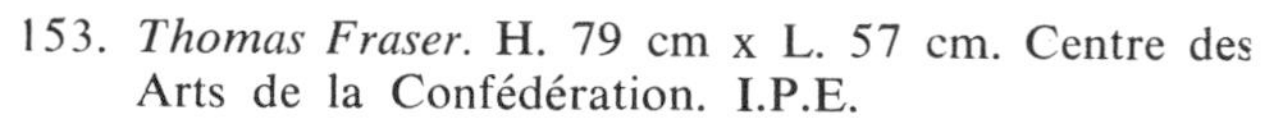

153. *Thomas Fraser*. H. 79 cm x L. 57 cm. Centre des Arts de la Confédération. I.P.E.

154. *Madame Thomas Fraser*. 1865. H. 79 cm x L. 57 cm. Centre des Arts de la Confédération. I.P.E.

Étude du modèle

Tous les personnages de Théophile Hamel étant voués à la solitude, il doit faire surgir l'intérêt du modèle lui-même. Il a le choix entre le portrait équestre, entier, aux trois quarts, assis ou couché. Cette dernière catégorie réservée en général aux effigies funéraires n'a pas été pratiquée par Hamel. Le portrait équestre non plus. Il reste trois catégories représentées de façon très inégale. Très peu de personnages ont été peints de pied en cap. Lord Elgin partage cet honneur avec l'**abbé McMahon**, l'**abbé Déziel** et **Sir Étienne-Pascal Taché**. Une douzaine de laïques et quelques ecclésiastiques sont peints aux trois quarts. Tous les autres portraits sont des bustes. Dans cette série on compte plus de vingt portraits où sont peintes seulement la tête et les épaules. L'absence de mains simplifie la composition et en fait la plus avantageuse pour l'artiste sur le plan économique. Quelques-unes de ces plus belles réussites doivent être rangées dans cette catégorie : le **Dessane**, le **Wolfred Nelson** et surtout le magnifique **Pierre Moreau**. Ce dernier tableau a été réalisé en 1840 au tout début de sa carrière. Il ne dépassera pas cette puissance. Dans les autres portraits on voit généralement les deux mains mais très rarement les genoux qui se situent au-delà du cadre (**A. Campbell**, le **Maire Wilson** — 1849) ou sont escamotés au moyen de zones plus sombres (**Cyrice Têtu**, **De Sales Laterrière**).

Position du modèle

Le portraitiste possède un moyen très efficace pour créer des effets puissants ou présenter son personnage avec discrétion. Le premier objectif est atteint si le personnage fait face au spectateur et le regarde droit dans les yeux. Cette formule peu pratiquée par Théophile Hamel l'a cependant mené à créer quelques œuvres remarquables :

Pierre Moreau
Cécile Bernier
Léocadie Bilodeau
La Femme à la rose
Abbé Langevin
Abraham Hamel
Mme McDonald
M. McDonald
De Salaberry
Abbé Amable Charest

De la même façon, des effets saisissants sont obtenus quand le personnage ne présente qu'un profil. Le célèbre **Matteo Olivieri** de Domenico Veneziano dispense de longs commentaires. Un profil nettement découpé, un seul œil, une seule oreille créent souvent une sensation de dépaysement étrange. Il n'y en a pas un seul exemple dans toute la production de Théophile Hamel.

155. *Jacques Cartier*. Gravure. Détail. Archives nationales du Québec GH 1271-28.

156. *Pierre Moreau*. 1840. Détail. H. 71 cm x L. 61 cm. Musée du Québec.

157. *Melchior-Alphonse de Salaberry*. 1850. H. 1.24 m x L. 94 cm. Monastère des Ursulines de Québec.

158. Domenico Veneziano. *Matteo Olivieri*. National Gallery of Art. Washington.

Notons cependant **Jacques Cartier, Baldwin** et le premier **Autoportrait dans un paysage** qui tendent à des degrés divers vers cette forme de représentation. Il reste que la très grande majorité des portraits de Théophile Hamel présentent des personnages très légèrement tournés vers la gauche où vers la droite. La moitié fuyante du visage est représentée plus mince et partiellement recouverte d'ombre. Le portrait d'**Olympe et Flore Chauveau** présente un personnage de face et un autre légèrement dévié. Cette méthode sert de base aux variantes plastiques dans les portraits de groupe. Regardons un exemple célèbre. Les quatre hommes dans le tableau de Sebastiano del Piombo intitulé **Le Cardinal Bandinello, son secrétaire et deux géographes** offrent une vue de face, une vue de profil et deux vues des trois quarts. Le peintre qui n'utiliserait que l'un de ces procédés limiterait singulièrement ses possibilités de variations. La pose de trois quarts, bien que moins frappante, concilie plusieurs avantages. Comme dans la pose de profil, elle permet de montrer de biais le nez, les joues et le front tout en donnant l'esquisse entière de la tête et les deux yeux [14]. C'est la position privilégiée par Hamel.

Il existe cependant au moins trois possibilités secondaires. L'artiste peut créer des flexions intéressantes dans la liaison de la tête au corps par l'intermédiaire du cou et des épaules. Il peut encore faire varier les dimensions des têtes qu'il peint. Enfin, le fait de représenter le personnage en plongée ou en contre-plongée agit puissamment sur le spectateur. Voyons chacun de ces cas en commençant par le premier. Théophile Hamel incline souvent la tête de ses personnages sur le côté ou vers l'avant. Les dames **Michel Bilodeau**, **Belleau** et **J. B. Renaud** inclinent la tête vers la gauche sans que le corps ne soit influencé. D'autres rentrent le menton (**M. Dorion**), lèvent (**Wolfred Nelson**), ou baissent (**Abbé Casault**, **Dr Morrin**) la tête. Ces légers mouvements évitent l'uniformité absolue mais n'arrivent pas à animer les personnages. Très peu de modèles se présentent de façon dégagée et gracieuse. Le couple **Dessane**, le couple **de Sales Laterrière** et surtout **Mme Lemoine Angers** échappent au style mannequin. La flexion du cou chez **Mme Dessane** permet un passage harmonieux entre la tête et les épaules ; tout le portrait acquiert un charme exceptionnel. La très légère inclination de **Mme de Sales Laterrière** soulignée par le long bijou et la main crée un mouvement sobre et gracieux.

Dimension des visages

Les dimensions du visage peuvent varier énormément. Dans un tableau grandeur nature où le modèle est assis ou placé un peu en retrait, la tête, étant plus éloignée du spectateur que les genoux, devrait être peinte plus petite [15]. Normalement la grosseur de la tête varie aussi en fonction des dimensions du tableau. Or nous constatons que Théophile Hamel utilise toujours les mêmes dimensions. Chez les hommes, le visage possède environ 20cm de long et la tête entière, c'est-à-dire incluant les cheveux, de 23 à 25cm. Les épaules mesurent entre 38 et 48cm. Ces dimensions sont légèrement

159. *Autoportrait dans un paysage.* Vers 1840. Détail. H. 1.22 m x L. 1.02 m. Musée du Séminaire de Québec.

160. *Abbé Louis-Jacques Casault.* 1861. Détail. H. 1.22 m x L. 91 cm. Musée du Séminaire de Québec.

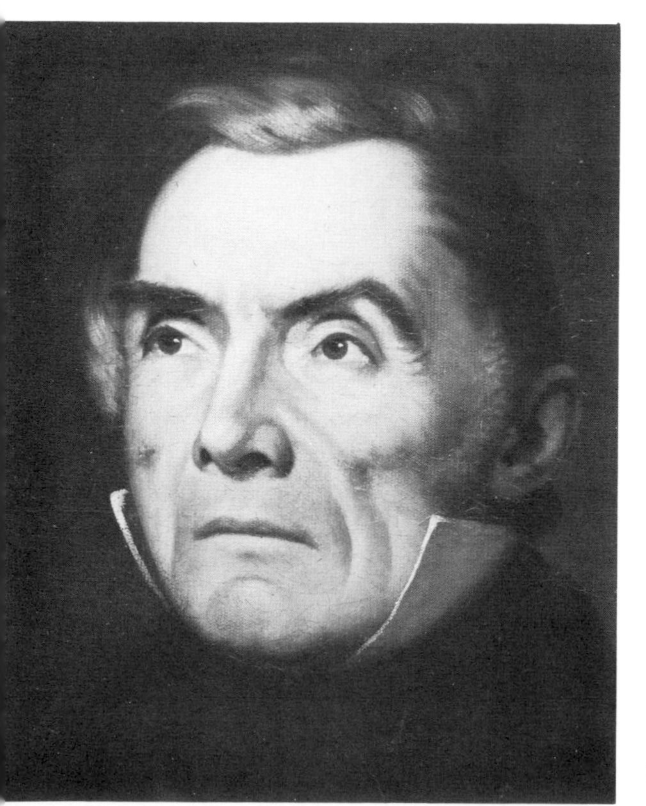

161. *Wolfred Nelson.* 1848. Détail. H. 79 cm x L. 63 cm. Musée McCord à Montréal.

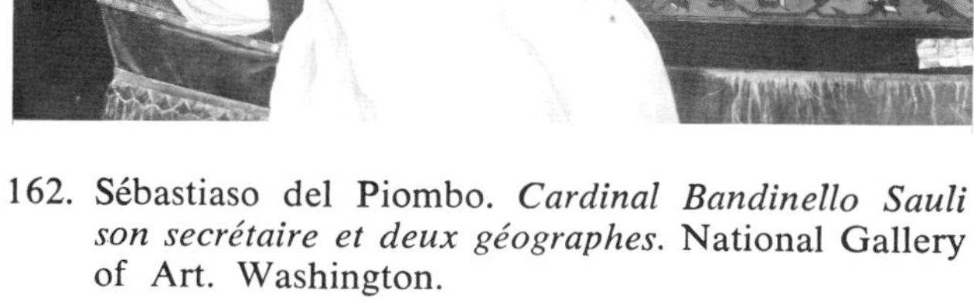

162. Sébastiaso del Piombo. *Cardinal Bandinello Sauli son secrétaire et deux géographes.* National Gallery of Art. Washington.

réduites chez les femmes. La grandeur de la toile influence peu ces proportions. Voici un tableau donnant une sélection d'œuvres faite au hasard.

Le point de vue

Théophile Hamel ne varie guère le point de vue. La plupart des personnages sont de plain-pied avec le spectateur. Il utilise fréquemment une vue en plongée très légère. **Benjamin Corriveau, James Stuart, Mme R. Rolland, l'Autoportrait dans l'atelier** et **Lord Elgin** en sont de bons exemples. La contre-plongée est beaucoup plus rare et demeure très peu accusée chez **J. B. Renaud**.

Les trois aspects que nous venons d'examiner ont en commun le fait que Théophile Hamel se tienne éloigné des formules chocs. Il cherche toujours la solution qui offre toutes les garanties de succès auprès d'un public conformiste.

Tableau 18 :

DIMENSIONS DES VISAGES FÉMININS

Nom	Figure	Tête	Épaules	Dimension : H × L
Mme Balaston	17cm	20cm	38cm	89 × 74
Cécile Bernier	17cm	19cm	32cm	99 × 76
Mme Dessane	18cm	20cm	25cm	76 × 61
Mme Dorion	19cm	24cm	41cm	97 × 74
Jeune femme (Panet)	17cm	—	33cm	81 × 69
Femme à la rose	17cm	22cm	33cm	84 × 71
Mme G.-B. Faribault	17cm	19cm	36cm	81 × 66
Mme Guay	19cm	20cm	48cm	84 × 71
Mme F.-X. Hamel (coll. privée)	19cm	22cm	41cm	69 × 56
Mme F.-X. Hamel (Musée du Québec)	15cm	20cm	41cm	84 × 71
Mme Th. Hamel	17cm	20cm	—	69 × 56
Mme Kane	18cm	23cm	44cm	76 × 63
Mme Lemoine Angers	17cm	20cm	33cm	99 × 80
Mme Racine (Coll. Mgr F.-A. Savard)	18cm	20cm	38cm	74 × 58
Mme Routier	17cm	23cm	51cm	76 × 61
Mme François Têtu	19cm	25cm	44cm	81 × 66
Vieille dame à la coiffe	20cm	—	38cm	76 × 61

Tableau 19 :

DIMENSIONS DES VISAGES MASCULINS

Nom	Figure	Tête	Épaules	Dimensions : H × L
Autoportrait (Galerie nationale)	19cm	24cm	—	67 × 54
Autoportrait dans l'atelier	9cm	—	—	53 × 41
Père Bernard	19cm	—	43cm	76 × 63
Joseph Bellefeuille	19cm	24cm	41cm	74 × 61
Archibald Campbell	22cm	25cm	39cm	99 × 81
René-Édouard Caron	20cm	24cm	43cm	122 × 99
Abbé Amable Charest	22cm	25cm	36cm	84 × 69
Étienne Dallaire	22cm	25cm	39cm	86 × 71
Amable Dionne	22cm	24cm	44cm	81 × 69
Antoine Dessane	19cm	23cm	41cm	76 × 61
G.-B. Faribault	20cm	23cm	38cm	76 × 63
Jeune homme (Musée du Québec) A-67-7-P	15cm	23cm	43cm	84 × 71
Georges Hamel (bébé)	—	15cm	19cm	58 × 46
F.-X. Hamel (Musée du Québec)	18cm	25cm	46cm	84 × 71
F.-X. Hamel (Coll. Madeleine Hamel)	20cm	25cm	48cm	69 × 56
John Kane	19cm	23cm	44cm	76 × 63
Martial Leprohon	—	23cm	43cm	86 × 76
Peter McLeod	21cm	26cm	48cm	101 × 76
Pierre Moreau	22cm	23cm	41cm	71 × 61
Jeune Homme (Panet)	18cm	22cm	38cm	81 × 69
Docteur Rousseau	20cm	23cm	—	84 × 71
J.-B. Renaud	19cm	23cm	42cm	114 × 86
De Salaberry	—	25cm	—	119 × 84
François Têtu	18cm	22cm	43cm	81 × 69

Relations modèle-spectateur

Ses portraits étant très simples, les relations modèle-spectateur ne sont jamais très développées. On peut les ramener à trois types. Le premier cas groupe les personnages qui regardent intensément le spectateur ne se souciant guère de l'opinion que ce dernier se fait d'eux. **Abraham Hamel**, **Pierre Moreau**, **Mme McDonald**, **Napoléon Aubin**, **La Dame à la rose** et **Benja-**

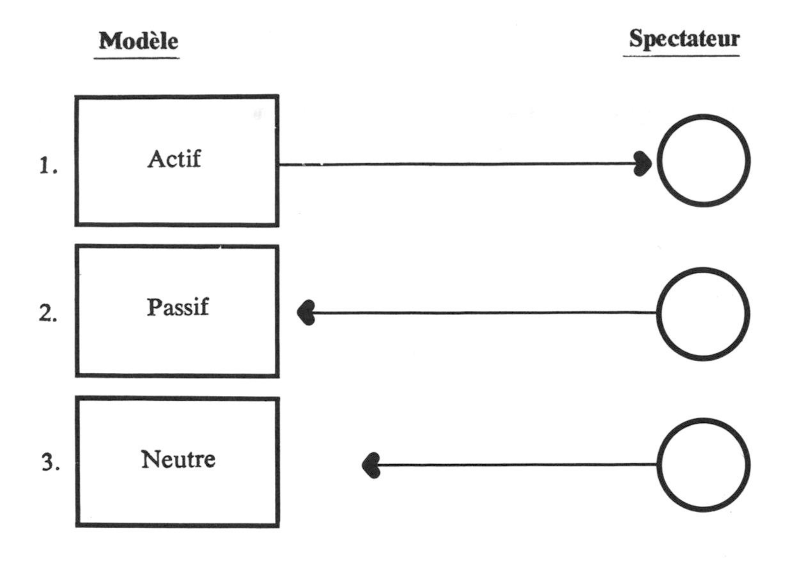

min Corriveau sont des personnages dont la « radiance » est très forte. Par contre, plusieurs personnages attendent l'effet que produira leur pose sur le spectateur. Ce groupe est sans conteste le plus intéressant par sa variété alors que le premier dégageait plus de force. **Isaac Dorion, De Sales La terrière, Peter McLeod, Mme Dessane** et **Mme de Sales Laterrière** ont tous un petit air de contentement de soi et veulent manifestement attirer les regards. Quelques personnages semblent poursuivre un rêve intérieur. C'est ainsi que **Baldwin** et **Vallière de Saint Réal** n'entretiennent aucune relation avec le spectateur.

Les mains

Le peu d'attention accordé aux gestes et aux attitudes montre que Théophile Hamel demandait au visage de refléter à lui seul la personnalité du modèle. Ce choix explique en partie l'absence de mains en bien des tableaux. Dans la plupart des cas, les mains peintes par Théophile Hamel n'ont guère d'originalité. Elles jouent sans prétention leur rôle d'accompagnement. Appartiennent à cette catégorie les mains croisées et celles qui tiennent un livre. Mais le personnage ne croise pas vraiment les mains ; il referme plutôt une main sur son poignet. Les mains qui tiennent un livre ne présentent guère d'intérêt. Il y a aussi les mains qui travaillent. Dans l'**Autoportrait dans un paysage**, du Séminaire, l'artiste tient un pinceau et un grand carton. En 1849, il se représente tenant sa palette et un pinceau. **Archibald Campbell** ne semble pas disposé à écrire avec la plume qu'il tient à la main. **Léocadie Bilodeau** tient délicatement la patte de son chien créant ainsi un second centre d'intérêt plutôt qu'un complément. Les mains parlantes n'atteignent jamais l'éloquence sauf peut-être chez **Chiniquy** qui fait un très beau geste. Nous avons déjà souligné la pauvreté de la main du pasteur **Béthune**. Chose étrange, **Mme J. B. Renaud** fait le même geste sans aucune raison. Il faut souligner des cas rares comme celui de l'**Abbé Casault** et de **L.-H. Lafontaine** qui passent une main dans leur veston. Le petit doigt de Lafontaine

63. *Autoportrait dans un paysage*. Vers 1840. Détail. H. 1.22 m x L. 1.02 m. Musée du Séminaire de Québec.

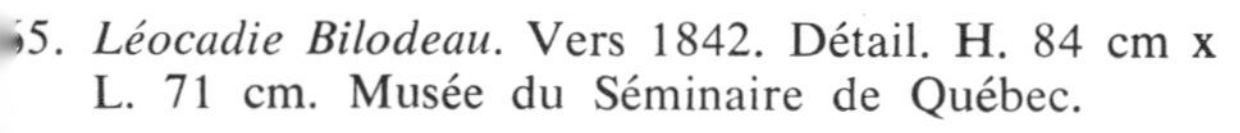

65. *Léocadie Bilodeau*. Vers 1842. Détail. H. 84 cm x L. 71 cm. Musée du Séminaire de Québec.

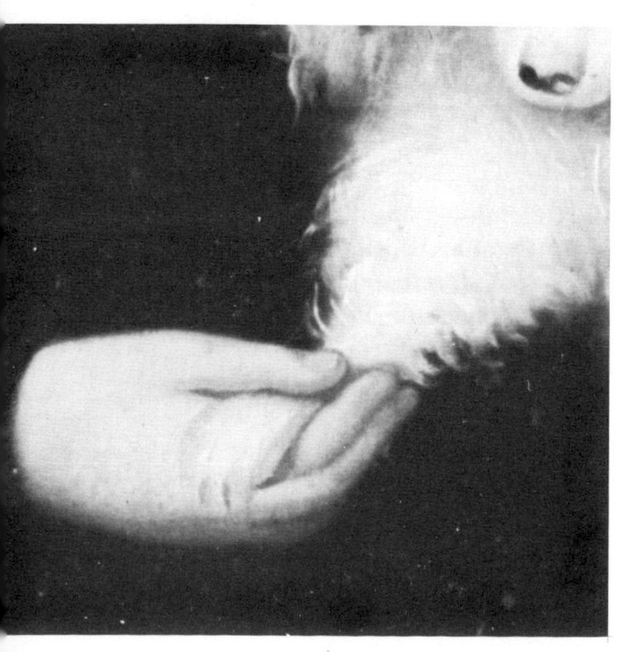

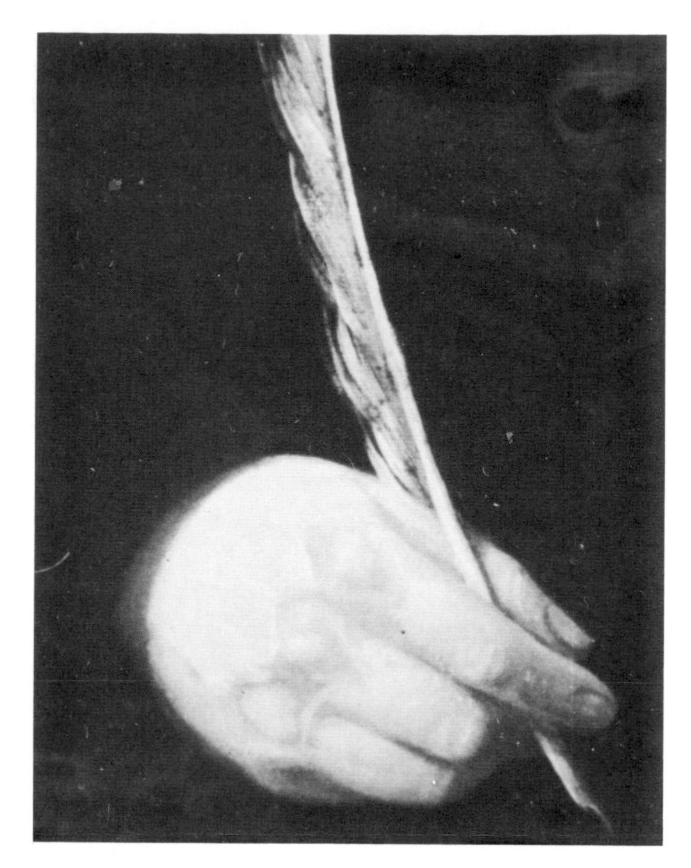

164. *Archibald Campbell*. 1847. Détail. H. 99 cm x L. 81 cm. Musée du Québec.

166. *Abbé Charles Chiniquy*. Gravure 1848. Détail. Archives nationales du Québec.

167. *Louis-Hippolyte Lafontaine.* H. 1.09 m x L. 75 cm. Séminaire de Québec. Résidence des prêtres.

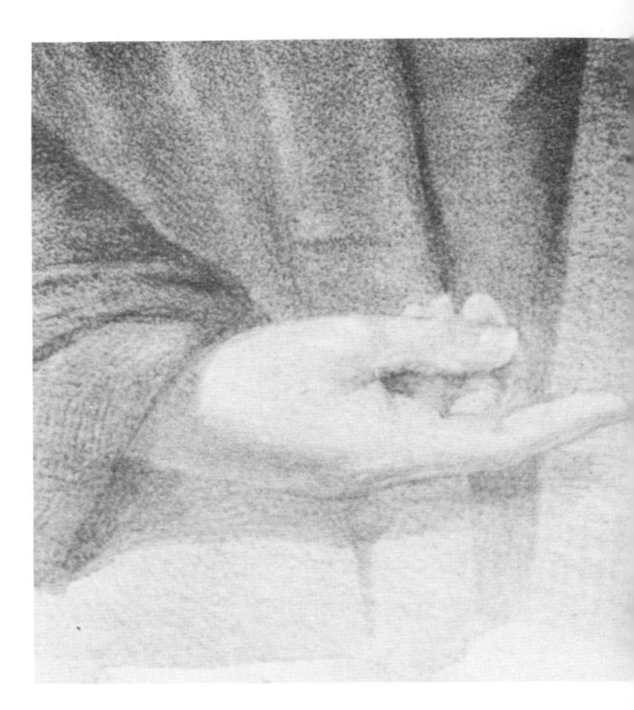

168. *Alexander Neil Bethune.* Gravure. Détail. Archiv nationales du Québec.

est trop délicatement tourné pour ce personnage assez massif. Quelques personnages sont affublés de mains inertes et « naïves » dont il y a tant d'exemples tout au long de notre 19ème siècle. **Michel Bilodeau**, **F. X. Hamel**, **E. Rousseau** et l'**Abbé Faucher** ont des mains lourdes ou figées. Par contre les doigts de **Mme MacDonald** s'allongent inutilement et accentuent la tristesse du personnage. Au moins trois personnages ont de belles mains expressives et déliées. **Isaac Dorion**, **Mme de Sales Laterrière** et **F. X. Paradis**. Même ces mains élégantes ne laissent jamais deviner le jeu des veines et des muscles qui donne de la force à tant de créations des grands maîtres. Jamais de gants pour introduire des contrastes ou un accent décoratif. Placée en ligne droite avec la chemise et le visage, la main de M. Dorion participe à l'éclat du tableau en ajoutant une note de distinction alors que le visage insiste surtout sur le contentement de soi. Inutile de revenir sur l'accord formel réalisé entre la flexion du corps de **Mme Laterrière**, le bijou et cette main admirable.

Peu enclin à utiliser le décor pour créer des effets, très sobre dans l'utilisation des accessoires, également réservé pour varier les attitudes du corps, Théophile Hamel adopte le parti difficile d'intéresser le spectateur par la seule richesse des visages. Il faut reconnaître sa maîtrise en ce domaine malgré des défaillances inévitables. Il est en effet impossible que tous les modèles intéressent le portraitiste suffisamment pour l'amener à produire une œuvre de qualité. Il le dit d'ailleurs lui-même dans une lettre à sa fiancée alors qu'il se trouve chez J. Ross près de Toronto. « Il y a tout ici pour inspirer un peintre, tout excepté l'hôtesse, qui, vous le savez, est arrivée tard à la **distribution** des **figures**. Néanmoins, je suis en ce moment, à la faire revivre sur toile ; vous comprenez que si les muses ne viennent à mon secours, ça ne sera pas mon chef-d'œuvre [16] ». Même chose pour un orateur de la Chambre. « Mr. H. Smith a été nommé le nouvel orateur de la Chambre ; tu dois le reconnaître, c'est un gros rouge, la tête frisée, **un bros bousco**. Il me faudra du rouge pour le peindre [17] ». On m'a fait remarquer que Théophile Hamel ne pouvait faire varier à loisir les costumes, les coiffures et les bijoux qui obéissent à la mode de l'époque. À ce compte-là aucun artiste n'aurait pu atteindre la grandeur et l'originalité puisque les artistes de toutes les époques et de tous les pays ont connu ces conditions. N'oublions pas que l'imagination de l'artiste ne rejette pas la réalité mais s'en sert pour créer.

Une technique sûre
Toiles

Nous savons peu de choses de la technique de Théophile Hamel. Il utilise toujours une toile avec préparation commerciale très lisse. Plamondon ne préparait pas ses toiles non plus. Par contre Roy-Audy préparait lui-même son matériel du moins au début de sa carrière. Quand un artiste apprête lui-même sa toile, la préparation ne couvre que la face du tableau. Par contre les préparations commerciales s'étendent jusque sur les bords du châssis ; il faut enlever les cadres pour bien regarder. Maurice Cullen (1866-1934) par exemple prépare toujours lui-même ses toiles. Les examens au laboratoire montrent que la toile de Théophile Hamel est fine et de bonne qualité :

Étienne Dallaire	50 fils verticaux × 53 fils horizontaux au pouce
Narcisse Belleau	46 " " × 42 " " " "
Mme N. Belleau	48 " " × 52 " " " "
Mme Molson	41 " " × 43 " " " "

Il achetait sans doute des toiles anglaises par l'intermédiaire d'une maison montréalaise. À l'arrière du portrait d'**Étienne Dallaire**, une étiquette placée sur le châssis porte l'inscription suivante : Artist's Canvas, 150 Cheapside, London.

Pigments, glacis et vernis

Comme Krieghoff et Plamondon, Théophile Hamel utilise des pigments de bonne qualité, déjà préparés, avec liant à l'huile de lin. Il ne sera pas tenté par les recherches techniques comme l'avait été François Baillargé et le sera plus tard Robert Harris (1849-1919) qui utilise plutôt de l'huile de résine. La couche picturale de Théophile Hamel est plutôt mince, régulière, lisse et soignée. Les empâtements sont très rares. On en trouve parfois sur certaines dentelles ou sur des étoles richement brodées. Le magnifique portrait de **Salaberry** montre des audaces peu fréquentes. Les boutons, le collet de l'uniforme et surtout les franges des épaulettes comportent des empâtements qui contrastent avec le fini de l'ensemble. Quelques touches soulignent le tournant des épaulettes.

Dans une première étape, Théophile Hamel utilise la peinture pure avec huile de lin. Deux ou trois jours après, il fait des glacis en utilisant des pigments mélangés de térébentine ce qui assure plus de transparence. Il est fort probable qu'Hamel applique ensuite une et même deux couches de vernis.

Un programme de restauration à établir

La plupart des toiles de Théophile Hamel auraient besoin de travaux plus ou moins importants pour les remettre en bon état. Plusieurs tableaux sont exposés à des accidents de diverses natures. Le sort fait au portrait de F.-X. Paradis n'est pas exceptionnel. Deux larges déchirures béent de chaque côté du personnage. En outre, les restaurations ne sont pas toujours faites par des spécialistes. Malgré le talent des peintres qui s'adonnent occasionnellement à la restauration on ne peut que regretter cette pratique. Entre 1967 et 1969, quatre tableaux du Séminaire de Québec ont été « nettoyés » : **Autoportrait dans un paysage**, **Michel Bilodeau**, **Ernest Morisset**, et **Lord Elgin**. Les Pères Jésuites ont fait nettoyer et vernir la **Présentation au temple** en 1916 [18]. Les deux grandes compositions religieuses de Saint-Ours ont été retouchées par le peintre Vallé en 1968. De bonnes restaurations ont cependant été faites au laboratoire de conservation de la Galerie nationale à Ottawa. Notons

Autoportrait (vers 1857)	: 1945
Mme Th. Hamel	: 1945
Madame Guy	: 1958
Narcisse Belleau	: 1961
Mme N. Belleau	: 1964
Étienne Dallaire	: 1969

Certains collectionneurs font traiter leurs tableaux par des maisons de grande réputation. En 1972, le docteur Brouillet confiait le portrait de **Mme Lemoyne Angers** à une maison de New-York pour le nettoyer et le réentoiler, le bon état de conservation ne demandant pas de restauration.

Palette sobre

La gamme de Théophile Hamel affectionne les tons chauds comme les rouges assombris et les mordorés qui s'harmonisent avec les noirs fréquemment utilisés pour les vêtements et plusieurs fonds. Le blanc des chemises et la vivacité des regards acquièrent une force extradinaire grâce aux vêtements sombres à peine visibles sur des fonds également sombres. Chez les femmes, Hamel se permet plus de liberté. La robe de **Mme J. B. Renaud** miroite tout en respectant une gamme très sombre. Secondaires mais admirables si on pouvait les isoler, certains agencements colorés font regretter la timidité de l'artiste. Un tableau entièrement construit d'après les teintes riches que nous voyons sur la droite de la robe de **Mme R. E. Caron** ou de **Mme Lemoyne Angers** serait une merveille chromatique. Le bleu n'est presque jamais utilisé avec éclat. Certains accessoires et les enfants y ont droit. Notons la magnifique robe fourrée de la fillette Caron. Théophile Hamel ne fait pas chanter les rouges — sauf pour **Salaberry** et **Lord Elgin** — et ne crée jamais de contrastes audacieux. L'examen des œuvres produites avant son voyage en Europe comparées à celles de la maturité ne révèle pas de différences notoires au point de vue couleur. Gérard Morisset a parlé de portraits peints avec « un rayon de soleil couchant [19] » mais c'est un soleil qui n'a souvent que bien peu d'éclat.

Qualité technique constante

La sobriété de la palette de Théophile Hamel s'accorde avec nos observations à propos de la composition, des accessoires et des personnages. On comprend mieux dès lors sa stupéfiante rapidité d'exécution. La tradition veut qu'un portrait commencé à huit heures du matin soit terminé à midi et que quelques jours suffisent pour brosser une composition religieuse. Théophile Hamel possède cependant une technique solide. Les meilleures spécialistes comme Hubbard et Harper ont reconnu la qualité de ses œuvres. On note rarement des défaillances dues au dessin ou à l'organisation générale du tableau. Ses meilleures réalisations sont de grandes œuvres qu'il faut placer parmi les plus belles réalisations de notre 19ème siècle.

Envoûté par le Titien

Nous avons déjà étudié certains aspects de sa carrière liés à la tradition picturale européenne : la collection Desjardins, ses contacts avec l'art français par l'intermédiaire d'Antoine Plamondon et son séjour en Europe. Il faut examiner d'autres questions comme l'utilisation de modèles gravés, l'influence du romantisme sur sa carrière et son admiration pour le Titien.

Les sources gravées

Il est difficile d'étudier le matériel artistique qui servait à Théophile Hamel puisque le feu semble avoir détruit l'essentiel de sa collection en 1862. Dans la nuit du 26 octobre, son atelier et une salle d'exposition furent la proie des flammes. Vingt-deux tableaux furent sauvés. Par contre trente-trois périrent plus une « riche collection de gravures et de dessins que M. Hamel avait amassée, à grands frais, depuis nombre d'années [20] ». Il nous reste cependant une série de vingt-cinq gravures dont dix études de visages et de personnages.

Sujets religieux
- **La charité**
- **Sainte-Suzanne**
- **Saint-Bernard**
- **Combat de David et de Goliath**

Sujets antiques
- **Quadrige — centaure**
- **Dieu-fleuve**
- **Euterpe**
- **Agrippine**

Genre
- **Jeune fille perse — soldat péruvien**
- **Homme avec deux chevaux**
- **Moissonneur dansant**

Divers
- **Tête de deux Horaces** par David
- Exemples de cadres
- Décoration
- Deux gravures de monuments

Ce sont des gravures imprimées à Paris pour la maison Monrocq ou en Italie. Rien de cela n'est passé directement dans son œuvre. On peut rapprocher **La petite espiègle** de l'aînée des enfants de **Mme J. B. Renaud** et le **Saint-Bernard** a pu lui fournir l'idée de base pour le **Saint-Hugues**. Mais c'est bien peu de chose.

Un mythe absurde : Hamel romantique

Un préjugé en faveur de l'art français au 19ème siècle veut que les autres pays jugent leur production artistique en regard des styles néo-classique, romantique et réaliste. Les récents travaux poursuivis surtout dans le monde anglo-saxon — mentionnons Honour et Rosemblum — démontrent la fausseté de cette périodisation pour la France elle-même. En outre, chaque pays possède son évolution propre ; ce qui rend vaine la recherche d'évolutions parallèles [21]. Enfin, plusieurs de nos artistes semblent avoir subi plus forte-

169. *Jeune femme (Panet).* 1841. H. 81 cm. x L. 71 cm. Musée du Québec.

ment l'influence de l'art italien ancien que de l'art français. La conviction est pourtant bien ancrée voulant que Théophile Hamel ait introduit le style romantique dans la peinture canadienne après que Plamondon eut popularisé le néo-classicisme [22]. Or en France le portrait ne change pas véritablement de formule de 1800 à 1850. Notons trois caractères fondamentaux qu'on retrouve tout au long de cette période : le goût du détail précis, un environnement soulignant le caractère ou la profession du modèle, une attitude de héros se détachant sur un fond grandiose de ruines ou de nature. La **Comtesse d'Hussonville** et **Granet** par Ingres ou le **Baron Schwiter** de Delacroix illustrent bien ces tendances. Or nous avons vu combien Théophile Hamel s'est désintéressé de ce genre de recherche. Il serait absurde de vouloir juger son art à partir de ces faux problèmes.

Son enthousiasme pour le Titien

D'autres formules artistiques lui proposaient à la fois un idéal de beauté humaine et de dignité en accord avec ses goûts et les moyens pour le réaliser. Même en l'absence de tout autre document, l'examen des œuvres nous amène à la tradition classique italienne répandue ensuite dans l'Europe entière. Nous avons cependant le bonheur de posséder des indications de Théophile Hamel lui-même où il dévoile ses enthousiasmes devant les tableaux du Titien. À peine arrivé à Venise, il se met à copier le Titien avec un « applon sauvage » [23]. Par la suite, il a certainement communiqué son enthousiasme à Napoléon Bourassa puisque ce dernier lui écrit d'Italie :

> J'espère que vous conservez toujours cette manière vigoureuse de rendre la nature ; et que les **flaireurs de toile** et les **dames au regard trop sensible**, n'ont pas encore fait une telle impression sur votre pinceau pour le faire faiblir ; je vous dis en face des magnifiques portraits du Titien qui **sont à Pitti**, que j'en serais très faché s'il en était ainsi ; faché pour vous, et pour l'avenir de l'art au pays. [...] Je me rappelle vous avoir dit devant vos plus belles têtes, que c'était la manière que je concevais de rendre justement la nature ; aujourd'hui, [...] je puis vous répéter la même appréciation, peut-être avec un peu plus de justesse [24] ».

Comparaisons Hamel-Titien

Quelle « manière » caractérise les « magnifiques portraits du Titien » ? Considéré comme le plus important portraitiste de la Renaissance, le Titien utilise généralement des couleurs riches mais très sobres. Les portraits à fond uni sont légion. L'environnement compte rarement en sorte que le personnage fait tous les frais du tableau. Le visage, le vêtement et les mains jouent des rôles spécifiques. Le geste et l'attitude aident à révéler la personnalité du modèle qui ne se départit jamais d'une grande dignité. Le goût pour la beauté, très répandu dans l'art italien, fait disparaître les détails défavorables.

La plupart des compositions utilisées par Théophile Hamel existent chez le Titien. Nous trouvons des cas de copie comme le **Martyre de Saint-Pierre**. **The Morning Chronicle** du 28 juillet 1858 parle de cette peinture en termes élogieux et affirme que Théophile Hamel l'a réalisée d'après le chef-d'œuvre du Titien dans une église de Venise. Voyons de près cette question. Commencé en 1528, le **Martyre de Saint-Pierre** fut placé dans l'église des Saint-Jean-et-Paul à Venise jusqu'à la Révolution française. Transporté à Paris puis rendue à son église originelle, la toile reprit sa place dans la chapelle du Rosaire où Théophile Hamel l'a vraisemblablement peinte au cours de son voyage en Italie. L'original du Titien fut détruit par le feu le 16 août 1867. Une copie de Cigoli remplace actuellement l'original à Venise. La copie de Théophile Hamel est donc devenue l'une des rares sources pour l'étude de ce tableau. Le Titien est en outre connu par un certain nombre de gravures dont celle de Rota qui est reproduite ici. On voit qu'il s'agit d'une copie très exacte.

Par ailleurs, beaucoup de toiles de Théophile Hamel rappellent des compositions du Titien. **L'homme au gant** du Louvre a pu fournir à Théophile Hamel son schéma d'homme assis, un coude sur un meuble et l'autre main au repos. Le **Maire Wilson**, **A. Compbell**, **James Stuart**, **Baldwin**,

170. *Madame Charles-Hilaire Têtu.* 1841. H. 1.14 m x L. 97 cm. Musée des Beaux-Arts de Montréal.

171. Titien. *Isabelle du Portugal.* Madrid. Prado.

172. *Charles-Hilaire Têtu.* Années 1840. H. 69 cm x L. 79 cm. Musée des Beaux-Arts de Montréal.

173. Titien. *Antonio Perrenot Granveila.* Gallery of Art. Kansas City, Missouri.

174. *Jeune femme à la rose.* H. 86 cm x L. 71 cm. Musée du Québec.

175. Titien. *Homme au gant.* Musée du Louvre.

176. *Mgr Horan.* 1867. H. 1.24 m x L. 97 cm. Musée du Séminaire de Québec.

177. Titien. *Portrait d'homme.* Florence. Pitti.

J. R. Rolland, D. E. Rousseau, La Femme à la rose et **Mme Balaston** correspondent très exacetment à ce schéma. Pour introduire un enfant dans la composition, il suffit d'arrondir un peu le geste. On peut regarder à cet effet le couple **Cyrice Têtu, Mme R. E. Caron** et **Mme C. H. Têtu**. Plusieurs comparaisons passionnantes pourraient être établies entre les portraits de Titien et ceux de Théophile Hamel ; limitons nos confrontations aux tableaux en regard desquels nous avons placé un Titien. Le **Portrait d'homme** de Londres annonce la pose de **Mme R. Rolland** assise près d'une fenêtre donnant sur un vague paysage. **Antonio Porcia** de la Brera offre une frappante similitude avec **Archibald Campbell. Mme C. H. Têtu** est assise comme **Isabelle du Portugal**. Le Titien offre aussi des exemples intéressants de tableaux simples — **Daniele Barbaro, Vallière de Saint-Réal** — ou avec accessoires de rideaux et de colonnes — **Charles V** comparé à **R. E. Caron**. En fait trop d'exemples sont construits de la même façon pour qu'il s'agisse d'un hasard ; même les détails semblent venir des portraits du Titien. La main du **Révérend Béthune** et de **Mme J. B. Renaud** font penser à celle du cardinal **Pietro Bembo** de Washington. Les mains flasques de **Mme MacDonald** et de **J. B. Renaud** semblent un calque de celles de **Gerardo Mercatore** de New York. Sans aller jusqu'à dire que le petit chien de **Léocadie Bilodeau** vient du Titien, il faut reconnaître qu'il a peint ce type de caniche dans le portrait de **Federico Gonzaga duc de Mantoue**. Il est plus prudent de s'en tenir à l'ordonnance générale qui permet de jumeler des œuvres comme les suivantes :

Autoportrait (Berlin) — **F. X. Hamel** (Musée du Québec)
Antonio Perrenot Granvella (Kansas City) — **C. H. Têtu**
L'homme au gant (Louvre) — **Maire Wilson**

Bien que long et méticuleux, le travail fait au cours de ce chapitre s'imposait pour comprendre les procédés et la technique picturale de Théophile Hamel. Nous possédons maintenant les éléments nécessaires pour apprécier ses œuvres.

La valeur de son art

L'art de Théophile Hamel est d'une très grande sobriété. On peut difficilement imaginer une thématique plus réduite. La mythologie, l'histoire, la peinture de mœurs, le nu et le paysage sont absents de son œuvre. Les quelques compositions religieuses n'ajoutent rien à sa réputation. Tout au plus peut-on les étudier pour évaluer son activité de copiste et l'influence de la collection Desjardins. Théophile Hamel a vécu du portrait et surtout du portrait civil. Et encore ses portraits ne sont-ils souvent qu'un visage.

Richesse morphogénétique du portrait

Effectivement Théophile Hamel n'a pas exploité la richesse morphogénétique du thème. Les agencements de deux ou trois personnes échelonnées sur plusieurs plans et placées en des pièces meublées ouvertes sur l'extérieur ne l'ont jamais intéressé. Dans sa solitude le personnage se présente au spectateur le plus discrètement possible : peu de portraits de face, jamais de profil. Les rares objets se contentent d'attirer l'attention sur la condition sociale du modèle mais ne possèdent pas une densité suffisante. pour qu'on s'y attarde. Hamel a utilisé un nombre très réduit de thèmes plastiques. Jusqu'ici la question de son évolution après le retour d'Europe n'avait pu être posée de façon pertinente faute de documents. Les lettres dont nous avons parlé ont comblé cette lacune. Il n'y a pas vraiment changement de style lors de son voyage mais un choix plus rigoureux de moyens pour arriver à des buts précis ; ressemblance et dignité. Ce choix comporte l'abandon de formules agréables comme celle du premier autoportrait dans un paysage. La fraîcheur de ce paysage, la vigueur de la touche qui marque chaque accident du feuillage et l'aisance de la pose feront place à plus de gravité. On ne verra plus se répéter les essais de primitif italien comme ce **Jeune homme et la jeune femme** (Panet) peints en 1841. Les mains perdront aussi un peu de la désespérante raideur qui fige celles du couple **Amable Dionne** (v.1841), de **Michel Bilodeau** (1842) ainsi que de **Monsieur et Madame F. X. Hamel** (1843). À partir de 1846, l'art du Titien informe ses compositions et influence même le choix des accessoires. Quelques attitudes privilégiées servent de base à des variations peu audacieuses. Dans la majorité des cas, le modèle se découpe sur un fond sombre. Le rideau, les colonnes et la fenêtre permettent de varier les effets. La plupart des personnages sont assis. Les hommes croisent les mains. La rigueur de la composition donne à la plupart des œuvres une solidité qu'accentuent encore la tonalité sombre et les tons chauds. Généralement invisible, la touche s'attarde rarement aux reflets et aux contrastes vifs. La technique apprise pendant un long apprentissage de six années et perfectionnée en copiant les grands maîtres n'accuse jamais de défaillance. La densité plastique obtenue chez les peintres français du 19ème siècle grâce à une magnifique orchestration d'accessoires précieux autour du thème principal sera obtenue — dans les meilleurs cas — par des simplifications vigoureuses.

Ressemblance : son mérite constant

Les critiques de l'époque ont loué sans relâche la ressemblance de ses portraits avec les modèles. C'est là le mérite le plus constant de Théophile Hamel. À l'intérieur du cadre sévère qu'il impose à tous ses modèles, Hamel est parvenu à varier les expressions et à mettre en évidence les traits importants. La confrontation avec les photos de l'époque montre bien la justesse de son observation. Il n'est que de regarder son **Autoportrait** de la Galerie natio-

178. *Martyre de Saint-Pierre.* Entre septembre 1845 et juillet 1846. Église Saint- Dominique à Québec.

179. Titien. *Martyre de Saint-Pierre.* Gravure par Rota

nale, **G. B. Faribault**, **Abraham Hamel** ou **L. J. Papineau**. Bien des portraits restent au niveau d'une solide ressemblance alors que plus d'insistance sur certains caractères particuliers leur auraient donné une originalité remarquable.

Second dénominateur commun : dignité

La gamme des sentiments exprimée par cette imposante galerie de personnages demeure assez réduite. Toutes les variantes comportent une large part de dignité qui doit être considérée comme le second dénominateur commun — avec la ressemblance — de tous les portraits de Théophile Hamel. Alors que la plupart des hommes observent une réserve polie, les femmes sont plutôt timides. Ses meilleures réussites sont les portraits d'hommes où il excelle à nous faire sentir l'importance que les modèles attachent au prestige de leur situation. Le **Maire Charles Wilson** lève le menton avec une superbe dignité. Le torse puissant de l'**honorable Melchior-Alphonse de Salaberry** supporte une tête impressionnante dans son mélange de gravité et de bonhomie. Une certaine douceur tempère généralement la froideur (**Abbé Ferland**) ou la suffisance (**Abbé Édouard Faucher**) des gens d'Église. Les visages féminins dégagent une douce résignation qui les fait ressembler plus à des religieuses qu'à des femmes soucieuses de plaire. Étrange paradoxe, les religieuses d'Antoine Plamondon sont beaucoup plus fraîches que la plupart des femmes du monde peintes par Théophile Hamel. Exceptionnellement, le fin sourire de **Mme Dessane** et l'attente un peu inquiète de **Mme Marc-Pascal de Sales Laterrière** révèlent un artiste sensible au jeu subtil des sentiments de jeunes femmes admirées malgré la réserve obligée dans le comportement et l'usage des toilettes. Sauf en quelques rares tableaux, — **Mme René-Édouard Caron**, **Mme Lemoyne Angers** — toutes les femmes portent de lourdes robes aussi discrètes que les visages. Théophile Hamel censure rigoureusement ses modèles qui peuvent être charmants mais se voient interdire toute sensualité. Au charme exceptionnel des femmes correspond la force de caractère chez des hommes comme **Pierre Moreau**, **Abraham Hamel** et **Benjamin Corriveau**.

Même les enfants doivent poser avec majesté. Plusieurs ont l'air soucieux de l'Enfant Jésus rédempteur. Le sourire leur est à peine permis. Des fleurs et des animaux — sévèrement bannis des portraits d'adultes — agrémentent quelquefois la composition. Un ordre rigoureux fait passer les fleurs au rang de nature morte bien composée. **Léocadie Bilodeau**, **Ernest Morisset** ainsi que **Olympe et Flore Chauveau** atteignent cependant une perfection remarquable.

Il est difficile de partager l'enthousiasme manifesté au 19ème siècle pour les œuvres de Théophile Hamel. Tout en admirant sans réserve ses meilleures réussites, nous ne pouvons oublier la très grande spécialisation de sa thématique — le visage — la répétition continuelle des mêmes schémas formels et une dépendance en regard du Titien qui lui fournit à trop bon compte des environnements solennels.

Un immense succès

Mais les contemporains n'ont jamais douté de son talent. Seul Antoine Plamondon pouvait supporter la comparaison et prétendre à plus d'originalité. Ses attaques contre Théophile Hamel portent cependant sur la préférence que lui accorde le gouvernement plutôt que sur les œuvres elles-mêmes. Pourtant, il aurait eu raison de contester des choix comme celui de la **Sainte Geneviève** pour l'Exposition universelle de Paris en 1867. J.-C. Taché, responsable des œuvres, écrivait à Théophile Hamel :

> Il faut que tu envoies aussi au moins la tête de ta sainte Geneviève comme tête de caractère à part du faire qui est superbe. C'est un chef-d'œuvre et tu ne serais pas juste envers toi-même si tu ne l'exposais pas : puis un artiste appartient à son pays [25].

Ces louanges prenaient encore plus d'ampleur sous la plume des journalistes qui ont commenté l'envoi. Selon eux « Théophile Hamel a une manière, un talent qui font que ses œuvres seraient remarquées même dans les grands jurés d'Europe [26] ». Cet immense succès qui touche même ses œuvres les plus insipides s'explique par la rencontre favorable de plusieurs éléments personnels et artistiques.

Théophile Hamel a su trouver un style qui convenait à son tempérament et aux aspirations de la société canadienne des années 1850. Paisible et rangé, Théophile Hamel ne se sentait pas attiré par les audaces picturales nourries de compositions complexes et d'éclats chromatiques. Sa formation et son désir d'accéder aux classes sociales supérieures l'inclinaient à un art plein de noblesse. Le grand nombre de commandes ne pouvait s'accommoder d'un style où le rendu minutieux des accessoires et la mise en place de compositions originales auraient exigé de nombreuses études préparatoires et des mois d'exécution. Personne n'exigeait d'ailleurs de telles œuvres. Une fine remarque de F.-X. Garneau éclaire cette question. Parlant d'Antoine Plamondon qui abandonna la peinture pour l'agriculture, il dit ceci : « L'esprit commercial va trop loin en Amérique pour favoriser les beaux-arts. De simples ébauches ont aux yeux de la multitude la valeur de morceaux achevés ; il faut seulement savoir les faire valoir. Le Canada n'avait pas encore reçu de peintres formés sous des maîtres de l'école française. Nous ignorons si M. Hamel, qui a remplacé M. Plamondon à Québec et qui sort des écoles de Rome, sera plus heureux [27]. » Non seulement il a été plus « heureux » mais il a suscité une pléiade d'imitateurs qui ont perpétué sa manière jusqu'au 20ème siècle.

Chapitre IV
Les disciples

180. Antoine-Sébastien Falardeau. *Beatrice Cenci* d'après Guido. Reni. Vers 1859. Musée du Québec.

Introduction
Un siècle de portrait

Telle une série de miroirs, les œuvres des disciples de Théophile Hamel projettent jusqu'à nous les thèmes, la technique et même les recettes du maître. L'influence de Théophile Hamel s'est exercée à des degrés divers selon les talents de ces artistes, la nature et l'abondance de leur production. Ses cours l'ont mis en contact avec des amateurs et des membres de communautés religieuses qui ont ensuite enseigné l'art à des générations d'étudiants. Bien que marginale, cette activité artistique dans les maisons d'enseignement — surtout dans les couvents — mériterait une étude attentive. Certains de ses élèves se sont orientés vers la décoration et la dorure. D'autres n'ont pu s'affirmer malgré un réel talent. C'est le cas de Ludger Ruelland (1827-1896) qui est demeuré le principal artiste d'un centre urbain secondaire. Le chevalier Falardeau (1822-1889), victime de ses légendes, échappa au cercle des disciples. Nous ne savons pas très bien quels furent ses rapports avec Théophile Hamel et, d'autre part, toute sa carrière est italienne. Sa production aurait cependant « inondé » le marché québécois si on en croit certains biographes. Deux élèves de Théophile Hamel ont joué un rôle de premier plan dans la seconde moitié du 19ème siècle : Napoléon Bourassa (1827-1916) et Eugène Hamel (1845-1932). Portraitiste fidèle à l'enseignement magistral, Bourassa n'a jamais pu réaliser ses grands rêves de décorations communautaires. Charles Huot poursuivra de semblables chimères jusqu'en 1930. Le véritable fils spirituel de Théophile Hamel fut son neveu Eugène. Saisissant le pinceau qui tombait des mains du maître, il a continué à peindre la clientèle habituée à fréquenter l'atelier depuis un quart de siècle. Les œuvres de son élève Sœur Marie-de-l'Eucharistie (1862-1946) ont perpétué certains éléments de son art jusqu'au milieu du 20ème siècle. Un siècle de peinture s'écoule donc entre l'arrivée de Napoléon Bourassa dans l'atelier de Théophile Hamel en 1849 et la mort de Sœur Marie-de-l'Eucharistie en janvier 1946.

Théophile Hamel professeur d'art

Le but de ce chapitre étant de poser les jalons essentiels pour étudier l'influence de Théophile Hamel, je dois mentionner son activité de professeur d'art dans les maisons d'enseignement. L'activité de cette catégorie de disciples échappe cependant à mon propos ; en général ce ne sont pas des artistes mais des gens doués qui fréquentent un temps son atelier afin de se familiariser avec les techniques nécessaires à l'éveil du goût chez leurs élèves. Ce sont des adultes d'un certain âge engagés dans une autre profession comme l'architecte Eugène Taché dont nous avons déjà parlé ou des religieuses d'origine française telles les Sœurs Saint-Alphonse et Sainte-Angèle de la Congrégation de Jésus-Marie. Les expositions d'œuvres réalisées par les élèves sont l'indice d'une activité picturale intense qu'il faut considérer au même point que les cours d'histoire ou de langue au sein des programmes classiques.

Cinq artistes secondaires

Thomas Fournier et l'abbé Épiphane Lapointe

Un seul de ses élèves du Séminaire s'est par la suite spécialisé en art : Thomas Fournier (1826-1865). Au cours de l'année académique 1842-1843, Théophile Hamel dispensait des cours de dessin en même temps qu'Antoine Plamondon au Séminaire de Québec [1]. Thomas Fournier poursuivait alors des études classiques régulières qu'il termina en août 1845 à la satisfaction des autorités [2] qui n'hésitèrent pas à lui confier l'enseignement du dessin pendant quelques années [3]. Le jeune homme, voulant aller en Europe pour se spécialiser en architecture, s'adresse au public par la voie des journaux. « Nous regrettons que notre législature ne pourvoie pas à l'entretien et l'envoi en Europe des jeunes gens chez qui une commission d'artistes et d'amateurs de goût découvrirait les qualités requises ; nous avons confiance nous aussi que le bon sens public, la générosité, le patriotisme feront ce que le gouvernement ne fait pas. Nous recommandons donc à l'attention du public le jeune M. Thomas Fournier, qui veut, si on lui en fournit les moyens aller en Europe perfectionner ses études d'architecture qu'il a commencées à Québec sous les auspices les plus favorables [4] ». Le **Journal de Québec** venait de publier trois certificats attestant sa compétence et redigés par le Supérieur du Séminaire, Antoine Plamondon ainsi que Théophile Hamel. Voici ce que dit Hamel :

> Je soussigné, certifie que, ayant enseigné au Séminaire de Québec, le dessin à M. Thomas Fournier, reconnais en ce jeune homme les plus grandes dispositions pour le dessin ; et que ses talents dans cet art méritent la confiance du public [5].

Mais le public fit sourde oreille. Thomas Fournier se situe donc en marge de la création picturale.

Il en est de même pour l'abbé Épiphane Lapointe (1822-1862) qui aurait étudié avec Théophile Hamel [6]. Né à l'Île-aux-Coudres, il fut ordonné prêtre à Québec le 13 octobre 1850 [7]. Les arts sont donc restés secondaires pour lui. À dix-huit ans, il s'était pourtant mérité un pemier prix de dessin à Sainte-Anne-de-la-Pocatière [8]. L'abbé Casgrain qui parlait de ses talents de poète et d'orateur dira qu'« il y avait aussi du peintre dans M. Lapointe. Quel est l'élève de son temps au collège de Sainte-Anne qui ne se rappelle ses études à l'estompe, si pleines de vérité et de vie ? Notre artiste canadien, M. Théophile Hamel, de qui il avait pris quelques leçons, reconnaissait en lui une nature d'artiste [9] ». Son œuvre est aujourd'hui complètement oubliée [10].

Ludger Ruelland principal artiste d'une agglomération mineure

Ludger Ruelland, voulant s'imposer par son seul talent, est demeuré un satellite de Théophile Hamel malgré de belles œuvres et une originalité non dépourvue d'audace. La réussite n'est pas uniquement fonction du talent. Certaines circonstances extérieures peuvent être décisives. Eugène Hamel par exemple a bénéficié dès l'origine du crédit dont jouissait son oncle. À la mort de Théophile, ce jeune homme de vingt-cinq ans prend la relève alors que Ruelland âgé de quarante-trois ans et en pleine possession de ses moyens avait déjà montré plus de personnalité que n'en fera paraître cet artiste pendant toute sa carrière. La tradition veut que Ludger Ruelland ait appris son art chez Théophile Hamel [11]. Nous n'en avons cependant aucune preuve. Sa production picturale est aussi mal connue que sa vie. Les documents donnent environ soixante titres d'œuvres et un rapide sondage m'a permis d'en localiser une trentaine dans les paroisses ou au musée du Québec. Une recherche systématique ferait probablement apparaître bon nombre de tableaux. En outre, plusieurs dessins faits sur papier ont certainement été détruits. Un autre facteur explique la disparition de bien des œuvres ; sa clientèle se recrute chez les petites gens et les curés de campagne éloignés des centres importants. Cette catégorie de gens ne s'intéresse qu'exceptionnellement aux œuvres d'art surtout quand le personnage représenté n'existe plus. Nous avons cependant assez de matériel pour nous faire une juste idée de son talent. Alors que les portraits de religieux et de laïques sont nombreux il n'y a que peu de compositions religieuses. Un choix de soixante œuvres ne comporte que trois compositions religieuses. Par ailleurs, la presque totalité de ses œuvres représentent d'humbles curés et des personnages de seconde importance. Nous connaissons quelques commandes intéressantes faites par des groupes paroissiaux ou des employés voulant honorer leur supérieur. En janvier 1873, « les commis de la maison Carrier, Dagneau et Cie présentent à M. Calixte Dagneau, à l'occasion de l'anniversitaire de sa naissance, une magnifique chaîne de montre en or et son portrait au crayon fait par M. Ruelland [12] ». Un modeste sellier du nom de Henri Verreault se verra offrir en 1881, une adresse et son portrait au crayon [13]. Pour exprimer leur gratitude à la directrice du chœur de chant, les demoiselles Enfants-de-Marie de Notre-Dame-de-Lévis lui offrent son portrait au crayon [14]. Étienne Légaré, premier chantre de la basilique et professeur de plain-chant à Notre-Dame-de-la-Garde du Cap-Blanc reçoit son portrait offert par les chantres [15]. Exceptionnellement des organismes plus importants s'adressent à lui, même du vivant de Théophile Hamel. Le 1er mai 1865, le Conseil de ville de Lévis accepte le portrait du maire Louis Carrier exécuté par Ludger Ruelland pour la somme de quarante-deux dollars et soixante cents [16]. Nous sommes en présence d'un cas de mimétisme courant d'un groupe social à l'autre. Ces modestes cérémonies au cours desquelles on offre une adresse et un portrait sont à l'image des grandes démonstrations populaires organisées en l'honneur de Chiniquy ou de l'abbé McMahon.

L'artiste est peu exigeant pour le prix ce qui ne veut pas dire que son art soit inférieur. Négligeons le courant « naïf » représenté par le portrait du pilote **Pierre Gourdeau** et par le **Cardinal Taschereau** dont il existe au moins quatre copies. La raideur des attitudes et les étranges proportions sont courantes depuis les débuts de notre tradition picturale. Chose assez surprenante, Théophile Hamel lui-même a produit des œuvres « naïves ». D'autres aspects sont plus intéressants. Comme Hamel, Ludger Ruelland utilise toujours deux toiles pour représenter les couples. De la même façon, il représente souvent les curés vêtus de leur riche surplis blanc. Sont ainsi représentés l'**Abbé Charles Trudelle**, curé de Saint-François-de-Montmagny, l'**Abbé Louis Proulx** de Sainte-Marie-de-Beauce, l'**Abbé Charest**, troisième curée de Saint-Roch-de-Québec et l'**Abbé Louis Poulin**, curé de Saint-Isidore de 1843 à 1871. Peint quelques mois avant le décès de Théophile Hamel, ce dernier portrait fut donné lors d'une fête paroissiale.

> Il y a quelques mois déjà, à une assemblée publique tenue dans cette paroisse [...] il fut proposé et résolu à l'unanimité :
> 1. Qu'il était d'une impérieuse convenance que la paroisse donnât, à son vénéré pasteur, un témoignage solennel d'estime et de reconnaissance pour tout le bien qu'il avait fait au milieu d'elle, depuis près de vingt-sept ans qu'il la dirige.
> 2. Que pour tendre à cette fin, on ferait peindre sur toile le portrait de ce bon pasteur et qu'on placerait cette toile dans la sacristie comme monument perpétuel de l'estime et de l'affection que la paroisse avait eues pour lui.
> 3. Que la présentation de cet hommage se ferait à M. le Curé Poulin, le jour de sa fête, le vingt-cinq août suivant.[...].
>
> La messe terminée, tout le peuple se rendit à la résidence de M. Ant. Nadeau, d'où l'on devrait porter processionnellement le portrait à la sacristie où devait se faire la présentation : mais c'est ici le lieu de parler de ce beau morceau.
>
> La toile, y compris le magnifique cadre qui l'entoure, forme un tableau de six pieds de hauteur sur cinq de largeur. Dans son ensemble, ce tableau est l'œuvre de nos artistes canadiens et démontre encore une fois de plus que chez ceux-ci on peut trouver autant de satisfaction que chez les artistes de n'importe quel pays étranger.
>
> La toile représente M. le curé Poulin assis dans un fauteuil revêtu d'un surplis et de l'étole avec un bréviaire à

la main ; elle offre la ressemblance la plus frappante possible avec son sujet. Sous le rapport artistique, au dire des connaisseurs, cette toile est l'œuvre d'une main de maître. C'est M. Ruelland de la Pointe-Lévis qui a peint ce portrait, et je suis heureux de dire qu'il lui fait honneur et lui méritera l'encouragement de tous ceux qui auront occasion de le voir.

Quant au cadre, dont la sculpture est due à M. Samson et la dorure à M. Bélanger, tous deux de Québec, il fait aussi honneur, pour le goût et la perfection avec lesquelles il est exécuté, aux deux artistes qui en sont les exécuteurs.

Ce beau tableau était surmonté, pour la circonstance, d'une inscription ainsi conçue : « Hommage à notre bon Pasteur » autour de laquelle on avait disposé une riche guirlande de fleurs et de rubans qui venaient en contours gracieux, se terminer par de belles touffes de fleurs aux coins supérieurs du cadre d'où partaient quatre rubans dont les extrémités devaient être tenues par quatre petites filles vêtues de blanc et couronnées de fleurs.

La procession étant organisée, défila entre une double haie de soldats formée par la compagnie de volontaires de la paroisse ; d'abord venaient les petits garçons agitant dans les airs leurs petites oriflammes aux mille couleurs ; puis les petites filles, en grand nombre, toutes vêtues de blanc avec des couronnes sur la tête ; enfin venait le tableau adapté, en guise de bannière, sur un brancard bien orné que portaient quatre notables de la paroisse, savoir, le maire, le juge de paix, un ancien marguillier et un ancien capitaine de milice ; le peuple fermait la marche.

Arrivée en face de la sacristie, où était préparée une estrade, surmontée d'un arc de triomphe couvert de verdure, parsemé de fleurs artificielles et couronné de l'inscription : « Hommage à notre bon Pasteur », la procession s'arrêta et chacun prit la place qui lui était assignée.

[Il y eut alors plusieurs discours et présentation des armes.]

Enfin, M. le Rédacteur, permettez-moi d'ajouter que pour terminer cette belle journée comme elle était commencée, il y eut, sur le soir, feu de joie et fusillade bien nourrie jusqu'à neuf heures, après quoi tout tomba dans le silence de la nuit, sauf la mémoire de ce beau jour dont on parle encore et dont on parlera d'ici à longtemps.

A.N. [17]

Ses meilleurs portraits se détachent nettement du style propre à Théophile Hamel. Le couple **Auguste Bernier** par exemple nous situe plus près de la tradition française. La femme malgré une certaine raideur pose avec une grâce qui la fait ressembler plus à **Madame Françoise Leblanc** d'Ingres qu'aux femmes de Théophle Hamel. Le coude se détache du corps pour s'appuyer sur la table, les épaules s'éloignent du dossier de la chaise ce qui a pour effet de dégager le personnage dont le riche vêtement s'orne d'une magnifique dentelle et d'une profusion de bijoux qui constrastent avec la sévérité de la chevelure d'où émerge le lobe d'une oreille sans ornement.

Auguste Bernier se découpe sur un fond de paysage. C'est une variante du héros devant des ruines romaines dont il y a tellement d'exemples dans le romantisme et le néo-classicisme français. La canne, le chapeau, la finesse de la main et l'orignalité de la barbe créent un personnage séduisant et d'une élégance recherchée. Une étude plus poussée de la carrière de Ludger Ruelland aborderait plusieurs questions essentielles pour notre art au 19ème siècle. Nous manquons en effet de renseignements sur les centres artistiques secondaires de même que sur la clientèle des artistes qui s'y trouvent. Les relations qui se nouent jusque très loin dans les campagnes entre un artiste comme Théophile Hamel et sa clientèle n'excluent pas et même se superposent à cet autre réseau de relations tissé autour d'artistes mineurs comme Ludger Ruelland. Lévis, centre secondaire, reçoit des commandes des paroisses rurales mais aussi de Québec. En outre, la situation financière d'un artiste comme Ludger Ruelland contraste avec celle des peintres de première grandeur. Bien que limitée, la production artistique des artistes mineurs n'est pas nécessairement inférieure à celle des maîtres reconnus. Les jugements portés à partir de quelques œuvres auraient avantage à être reformulés en tenant compte de toute la production d'un artiste comme Ludger Ruelland.

Antoine-Sébastien Falardeau victime de ses légendes

L'activité artistique liée à Théophile Hamel au milieu du 19ème siècle ne peut ignorer le peintre Antoine-Sébastien Falardeau (1822-1889). Son nom, inconnu des profanes, fait sourire les spécialistes qui ont lu plus de choses à propos de son chat et de son titre de chevalier qu'à propos de ses tableaux. Par ailleurs, l'anathème proféré contre lui par Gérard Morisset tient à distance les historiens d'art.

Deux raisons demandent que certains aspects seulement de la carrière de Falardeau soient étudiés ici. D'abord ses relations avec Hamel ont été tellement superficielles qu'on peut difficilement l'inclure parmi ses disciples. Par ailleurs, ses œuvres ne sont que peu connues puisque toute sa carrière s'est déroulée en Italie soit de 1846 à 1889.

Les documents sur lesquels s'appuie la tradition voulant que Théophile Hamel ait aidé le jeune Falardeau à apprendre la peinture sont peu convaincants. En 1858, douze ans après son départ, un journal mentionne qu'il prit ses premières leçons de Théophile Hamel qui lui conseilla de se rendre en Europe [18]. En 1862, Henri-Raymond Casgrain, premier biographe de Falardeau, mentionne que Théophile Hamel « l'encourageait alors de ses conseils et lui prêtait des dessins ». Il aurait continué à pratiquer l'art tout en travaillant comme commis ici et là. « Il avait d'abord nourri le projet d'entrer à l'atelier de M. Hamel à son retour ; mais la vue des riches dépouilles du vieux monde que celui-ci déploya devant ses yeux à son arrivée, et le récit qu'il lui fit des merveilles qu'il avait vues, des beautés artistiques, des chefs-d'œuvre des grands maîtres qu'il avait admirés, alluma un volcan dans son cerveau. Il ne dormit plus [19] ». Bellerive en 1925 [20] et Robson en

81. Ludger Ruelland. *Auguste Bernier.* H. 88 cm x L. 72 cm. Musée du Québec.

182. Ludger Ruelland. *Mme Auguste Bernier.* H. 88 cm x L. 72 cm. Musée du Québec.

83. Ludger Ruelland. *Paul Picard.* Dessin. H. 80 cm x 55 cm. Musée du Québec.

184. Ludger Ruelland. *Madame Paul Picard.* Dessin. Sœur du grand chef huron Nicolas Vincent. H. 58 cm x L. 45 cm. Musée du Québec.

1932[21] reprendront ces affirmations sans les discuter. Né à Cap-Santé, le jeune homme aurait déserté la maison paternelle vers l'âge de quatorze ans et serait venu tenter sa chance à Québec où sa tante Drolet lui trouva du travail chez le docteur James A. Sewell sur la rue Sainte-Ursule [22]. Aucun document ne parle de son apprentissage. Celui sur lequel se fonde la tradition voulant qu'il ait étudié chez Hamel fut écrit, comme nous avons vu, douze ans après son départ de Québec. Trois ans auparavant **La Minerve** avait parlé de ses études chez le peintre miniaturiste Fassio [23]. D'après Casgrain, il aurait aussi étudié chez R. C. Todd pendant deux ans [24]. La situation n'est guère plus limpide en ce qui regarde son travail en tant que commis. Au moment de son départ pour l'Europe en 1846, **Le Journal de Québec** le dit employé chez François Parent, marchand à la basse-ville [25]. D'après Émile Falardeau, il travaillait chez Abraham Hamel et Frères qui auraient pris l'initiative de lui trouver les moyens financiers pour aller étudier en Europe [26]. Cet auteur ne souffle mot des cours donnés par Théophile Hamel. Dans l'état actuel de nos connaissances, il est prudent de s'en tenir au fait que le jeune Falardeau suivait des cours de peinture tout en travaillant. Le peintre italien Fassio peut l'avoir orienté vers l'Italie et même lui avoir appris les rudiments de la langue. Il est probable qu'Abraham Hamel l'ait aidé dans ses projets mais ses relations avec Théophile n'ont sans doute pas eu beaucoup d'importance sur le plan artistique. Ils se sont probablement rencontrés puisque Théophile demande à son élève Napoléon Bourassa d'aller le voir de sa part à Florence en 1853. Il faut citer ce qu'en dit ce visiteur :

> Mais en effet, je ne dois pas oublier avant de finir, de vous dire un mot de votre compatriote Falardeau. Je me souviens que, à mon départ, vous me priates de vous faire ce plaisir. Falardeau fait bien à Florence ; il s'est monté ce printemps un logement, qui peut certainement témoigner de son goût, de son travail et de ses économies. Il a, et ne manquera jamais, d'avoir, beaucoup à faire ; aussi travaille-t-il en conséquence. Je crois qu'il réussira avant dix ans à doubler les galeries à Florence. Par exemple, il n'a pas fait moins de douze à quinze Poesie de Carlo Dolci, depuis que je le connais : ce qui me faisait lui dire, un peu en riant, que c'était beaucoup faire de poésie pour un homme qui n'était pas poète ; [...] L'énergie invincible qu'il a laissé voir en poursuivant sa carrière avec autant de constance, malgré les mille obstacles qui la croisaient prouve qu'il a du talent, et qu'il en sentait beaucoup en lui. Maintenant que puis-je vous dire de ce talent ; je ne sais trop... j'ai vu, de lui d'excellents dessins d'après nature. Et des copies irréprochables : Pas plus. Peut-il faire un tableau, peut-il faire un portrait ?... je ne le sais pas, je n'ai rien vu de semblable dans son atelier— les peintres qu'il me paraît le mieux comprendre, sont le Guide, et Carlo Dolci ; pour les coloristes, je ne crois pas qu'il les ait bien entendus. Mais en somme il reproduit les originaux avec exactitude, sait peindre les draperies et les accessoires d'un ta-

> bleau, avec légèreté et sans rebattre trop son travail. Je crois véritablement qu'il aurait acquis une bonne couleur, ou qu'il pourrait encore y arriver en travaillant plus d'après nature, ou en ne copiant que les coloristes. Pour aujourd'hui, je puis dire qu'il a peu d'égaux parmi ceux qui font profession de la copie à Florence. Vous savez à quoi vous en tenir si vos souvenirs des Galeries de cette Ville vous sont encore présents. Falardeau s'en tiendra-t-il à ce genre toute sa vie ? je l'ignore... Je ne puis pas croire qu'il ait choisi cette carrière par goût, pouvant avoir un mérite original et après avoir fait des études excellentes. Cet homme a senti rudement ce que vaut l'argent et il a pris la route la plus courte, pour s'en procurer au plus tôt : c'est un malheur chez lui bien plus qu'un tort, et on doit le regretter pour son talent [27].

Un siècle plus tard, nous ne sommes guère plus en mesure de porter un jugement sur la qualité de son art. La plupart de ses œuvres sont en Europe. Y en aurait-il beaucoup au Canada ? Les articles de journaux publiés en 1862 et en 1882 lors de ses deux brefs voyages au Canada apportent des éléments de réponse. Lors de son premier voyage, l'artiste apportait plus de cent tableaux qu'il offrit en vente à Québec puis à Montréal. Les dernières toiles furent vendues à l'encan [28]. À Québec, les tableaux de Falardeau sont achetés par les mêmes personnes qui passaient des commandes à Théophile Hamel. Amable Dionne achète **La Musique** d'après Martinelli et **Flore** d'après Titien. Jean-Baptiste Renaud se porte acquéreur d'une **Judith** d'après C. Allori. M. Derbishire achète trois œuvres : **Jésus enfant** d'après **Albano,** la **Madeleine** d'après Titien, un **Christ** d'après Maratta [29]. L'arrivée de cette importante collection n'a pas suscité que des réactions favorables. L'enthousiasme du public fut assez marqué pour qu'Antoinc Plamondon sorte de son antre et fulmine d'amers reproches à l'endroit d'un correspondant qui avait osé louer les toiles de Falardeau dans **Le Journal de Québec**. « Toutes les figures, dit-il, de Vierge et d'Enfant-Jésus, de ces tableaux qui viennent de Florence, paraissent être arrivées à la dernière phase de la consomption au point que c'est à faire peine à voir. Pas une seule goutte de sang ne circule dans leurs veines. Les visages, les bras, les jambes, les pieds paraissent être faits de pierre. Et vous, Canadiens, qui n'avez pas vu les originaux des maîtres vous vous écriez que ces copies sont faites comme des originaux [30]. » Blessé à vif par le fait que le gouvernement ait choisi Théophile Hamel pour de grands travaux, il s'indigne maintenant qu'on recommande d'acheter des copies à Florence alors que lui « a dû de découragement se retirer à la campagne ». Le fait que nos églises possèdent peu d'œuvres dues à Falardeau laisse supposer que l'attaque du Peintre laboureur fut efficace. Falardeau revint cependant en 1882 avec un lot d'environ soixante-quinze toiles qu'il vendit de vingt à deux cent cinquante dollars pièce [31]. Si on ajoute à ces deux ensembles une collection commandée en 1857 et conservée en Ontario ainsi que des commandes faites lors de ses deux séjours ou par des visiteurs en Italie, on peut dire que plus de deux cents tableaux de Falardeau ont existé au Canada.

La plupart de ces tableaux sont évidemment des copies de grands maîtres. Sans tradition, dépourvu de peintres importants, loin des foyers artistiques, le Canada ne pouvait se désintéresser des copies. Beaucoup de tableaux faits par Légaré, Plamondon et Hamel reprennent des toiles de second ordre, souvent avariées ou restaurées. Falardeau a l'avantage de peindre directement devant des originaux de première qualité. Les copies que j'ai pu examiner soutiennent avantageusement la comparaison avec celles des artistes locaux. Son merveilleux petit tableau représentant **Beatrice Cenci** d'après Guido Reni daté de 1859 donne une bonne idée de son talent. Sur la vingtaine de tableaux conservés au musée du Québec plusieurs sont d'une égale qualité. Sa production comporte par ailleurs des œuvres originales dont il est impossible d'évaluer l'importance puisque la carrière de l'artiste s'est déroulée en entier en Italie. Il a fait des portraits puisqu'en 1882, le gouvernement lui commande le portrait du premier ministre Chapleau contre la somme de cinq cents dollars [32]. Émile Falardeau pense que l'artiste aurait fait plus de trois cents peintures originales et un grand nombre de portraits. Il faudra étudier cet aspect de sa carrière avant de formuler des jugements définitifs. La dispersion des œuvres rendra peut-être cette tâche impossible.

Beaucoup de ses œuvres ont dû être achetées par des étrangers puis rapidement oubliées. Antoine-Sébastien Falardeau demeure un artiste à découvrir.

Gustave Hamel, fils de Théophile

Auteur d'un **Carnet** de dessins et d'un volumineux **Journal de voyage** en Europe, Gustave Hamel (1862-1917), fils de Théophile, mériterait une étude. Quand son père disparaît en 1870, Gustave est encore un enfant ; il n'a donc pas reçu d'éducation artistique de son père. L'ambiance familiale l'a cependant mis en contact avec la musique et la peinture. Sa mère, musicienne elle-même, aimait beaucoup les concerts. Les tableaux de son père décoraient la maison, et son cousin Eugène devait faire partie du cercle des intimes. L'activité artistique de Gustave Hamel n'a jamais dépassé le niveau de l'amateurisme puisqu'il fit des études qui l'ont mené à la licence en droit [33] puis à l'exercice de sa profession à Saint-Joseph-de-Beauce. Nous avons déjà parlé de ses activités comme administrateur des biens de la famille jusqu'à sa mort survenue le 21 février 1917. Sa propre famille était nombreuse. Le 23 octobre 1890, il épousait Amélie Duchesnay, qui lui donnera dix enfants. Malgré sa faible santé, il voulut devenir politicien au sein du parti conservateur. Défait aux élections de 1912 par le docteur A. Morisset dans le comté de Dorchester, il ne renouvela pas sa tentative. Ses goûts le portaient plutôt vers les activités de type culturel.

186. Gustave Hamel. *Maison Panza à Pompei.* Dessin. Collection Madeleine Hamel.

185. Gustave Hamel. *Satyre et pan.* Dessin. Collection Madeleine Hamel.

a) Voyage en Europe

Son **Journal de voyage** (6 octobre 1887 — 23 janvier 1888) nous le montre visitant consciencieusement les musées et les monuments importants de chaque ville. Il assiste à un nombre impressionnant de concerts et de pièces de théâtre. Étudiant, il aimait jouer dans les pièces montées au collège. Une fois marié et installé dans la Beauce, il continuera à jouer de temps à autre. Son **Journal** nous offre l'image parfaite du jeune homme rangé désireux de s'instruire. Âgé de vingt-cinq ans, brisé par un chagrin d'amour, il s'embarque sur le **Parisian** en compagnie de son ami Georges Garneau qui voyage avec son père. Après un bref séjour en Angleterre, c'est Paris puis l'Italie jusqu'au 28 décembre 1887. Un second séjour à Paris avant de reprendre le bateau (7 janvier-14 janvier 1888) lui fera dire : « Il était temps que je laisse cette ville enchanteresse avec ses plaisirs enivrants trop violents pour ne pas triompher de ma faible vertu [34] ». Le visiteur parle abondamment des œuvres d'art qu'il rencontre sur sa route ; les maîtres du passé lui plaisent toujours. L'art moderne ne l'a pas touché. Pourtant Manet est mort depuis quatre ans déjà et les Impressionnistes en sont à leur huitième exposition de groupe. Il serait cependant exagéré de vouloir qu'il découvrît en une semaine ce que certains de nos artistes professionnels n'ont pu voir pendant des séjours autrement prolongés. Le **Journal** ne comporte aucune allusion à son père mais il visite le chevalier Falardeau [35] qui dut le recevoir assez rapidement si on en juge par son emploi du temps au cours de cette journée. À Rome, par contre, il rencontre à plusieurs reprises la famille Cadilhac. Somme toute un voyage bien rempli qui se termine dans l'optimisme. Parti pour oublier la « cruauté » d'une jeune fille, il revient décidé à « mettre fin à cet amour qui n'est pas partagé [36] ».

b) Le carnet de dessins

Ses dessins forment trois séries inégales. Le tome 2 de son **Journal** comporte huit esquisses de peu de qualité. Le **Carnet** comporte un premier groupe de vingt-deux dessins qui se répartissent comme suit :

croquis d'amis : 6
croquis de personnages étrangers : 6
cheval : 1
architecture : 1
statues : 2.
divers : 6

Il crayonne plusieurs fois son ami George Garneau qui suivait le même itinéraire. Un **Géant** du palais des Doges à Venise et une statue de **Satyre et Pan** l'ont impressionné. Les ruines de Pompéi font l'objet de longues descriptions. La maison de Pansa, près de la rue Nola [37], constitue le seul motif architectural qu'il ait fixé dans son album. Les onze autres croquis ont été faits au Canada et représentent sa mère, sa femme et ses enfants. Certains sont datés : mars 1889, avril 1891, mars 1898 [38].

Plusieurs de ces dessins sont bien enlevés et montrent la continuité de la tradition dans cette famille qui a vécu du portrait. Gustave représente un cas intéressant d'homme de loi passionné de théâtre, de musique et d'art. L'étude de tels personnages aiderait à « mesurer » la densité culturelle de villages apparemment sans liens culturels importants avec la ville.

Napoléon Bourassa élève de Théophile Hamel

Nous avons eu l'occasion de mentionner les liens qui unissaient Théophile Hamel et Napoléon Bourassa. L'exceptionnelle carrière de ce dernier doit être évoquée dans son ensemble afin que le lecteur puisse se faire une idée de la nature de ses attaches avec l'art de son premier maître. Rappelons d'abord les faits essentiels. Le volume d'Anne Bourassa [39] et la thèse de Roger Lemoine [40] renseignent parfaitement sur la biographie du personnage et sur ses activités littéraires. Il suffit de retenir ici les éléments décisifs pour sa carrière artistique : apprentissage chez Théophile Hamel, premier voyage en Europe de 1852 à 1855, deuxième voyage en 1877 et rencontre du fils d'Hippolyte Flandrin, troisième voyage en Europe en 1883. Ce dernier séjour européen n'ayant pas eu de conséquences marquantes, nous n'en reparlerons pas.

Esthétique bourassienne L'esthétique bourassienne s'est révélée en de nombreux articles dans les journaux ou dans la **Revue canadienne** ainsi que dans ses textes manuscrits encore inédits. Son esthétique peut se résumer de la façon suivante : la foi guide le choix du style et des sujets appropriés à la formation d'un art durable et édifiant. Sa formation classique et son activité littéraire l'ont orienté vers une réflexion sur l'art que Théophile Hamel ne pouvait entreprendre et qui ne semble avoir jamais préoccupé Eugène Hamel. Ses sources sont évidentes : Schlegel, Rio, Mgr Dupanloup et surtout Victor Cousin (1792-1867). L'esthétique de Napoléon Bourassa explique ses options et le situent en regard de Théophile Hamel. Trois éléments majeurs orientent sa carrière.

1. La foi.

Depuis l'origine des temps, la foi a guidé les artistes. L'art égyptien, syrien, grec et romain proclament l'existence de Dieu [41]. Il ne craint pas d'affirmer que « dans tous les temps et chez tous les peuples, la religion [...] a toujours été la première inspiratrice de l'art et presque l'unique objet de ses productions [42] ». Dieu étant la Beauté, l'art doit parler de Dieu. Le rôle des œuvres d'art consiste donc à guider l'esprit du peuple vers l'adoration de la divinité [43]. Les sujets seront choisis en fonction de cet objectif fondamental.

2. L'éclectisme

L'art, bien que s'adressant à l'âme, impressionne d'abord les sens. En conséquence, il importe de choisir un style capable de dépasser l'agréable pour atteindre le sublime. Les grands artistes européens ont imaginé des formes qui atteignent ces buts. Nous, Canadiens, nous ne pouvons avoir cette ambition puisque nous sommes trop éloignés de la civilisation. « Aventuriers, nous sommes venus chercher fortune et fonder de nouvelles sociétés avec les éléments primitifs de celles d'où nous sommes sortis. [...] Nous n'avons pas le choix de créer une nouvelle civilisation, nous pouvons, tout au plus, espérer donner une physionomie un peu différente à celle que nous avons reçue. Notre art et notre devoir, c'est l'éclectisme [44] ». Quels seront donc les idoles de Napoléon Bourassa ? Pour lui la Renaissance est synonyme de décadence. Il distingue cependant deux temps. Au début du 16ème siècle, des artistes comme Léonard de Vinci, Michel-Ange, Raphaël et Pérugin continuent la tradition avec la même piété que les artistes médiévaux. « Nous savons, dit-il, que les grands artistes [du Moyen Âge] se préparaient à leurs œuvres par la prière, exécutaient leurs travaux à genoux et fondaient en larmes en représentant les souffrances et les actions du Sauveur [45] ». La mythologie vint tarir cette source chez Raphaël lui-même qui sacrifiait à la nouvelle mode pendant le dernier tiers de sa vie. Les 17 et 18èmes siècles ne produisent rien de bon. Par ailleurs, il élimine de la carte artistique tout l'art du nord de l'Europe. Les plus grands artistes ne peuvent trouver grâce. Il classe Rembrandt avec « une multitude d'autres fantasques, dévergondés, matérialistes, réalistes, païens [46] ». Il pense que

« les peuples sans croyances fixes et communes n'ont pas d'art. « L'incrédulité et l'athéisme n'ont produit que des œuvres avortées indignes de l'intelligence humaine. La réforme malheureuse du seizième siècle en scindant la famille chrétienne a fermé la moitié de l'Occident au vol du génie [47] ». Cette façon de voir les choses l'amène à des jugements entiers. Winckelman, principal théoricien du néo-classicisme fait l'objet d'une condamnation spectaculaire. « Winckelman et les autres critiques mal informés du XVIIIe siècle [...] ont glorifié indistinctement tous les âges, ils ont égalé les artistes sensuels de la décadence aux vieux génies des premiers temps ils n'ont pas vu que l'art s'était éloigné de la vraie perfection à mesure qu'il s'éloignait des hautes aspirations du spiritualisme. Ils ont contribué gravement à la décadence des arts de notre temps en exaltant comme l'idéal, un art plein de molesse et d'immodestie, dégradé et démoralisateur [48] ». Par contre Napoléon Bourassa ne tarit pas d'éloges pour Michel-Ange et Raphaël ainsi que pour Ingres et Flandrin qui, d'après lui, sont les grandes figures de l'art chrétien. Ses génies contemplaient la nature puis « allaient s'asseoir devant leur toile ou leur bloc de marbre, et, avant de porter le premier coup, ils regardaient au ciel, et ils lisaient ensuite dans leur âme l'image qui s'y était reflétée : c'est-à-dire l'idéal [49] ».

3. Oeuvres édifiantes et durables

Ces deux aspects complémentaires forment la troisième partie de son programme artistique. Chassé des temples par les protestants, l'art se tourna vers la sensualité, « il se renferma dans les limites de la petite vie du foyer, et devint le serviteur complaisant des grosses individualités [50] ». L'art étant « une véritable prédication, et la plus touchante et la plus éloquente des prédications [51] » il faut que l'artiste pense d'abord au peuple assemblé dans les temples. Mais les individus sont incapables de financer de grandes décorations murales. L'artiste canadien ne peut penser à de grandes réalisations à moins que l'État ne le soutienne financièrement. « Il nous naîtrait aujourd'hui, dit-il, cent Michel Ange que nous en aurions quatre-vingt-dix-neuf de trop, et le centième crèverait de faim ou devrait s'abandonner à la culture de la vigne ; comme fait Plamondon dans sa riante solitude de St-Charles [52] ». La communauté peut seule fournir au génie les édifices et les moyens financiers qui le libèrent de la peinture de chevalet [53]. Napoléon Bourassa n'a jamais pu obtenir une commande de l'État. Son grand tableau **L'Apothéose de Christophe Colomb** resté inachevé est maintenant roulé dans la réserve d'un musée. C'est pourtant le témoin d'une carrière courageusement orientée vers notre passé national. L'indifférence de l'État fit que Napoléon Bourassa ne put réaliser qu'une infime partie de ses rêves. Grâce à l'Église, il a pu travailler à trois grands projets de décoration : la chapelle de Nazareth (1870-1872), l'église Notre-Dame-de-Lourdes (1872-1874), la Vie de Saint Hyacinthe (1889-1892). Les projets de décorations pour l'église de Saint-Hugues (1879) et pour le temple de Saint-Ours n'avaient pas la même envergure.

Portraitiste issu de Théophile Hamel

Malgré son aversion pour la peinture de chevalet, Napoléon Bourassa a réalisé plusieurs portraits. De même que son éclectisme le dispensait de créer un style de décoration murale, il s'en est remis à Théophile Hamel pour la technique du portrait. Nous avons déjà parlé de son admiration pour les œuvres de son maître, admiration qui s'est raffermie devant les tableaux du Titien. L'action de Théophile Hamel sur Napoléon Bourassa fut profonde à plusieurs points de vue.

Tout d'abord Théophile Hamel doit être tenu responsable de la carrière de Napoléon Bourassa. Après avoir terminé son cours classique, ce dernier hésitait entre le droit et une carrière artistique. Sans rompre avec le domaine juridique, il vint demander à Théophile de l'éclairer sur ses talents en arts. « Quand j'entrai dans votre atelier, dit-il, j'y entrai je ne sais trop comment, sans beaucoup de conditions, vous laissant libre de me mettre tout bonnement à la porte, quand il vous semblerait bon pour mon propre bien de le faire. [...] Je restai ainsi, avec vous près de neuf ou dix mois, après quoi je vous demandai de me dire si je pouvais faire un peintre pas trop médiocre, et quelles seraient vos conditions, pour le passé et le futur. Votre réponse me donna de l'espérance... peut-être un peu trop... et je crus pouvoir accepter toutes ces conditions [54] ». Après la mort de Théophile Hamel, le disciple parlera de leurs rencontres dans une lettre à Mme Hamel. « Depuis bien des années, je n'avais que rarement l'occasion de voir votre bon mari ; mais c'était pour moi, une jouissance toujours bien précieuse : outre le plaisir de cœur que ces heureuses rencontres me procuraient, je puisais dans les conseils toujours sincères et ardents de l'ancien maître, un courage nouveau, une lumière ravivée pour continuer la carrière dont il m'avait embelli les abords. Il me communiquait en réalité quelque chose de ces jours pleins d'espérance, de force et d'illusions que j'avais connus quand j'habitais avec lui la même chambre et le même atelier [55]. »

Il est normal que les premiers portraits de Napoléon Bourassa copient en quelque sorte ceux de son maître. Mais toute sa production de portraitiste garde des attaches avec l'art de Théophile Hamel. Nous avons la bonne fortune de posséder les tableaux que les deux artistes firent de leur mère avant de partir pour l'Europe : **Mme F. X. Hamel** (1843) et **Mme François Bourassa** (1851). La composition d'ensemble est tout à fait la même. Assises presque face au spectateur, elles regardent droit devant elles. Le fond uni du tableau et la sobriété du vêtement en font des portraits sévères malgré la dentelle et la coiffe à double fraise. Nous connaissons deux versions de Mme F. X. Hamel. Celle que conservait la famille (maintenant dans une collection particulière) ne montre que partiellement la main droite. La version du musée du Québec laisse voir les deux mains. La physionomie des deux femmes les situe dans le même registre émotif. Légèrement coquettes en même temps que craintives, elles posent avec beaucoup de douceur. La seule originalité de Bourassa se trouve dans le rendu précis de la dentelle. Il affectionnera toujours la netteté des motifs et la clarté des compositions. Les dentelles de Théophile Hamel par contre gardent souvent un effet vaporeux ; certaines ne sont qu'esquissées avec la pointe du pinceau. Les œuvres de maturité montrent que Napoléon Bourassa ne s'est pas appliqué à renouveler le genre. Ses portraits peints figent les personnages en des attitudes en tous points semblables à celles qu'on trouve chez Théophile Hamel. Ézilda Papineau ou Côme-Séraphin Cherrier sont significatifs à cet égard. Par contre, il accentue parfois la vue de profil (**Madame Napoléon Bourassa**) ou donne plus de liberté au modèle (**Abbé Isaac Desaulniers**). La liberté des dessins remarquée chez Théophile Hamel se retrouve aussi chez Napoléon Bourassa et c'est là qu'il faut chercher le meilleur de sa production picturale. D'ailleurs, il semble bien que le meilleur de notre 19ème siècle soit la production dessinée plutôt que la peinture de chevalet. Le portrait d'Adine Bourassa est un chef-d'œuvre de sensibilité et de spontanéité. La bouche et les yeux sont dessinés avec une finesse qui fait oublier les dimensions de l'oreille. Alors que les zones sombres encadrent sobrement le visage, la flexion du cou donne au personnage une grâce remarquable. Plusieurs membres de sa famille ont été dessinés avec amour. Les nombreux dessins que conserve le musée du Québec comportent par ailleurs plusieurs études préparatoires pour ses grandes compositions religieuses. Une trentaine de dessins se rapportent à l'église Notre-Dame-de-Lourdes. On ne peut qu'admirer le jeune Isaac couronné de feuillages pour le sacrifice ou le couple Adam et Ève encore adolescents.

Tendu vers la réalisation d'œuvres communautaires, Napoléon Bourassa n'a jamais considéré ses portraits ou ses dessins comme des travaux importants. L'Italie lui a révélé d'autres formules. Frappé par les grandes décorations, il écrit à Théophile Hamel : « Je ne vous pardonnerais plus, si vous vous en teniez encore à refaire les figures que tout le monde vous présente, moyennant 2 heures par séance et 50 piastres de façon [56] ». Après six ans de travaux sans éclat, Bourassa voudrait bien abandonner la pratique de l'art pour se retirer sur ses terres à Monte Bello. « Je ne tiens pas aux petits genres, dit-il, ils ne me conviennent pas, j'y réussirais mal ; et je pense que c'est faire une vie inutile que de s'y livrer [57]. » D'ailleurs, si « l'artiste peut vivre de portraits, l'art ne vit que d'idées [58] ».

De magnifiques dessins

Nous venons de dire que dans ses portraits dessinés et dans ses esquisses pour décorations murales son talent se manifeste avec originalité. En effet, les personnages peints ressemblent trop à ceux de Théophile Hamel. Et ses décorations religieuses disent trop clairement sa dépendance à l'égard de Michel-Ange ou de Flandrin. La carrière de Napoléon Bourassa donne l'impression d'un échec. D'autre part, la vaine poursuite de commandes prestigieuses fut toujours onéreuse pour lui. Enfin, l'adoption d'un éclectisme rigoureux l'a empêché de mettre ses dons admirables au service de sa « prédication » peinte. Timide et manquant de confiance en lui-même — ses lettres le prouvent abondamment — Napoléon Bourassa modèle ses œuvres d'après quelque maître reconnu. Ce complexe d'infériorité s'est probablement déve-

87. Napoléon Bourassa. *Madame François Bourassa.* H. 58 cm x L. 47 cm. Musée du Québec.

188. *Madame François-Xavier Hamel.* H. 69 cm x L. 56 cm. Collection particulière à Québec.

loppé lors de son premier voyage en Europe. Pour voir des œuvres qui lui « appartiennent », il faut regarder ses esquisses et il y en a d'admirables. Sa dépendance à l'égard de Théophile Hamel et l'adoption d'une esthétique dérivée des traités de Victor Cousin, en plus de museler une riche sensibilité l'ont rendu aveugle à l'art contemporain.

Eugène Hamel, fils spirituel de Théophile

Nous connaissons beaucoup mieux la carrière d'Eugène Hamel (1845-1932). Il fut le quatrième d'une famille de douze enfants dont plusieurs ont occupé des postes importants dans la société québécoise : Adolphe devint organiste. Auguste exerça la profession de médecin et deux de ses sœurs devinrent religieuses dans la Congrégation de Jésus-Marie [59]. Eugène, comme Napoléon Bourassa, fit « le » cours classique. Il reçut l'enseignement d'abord au Séminaire de Québec, puis au collège de Lévis et enfin au collège Sainte-Marie de Montréal. Vers 1864, le jeune homme entrait dans l'atelier de son oncle Théophile Hamel où il resta jusqu'à son départ pour l'Europe probablement

189. Napoléon Bourassa. *Madame Napoléon Bourassa.* H. 61 cm x L. 51 cm. Musée du Québec.

190. Napoléon Bourassa. *Adine Bourassa.* Dessin. H. 23 cm x L. 20 cm. Musée du Québec.

191. Napoléon Bourassa. *Isaac.* Dessin. Détail. H. 31cm x L. 48 cm. Musée du Québec.

192. Napoléon Bourassa. *Adam et Ève.* Dessin. Détail H. 71 cm x L. 48 cm. Musée du Québec.

au cours de l'année 1867 [60]. Comme à l'accoutumée, nous sommes fort peu renseignés sur les activités de l'artiste pendant les trois ans qu'il passe à l'étranger. D'après les journaux de l'époque, il semble avoir consacré la moitié au moins de son temps à la Belgique puisqu'à la fin de novembre 1868, il s'y trouve encore, aux prises avec une maladie assez grave. Il séjourne aussi à Anvers où il étudie avec de Keyser et Van Lérius. Il aurait passé toute l'année 1868 à Bruxelles sous la direction de Portaels. Dès qu'on parle d'Italie, une autre série de noms s'alignent sous la plume des biographes : Podesti, Pasqualoni et Mariani. Il semble avoir travaillé sous la direction de ces maîtres tout en remplissant des commandes pour le Canada. L'**Assomption** des Franciscains porte l'inscription « Roma 1869 » mais donne une bien mauvaise idée des talents du jeune Hamel. La guerre de 1870 le ramène à Québec tout juste à temps pour prendre la relève de Théophile Hamel déjà gravement malade.

Plusieurs avantages le désignent comme successeur de son oncle. Fils d'un homme riche, instruit, formé par plusieurs années d'apprentissage chez Théophile Hamel et auréolé de ses récents voyages en Europe, Eugène Hamel n'a pas à craindre la concurrence. Ses études, poursuivies sans aucun souci financier à Québec, à Montréal et en Europe le désignaient comme héritier spirituel de son oncle.

Le 3 octobre 1870, moins de deux mois après son retour, il invite la population à venir lui rendre visite les mardis et jeudis, de 2 à 4 heures dans l'ancien atelier de Théophile Hamel sur la rue Saint-Jean [61]. C'est le début d'une période de dix années au cours desquelles il entreprendra de grands travaux et sera amené à donner son avis sur l'enseignement des arts au Canada. Sur le plan familial, il connaît cependant des moments très difficiles. Marié le 4 juin 1872 à Julie-Octave Côté, il en aura trois enfants tous décédés au cours de leur première année [62]. L'année 1876 se termine dans le deuil. Paul, son fils, meurt le 10 décembre et sa femme le suit dans la tombe onze jours plus tard. Le lendemain de Noël sa mère mourait âgée de soixante et un ans [63].

Des débuts faciles 1870-1880

Dès le début, son activité se développe sur tous les plans et sa clientèle pas plus que ses sujets ne se modifieront profondément jusqu'à la fin de sa longue carrière. Les journaux ont beaucoup insisté sur ses dons de copiste [64]. Eugène Hamel a fait au cours de cette période beaucoup de toiles de très grande dimension. Il répète inlassablement le même sujet. Ainsi, on mentionne six copies de son **Christ** en Croix d'après le tableau attribué à Van Dyck autrefois à la basilique. Ceux du notaire Oscar Hamel, de l'abbé Henri-Raymond Casgrain et de l'église Saint-Jean-Baptiste sont disparus [65]. Il reste celui de Notre-Dame-des-Victoires et la magnifique copie conservée dans la Salle de la Communauté au Séminaire de Québec. Celui de l'église de Sainte-Foy peut avoir été exécuté par Légaré. Cette série aurait été faite dès son retour en 1870. Plusieurs paroisses lui ont confié la décoration de leur église. Par exemple, l'église de Sainte-Foy semble un musée dédié à la mémoire d'Eugène Hamel. Pas moins de sept grands tableaux ornent la nef et le « jubé ».

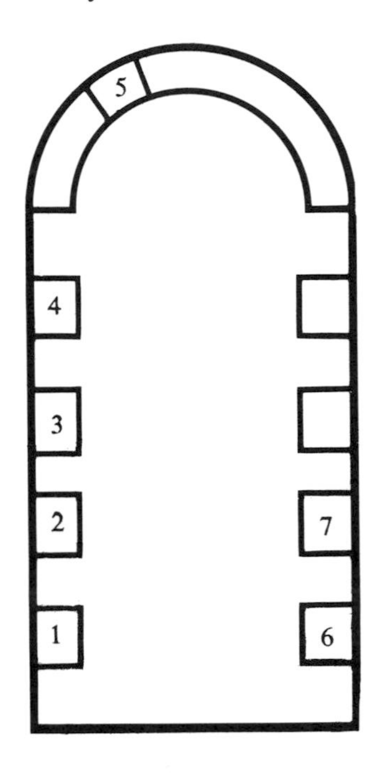

1) **Visitation**
2) **Christ au jardin des Oliviers**
3) **Mort de Saint Joseph**
4) **Éducation de la Vierge**
5) **Christ en Croix** (peut-être de Légaré)
6) **Christ et Marguerite-Marie**
7) **Mort de Saint François-Xavier**

L'examen de tels ensembles dépasse le but fixé à notre étude. Qu'il suffise d'indiquer les dates et les thèmes. De 1870 à 1880, il réalise la **Visitation** [66], la **Mort de Saint-Joseph** [67], l'**Éducation de la Vierge** et peut-être le **Christ en Croix** placé au jubé. La **Mort de Saint-François-Xavier** datée de 1880 a probablement été faite avant son second départ pour l'Europe. Enfin deux toiles furent exécutées à Rome en 1884 : **Le Christ au jardin des oliviers** et le **Sacré-Cœur apparaissant à Sainte Marguerite-Marie**. De grands espaces imprécis montrent que les sujets ont été démesurément étirés pour atteindre le format demandé. Plus modeste, la décoration de Saint-Frédéric-de-Beauce comprend trois toiles d'Eugène Hamel. L'**Immaculée Conception** et le **Saint-Joseph avec l'Enfant Jésus** placés au-dessus des autels latéraux ont été exécutés en 1872 [68]. En 1890, un beau tableau de **Saint-Frédéric** prenait place au-dessus du maître-autel [69]. La qualité de ces œuvres est fort inégale. Il n'est pas facile de partager la part de création dans ses grands tableaux représentant les patrons de paroisses comme le Saint-Isidore dans l'église du même nom à Dorchester. Cette église possède aussi un **Saint-Joseph avec l'Enfant-Jésus** dû au pinceau d'Eugène Hamel.

Portraits religieux

Au cours de cette période, la copie de portraits d'ecclésiastiques représente une bonne part de son activité. Les Messieurs du Séminaire de Saint-Sulpice lui demandent de reproduire le portrait de tous les évêques de Québec depuis Mgr de Laval jusqu'à Mgr Taschereau [70]. En outre, ses portraits originaux reprennent exactement les schémas familiers à son oncle et présentent les mêmes tonalités sobres. Alors que la sévérité situait les personnages de Théophile hors l'humanité courante, Eugène souligne parfois certains détails réalistes qui donnent au modèle un air plus intime. C'est le cas pour les lunettes que tient à la main le grand-vicaire **Charles-Félix Cazeau** peint en 1872 pour les religieuses du Bon-Pasteur [71]. En outre, la soutane reste déboutonnée à la hauteur de la poitrine. Cependant, le visage du personnage est assez rébarbatif. Ce souci réaliste lui a valu de belles réussites comme le portrait du chanoine **Joseph-Cléophas Cloutier**, curé de Saint-Georges-de-Cacouna et fondateur du Couvent des Sœurs de la Charité. Nous sommes placés devant un vieillard dont les traits ravagés par l'âge ont été peints avec une surprenante vérité. Né en 1815, le curé Cloutier fit ses études classiques au collège de Sainte-Anne-de-la-Pocatière où il fut professeur de 1845 à 1848. Après avoir été vicaire à Sainte-Marie-de-Beauce et à Saint-Henri-de-Lauzon, il devint curé de Cacouna de 1850 jusqu'à sa mort en 1887. Quatre ans après son arrivée à Cacouna, il demandait à Mère Mallet de venir s'occuper d'un couvent qu'il voulait construire. La supérieure vint elle-même conduire les trois religieuses affectées à cette fondation, le 29 août 1857 [72]. Cette liaison avec les Sœurs de la Charité explique la présence actuelle du tableau dans leur communauté. Le curé Cloutier a laissé la réputation d'un saint homme entièrement dévoué aux besoins de ses paroissiens. Le portrait donne l'impression d'un homme ardent et simple ; il pose sans affectation. L'artiste n'a omis aucun des signes de la vieillesse et de la maladie. Nul portrait de Théophile Hamel ne donne l'équivalent de ce réalisme courageux. Mis à part ce caractère, on retrouve le décor cher à Théophile Hamel ; fauteuil rouge, colonne, livre et fond uni très sombre. Cette veine réaliste ne semble pas avoir été exploitée très souvent par Eugène Hamel [73]. Il en existe cependant un autre exemple parmi ses portraits de personnages laïques : **Zacharie-Vincent** [74]. Les couleurs créent un effet intéressant par leur agencement qui juxtapose le gris des cheveux au rouge de la chemise sur un fond vert sombre. L'étude du visage est admirable et garde tout l'élan d'une première esquisse. À part une nature morte peinte en 1865, sa thématique n'offre aucune particularité.

193. Eugène Hamel. *Christ en croix*. H. environ 90 cm x L. 80 cm. Autrefois dans la sacristie de l'église Saint-Jean-Baptiste à Québec.

194. Eugène Hamel. *Abbé Cléophas Cloutier*. 1875. H. 1.05 m x L. 82 cm. Maison généralice des Sœurs de la Charité de Québec.

Prix et décorations

Son rôle de premier peintre de la région a été reconnu de diverses façons. Les prêtres du Séminaire de Québec lui confient la restauration des tableaux de la chapelle [75]. À l'exposition provinciale de 1871, il reçoit trois prix et un diplôme [76]. Une **Paysanne italienne** et l'**Assomption** dont j'ai déjà noté les faiblesses lui valent cet honneur. On lui sut gré d'avoir essayé de composer. Il exposait aussi un portrait de son père **Abraham Hamel** et de **M. Fowler**. À l'exposition de 1877, les juges lui décernent le premier prix pour les portraits de **Mgr Hamel** de l'Université et de **M. Ross**, président du Conseil [77]. En 1880, il envoie cinq œuvres à l'Académie des arts de l'Outaouais. La **Paysanne romaine** est peut-être la même que celle exposée en 1871. Il y a aussi un soldat belge et une collection de fruits. Le portrait de Zacharie Vincent fait partie de la série [78]. Ces honneurs ne doivent pas nous abuser.

Son enseignement

Un art aussi débile ne pouvait nourrir un enseignement novateur. Ses cours semblent avoir été plus utiles à la décoration des sacristies qu'à l'évolution de la peinture canadienne. Les religieuses comptent parmi ses principaux élèves. La communauté des religieuses du Bon-Pasteur est bien connue pour son activité picturale dont les origines remontent à Sœur Marie-de-Jésus, née Elmina Angers (1844-1901). Après avoir prononcé ses vœux en 1863, elle se consacra quelques années à l'enseignement puis devint élève d'Eugène Hamel. Il est impossible de suivre ses activités puisqu'un incendie détruisit les archives de l'atelier.

Plus tard, il donnera des cours de peinture à Sœur Marie-de-l'Eucharistie, née Elmina Lefebvre. Cette religieuse ne parviendra pas à se donner une manière originale malgré des études chez Hamel et Wickenden de 1886 à 1893 puis à Washington grâce à la libéralité de son cousin le lieutenant-gouverneur Pantaléon Pelletier. Le nombre de ses tableaux dépasse probablement le millier. Les compositions religieuses et les portraits forment la majeure partie de sa production. Elle a pratiqué aussi tous les thèmes qui n'entraient pas en contradiction avec son état. Ses tableaux religieux placent des personnages doux jusqu'à la fadeur dans des paysages aux couleurs trop tendres. Elle a conçu aussi des décorations considérables comme celle de la chapelle de la maison Mère Mallet. L'étude de cette immense production intéresse surtout le sociologue. La marginalité des artistes de sa catégorie — face aux courants novateurs — mérite l'attention des spécialistes même si la qualité esthétique laisse à désirer. En outre, la grande considération dont certains groupes sociaux entourent encore son art montre une stupéfiante imperméabilité aux valeurs artistiques nouvelles. Par ailleurs, l'étude du sentiment religieux et de la piété populaire ne peuvent négliger une artiste qui a semé ses œuvres aux quatre coins de la province. Enfin la poursuite de nos objectifs fait que nous devons écarter également l'étude des cours de dessin d'ornementation donnés par Eugène Hamel à l'école des Arts et Manufactures [79].

Le bilan de cette première décennie comporte un grand nombre d'œuvres dont plusieurs copies. La diversité de ses thèmes donne l'impression d'une curiosité intellectuelle très étendue. À l'examen, nous constatons cependant que la somme des tableaux produits dans tous les genres réunis n'atteint pas le nombre de ses portraits. Sa clientèle se recrute chez les dignitaires qui ont pris l'habitude d'un atelier où ils aiment retrouver la manière familière à Théophile Hamel. Sa réputation grandit grâce à l'attribution de prix lors des expositions provinciales et son influence touche un grand nombre de familles par l'intermédiaire de Sœur Marie-de-Jésus. Les journalistes visitent son atelier informant le public des œuvres qui s'y trouvent. Ses talents sont toujours loués sans réserve [80].

Rapport sur les arts au Canada

La convention nationale réunie lors des fêtes de la Saint-Jean-Baptiste en 1880 fit appel aux meilleurs spécialistes pour obtenir des rapports sur la situation des sciences et des arts au Canada. Eugène Hamel fut choisi pour présenter un mémoire sur les activités artistiques [81]. Dans un long historique, il explique la vogue des copies par le « peu de goût pour les arts chez la classe aisée » et par l'habitude qu'ont les fabriques de faire venir des tableaux d'Europe quand elles ont assez d'argent pour payer autre chose qu'une copie. L'auteur propose ensuite quatre moyens pour développer les beaux-arts au Canada :

1. « L'enseignement obligatoire du dessin dans toutes les institutions enseignantes.
2. La fondation d'une école de dessin dans les trois principales villes de la province : Québec, Montréal et Trois-Rivières ». Ces institutions remplaceraient les écoles d'arts et métiers qui ne sont guère efficaces.
3. L'attribution de deux prix (peinture et sculpture) pour des projets tirés de l'histoire du Canada. Le peintre fournirait un carton et le sculpteur un plâtre. Après quoi, « ces compositions seraient soumises au jugement des artistes de réputation en Europe. Les compositeurs couronnés recevraient du gouvernement l'ordre d'exécuter cette composition soit en peinture à l'huile ou à fresque ; elles orneraient nos édifices publics.
4. Notre clergé devrait aussi aider le plus possible à nos peintres, nos sculpteurs, nos architectes, en leur donnant à faire ce que trop souvent ils confient à des mains étrangères ».

Bien que clair et précis, ce rapport n'aborde aucune question théorique s'en tenant strictement à l'organisation matérielle propre à développer le goût des arts dans la population et à assurer des commandes importantes aux artistes.

Religion, histoire, tradition

Ses idées sur l'art nous sont parvenues dans une lettre adressée au **Journal de Québec** lors de son second séjour en Europe. Le 29 avril 1881, Eugène Hamel quittait Québec pour l'Angleterre via Halifax pour un séjour d'un an [82]. Dès son arrivée en Italie, il envoie une lettre à Québec où il exprime ses réactions face à l'art nouveau pratiqué en Belgique. La nature du sujet constitue le critère essentiel de ses jugements esthétiques. « En passant par la Belgique, dit-il, où j'ai appris, il y a 12 ans, à dessiner et à peindre, j'ai pu me rendre compte de ses peintres d'aujourd'hui avec ceux de ce temps passé et je vous avoue sincèrement que j'ai été grandement désappointé. La grande peinture y a perdu beaucoup ; aujourd'hui, l'on ne s'occupe guère de l'histoire et encore moins de l'histoire religieuse, les tableaux de genre ou de scène d'ateliers ayant le premier pas [83] ». Il voit une immense différence entre le nouveau directeur de l'Académie d'Anvers et de Keyser car le premier est un peintre animalier alors que le second « a livré à son pays les plus beaux ouvrages sur l'histoire flamande ». Il affirme qu'à cause de ce fait « la différence entre les élèves du premier directeur avec ceux du dernier est immense ». Il concède cependant que le nouveau directeur pourra « obtenir de bons résultats, mais dans un genre moins élevé, le réalisme ! » L'histoire religieuse et l'histoire nationale sont donc seules dignes du grand artiste. Le terme « réalisme » recouvre tous les autres sujets sans que nous sachions où il place le portrait. Lors de son retour en 1885, un journaliste, désireux de rassurer les autorités sur la permanence de son style déclare qu'Eugène Hamel est « classique [et qu'il] ne saurait s'écarter des lois inviolables de la tradition [84] ». Religion, histoire et tradition c'est ce que nous trouvons chez tous les disciples de Théophile Hamel.

Mariage romain

À Rome, Eugène Hamel travaille avec le peintre Mariani et sollicite les commandes du clergé canadien pour des « tableaux d'églises ou copies de tableaux des grands maîtres [85] ». Quelques mois après son arrivée à Rome, il annonce son mariage avec Ernesta de Cadilhac [86]. Plusieurs Québécois assistent au mariage célébré le 16 février 1882. Monsieur et Madame Abraham Hamel ainsi que leur fille Eugénie sont à Rome pour la circonstance. Mgr Laflèche et l'abbé A. Blais reçoivent la promesse des époux. Messieurs Chinic et Jules Baillargeon de Québec sont aussi de la partie [87]. Le 27 février 1883, un fils, Maurice, naît de cette union. Eugène prolonge son séjour romain jusqu'en mai 1885. Le retour fut très remarqué par la population, curieuse de connaître cette dame romaine, fille d'un chevalier et de la duchesse Teresa de Lante della Rovere. Abraham Hamel et son épouse, après avoir passé l'hiver dans le Sud de la France, s'étaient embarqués avec la famille du peintre sur le **Lake Superior**. Trois autres enfants verront le jour à Québec : Oscar en 1887, Arthur en 1889 et Marie-Thérèse en 1891.

Peintre d'histoire

Eugène doit d'abord assurer la sécurité de cette famille déjà nombreuse. Les journaux ne tardent pas à nous renseigner sur ses ambitions. Certain journaliste presse les fabriques de lui adresser des commandes. Par ailleurs, lui qui, dès l'origine, se présentait comme peintre d'histoire, sollicite la décoration du parlement nouvellement construit par Eugène Taché [88]. Il met en chantier deux immenses tableaux pour l'Assemblée législative. L'un représentait le **Retour de Christophe Colomb à la cour d'Espagne** et l'autre la **Réception faite à Jacques Cartier par le chef indien d'Hochelaga**. Le premier tableau, — 9.14m par 3.96m — aurait été placé au-dessus du trône de l'orateur. Tous les personnages devaient être de grandeur naturelle. L'artiste a travaillé trois ans à ce projet et ses esquisses sont maintenant au musée du Québec.

L'abondance des personnages engendre la monotonie par leur uniformité et leur disposition peu originale. Les tentes d'Indiens et les édifices du tableau de Colomb n'arrivent pas à animer le décor qui demeure aussi ennuyeux que les personnages.

Le gouvernement continue à faire appel à ses talents pour les portraits de personnages officiels. Avant son second départ pour l'Europe, il avait déjà réalisé plusieurs œuvres importantes qui semblent presque toutes avoir péri dans l'incendie du parlement en 1882. Il en existe ici et là comme le **Pierre-Joseph-Olivier Chauveau** conservé au Sénat à Ottawa. Datée de 1874, cette œuvre semble un portrait funéraire tant le mauve se répand à profusion sur le rideau et les chairs.

Sauf quelques timides exceptions, ses tableaux d'ecclésiastiques reprennent ceux de son oncle. Lors de la réunion du 18 décembre 1887, les Congréganistes décidèrent d'offrir au Père Saché une adresse et son portrait afin de souligner sa cinquantième année de sacerdoce [89]. Eugène Hamel vint sur place peindre le fondateur et premier supérieur de la Résidence de la rue Dauphine [90]. Le portrait du Jésuite **Saché** tout en gardant l'habituelle sobriété, adopte un parti légèrement différent. Le personnage est assis devant une table recouverte d'un tapis vert. La souplesse de la pose et le sourire du personnage s'harmonisent admirablement avec plusieurs accessoires comme le chapelet, la médaille, le crucifix et le livre. La forme de la barrette ajoute

195. Eugène Hamel. *La montée sur la glace.* Aquarelle. 1911. H. 21 cm x L. 43 cm. Musée du Québec : 34-235d.

aussi un élément décoratif qui situe ce portrait parmi les meilleures créations d'Eugène Hamel.

Fonctionnaire du gouvernement

À partir de 1892, Eugène Hamel devint assistant-surintendant du département de la chasse et de la pêche au Ministère des terres et forêts. L'artiste n'a alors que quarante-sept ans. Il sera fonctionnaire pendant quarante ans. Nous ne connaissons pas les raisons qui l'ont poussé à négliger une carrière artistique commencée avec autant de facilité. L'assurance d'un salaire régulier a certainement influencé sa décision. Mais il y a des motifs plus graves. Il faut garder à l'esprit le fait que l'art occidental se transforme radicalement à partir de 1875. Eugène Hamel a passé huit ans en Europe sans même se douter de ces profonds bouleversements. Tout au plus essaie-t-il de sensibiliser le gouvernement à la nécessité de la peinture historique ; cette ambition nous reporte au début du 19ème siècle. Son absence de préoccupation pour les questions artistiques se traduit dans la pratique par un manque surprenant d'originalité. De là à penser que l'art ne fut pour lui qu'un moyen d'assurer sa subsistance et celle de sa famille il n'y a pas loin. Et si un poste de fonctionnaire laisse des loisirs assez abondants pour continuer à peindre c'est l'union de l'utile à l'agréable. Cette manière de considérer l'activité artistique n'a jamais suscité de révolutions picturales et encore moins de chefs-d'œuvre. Il serait cependant injuste de conclure au manque de talent et de sensibilité chez Eugène Hamel.

Originalités

Nous avons déjà parlé de son goût pour le réalisme qui le rapproche plus de certaines toiles de Plamondon que de Théophile Hamel. En outre, quelques-uns de ses portraits adoptent un parti semblable à celui que nous avons observé chez Ludger Ruelland : le personnage est campé « puissant et solitaire » devant un paysage sans horizon. Son **Autoportrait** (1882), le **Boucher de Boucherville** (1886) et surtout le portrait du premier ministre **Lomer Gouin** nous mettent ainsi en contact avec des hommes aux allures héroïques. **Alexandro de Cadilhac** (décédé à Rome en 1888) domine avec majesté un décor conventionnel. Il s'agit d'un homme important : docteur en médecine, attaché à l'armée pontificale, chevalier de l'Ordre de Saint-Grégoire-le-Grand et membre de l'académie de Quiriti. Le tableau fut probablement exécuté avant son premier retour au Canada soit vers 1870. Cette œuvre signée, de 100cm par 75cm, actuellement propriété de Arturo de Cadilhac à Rome amène à penser qu'une recherche plus poussée dans la famille mettrait à jour d'autres portraits intéressants. Par ailleurs, il n'est pas resté complètement indifférent aux événements locaux. À soixante-cinq ans, il s'est souvenu de la traversée du fleuve en canot ; les transparences de ses aquarelles

196. Eugène Hamel. *Père Saché*. H. 1.05 m x L. 75 cm. Résidences des Pères Jésuites à Québec.

197. Eugène Hamel. *Alexandre de Cadilhac*. Vers 1870. H. 100 cm x L. 75 cm. Collection Arturo de Cadilhac, Via Bolzano 1, Rome.

font regretter qu'il n'ait pas pratiqué davantage cette technique. Les tonalités bleues créent un environnement où les glaces et le ciel se confondent en des nuances très agréables. À part certains gestes qui conviendraient à un découvreur, les minuscules « traversiers » sont peints avec vivacité et naturel. Cette série mérite d'être connue et vaut mieux que sa production officielle. En plus d'une évidente maîtrise technique, nous voyons que son art offre quelques originalités.

CONCLUSION

Un style et une thématique

L'immense succès remporté par Théophile Hamel s'explique en partie par l'adoption d'un style et d'une thématique conformes au goût et à la culture canadiennes. Théophile Hamel a joué un rôle très important dans la société des années 1850. En marge du pouvoir civil et du pouvoir religieux, il occupe une place identique à celle des écrivains, des journalistes et des fonctionnaires. Il possède cependant un immense avantage sur les autres intellectuels. Le journaliste par exemple se compromet par une option politique qui lui aliène forcément une partie des lecteurs. Étienne Parent du journal **Le Canadien**, Ludger Duvernay de **La Minerve** ou Édouard Cauchon du **Journal de Québec** ont connu de farouches oppositions et même la prison. Le peintre n'a pas à s'impliquer dans les conflits idéologiques ou linguistiques ; il parle le langage de tous.

Conformes au goût de la société civile

La société civile fut le principal client de Théophile Hamel. Pour des raisons de prestige politique et social, les trois groupes majeurs de cette société ont eu besoin de ses talents.

Le gouvernement tient à ce que les bâtisseurs de la nation laissent leur image aux générations futures. Le gouvernement fédéral se compose d'une majorité de Canadiens anglais et d'un certain nombre de Canadiens français ambitieux. Ces derniers n'hésitaient pas à quitter leur environnement habituel, paroisse et comté, pour tenter leur chance sur cette scène politique élargie. À Théophile Hamel échoit l'honneur d'immortaliser les politiciens du Canada entier qui ont occupé des postes importants. Les deux groupes ethniques sont bien représentés dans cette série de portraits bien que la politique nationale se fasse dans un milieu anglais et à majorité protestante.

La bourgeoisie locale forme un autre pôle important. Constitué surtout de médecins, de notaires et d'avocats, ce groupe est de langue et de tradition françaises. Plusieurs de ces hommes s'occupent de la politique régionale. Comme leur travail les met en contact constant avec le peuple, ils ne manquent pas une occasion de l'impressionner. Résidences, attelages de luxe, coutumes vestimentaires et réceptions sont les éléments obligés d'un appareil ostentatoire développé. Le portraitiste fournit un instrument de prestige supplémentaire à plusieurs membres de cette élite.

Enfin les intellectuels deviennent clients pour les mêmes raisons. Napoléon Aubin ne distribuera-t-il pas son portrait dans le journal dont il est le fondateur ? Bien que tenus à l'écart par une idéologie qui méprise l'argent et les activités commerciales, quelques négociants importants sont présents dans la galerie de portraits.

Par contre l'habitant ne compte pas dans la clientèle de Théophile Hamel. Dirigé politiquement et spirituellement le peuple doit obéissance et admiration.

Apprécié par le clergé

À partir de 1850, le pouvoir religieux édifie un empire fondé sur les valeurs culturelles et intellectuelles. Le peuple, les politiciens de droite et de nombreux intellectuels ont pris l'habitude de chercher toutes les solutions dans l'enseignement religieux. Plusieurs éléments ont contribué à la puissance de l'Église catholique au Canada français. D'abord le nombre des prêtres ; en quarante ans, ils passent de cinq cents à deux mille. Les séminaristes reçoivent aussi une meilleure instruction et les curés travaillent dans un cadre paroissial plus stable. Ce groupe social dispose d'éléments de prestige tout aussi efficaces que la société civile. La dimension des temples, le faste des cérémonies, l'étrange langage des prédicateurs, le costume et l'isolement du prêtre s'ajoutent aux redoutables pouvoirs spirituels dont il est le dépositaire. L'Église ne pouvait négliger la force de l'image. Théophile Hamel portraitiste et peintre religieux a été largement mis à contribution par le clergé et surtout par les prêtres canadiens-français.

Mis au service d'un art somptuaire

Les préoccupations artistiques viennent cependant au second rang dans l'esprit de l'ensemble de la clientèle canadienne. Élément de prestige, cet art somptuaire doit répondre à certains impératifs étrangers au métier du peintre. Le modèle devra être représenté avec dignité et grandeur. L'environnement devra le situer au-delà de l'humanité normale. Pourtant tous sont des fils d'habitants passés à la vie professionnelle, politique ou cléricale après leurs études classiques. Leurs origines ne sont jamais évoquées. Le parti adopté par Théophile Hamel répondait tout à fait à leurs exigences. Par contre, un peintre de mœurs comme Cornelius Krieghoff, séduit par la vie de l'habitant, ne pouvait aucunement prétendre à une considération consacrée par des commandes venant de l'État ou de l'Épiscopat. Ces personnages veulent faire oublier leur récente promotion sociale.

Au cours de notre 19ème siècle, le peintre de portraits occupe une place de choix parmi les intellectuels. Accepté de tous les Canadiens — anglais ou français — apprécié par les protestants, les catholiques et les anticléricaux, il peut prétendre à la même considération sociale que les hommes politiques et les professionnels. Le chiffre de la population ne permet cependant pas d'occuper plusieurs artistes. Ce fait n'est peut-être pas étranger à la retraite hâtive d'Antoine Plamondon. Par ailleurs, l'artiste désireux de répandre des formules artistiques nouvelles se voue à une carrière difficile. Napoléon Bourassa n'a jamais pu réaliser ses rêves faute d'avoir tenu compte de ce fait. Pour avoir répondu aux désirs ressentis par les groupes sociaux dominants, Théophile Hamel est devenu le seul artiste national qu'ait connu le Canada au cours du 19ème siècle.

NOTES

Chapitre I

1. Anonyme, « Feu M. Théophile Hamel », LCC, 26 décembre 1870. Quatre textes très brefs ont jusqu'à maintenant servi de base à tous les articles sur la vie et la carrière de Théophile Hamel. L'article précité ; BRH, t. 19, 1913, pp. 89-91 ; Hormidas Magnan, *Le Terroir,* décembre 1922, pp. 351-353 ; Georges Bellerive, *Artistes peintres,* 1925, pp. 43-51. À cela il faut ajouter le texte d'une émission à Radio-Canada par Henri Desrosiers, le 16 avril 1935.

2. *Lettres à Madame Gustave Hamel,* 8 février 1930, Archives Madeleine Hamel. En 1916, Gustave Hamel pensait que les tableaux de son père Théophile avaient « surtout une valeur de souvenir ». *Notes pour mes exécuteurs testamentaires,* p. 6, Archives Madeleine Hamel. Voir mon article : « Nos grands-pères au musée du Québec », p. 43-50.

3. Georges Bellerive, *Artistes peintres,* p. 44. L'auteur attribue l'article à Ernest Gagnon. Il y a sans doute confusion avec un article du *Canadien,* de mai 1860, où on parle de la pièce pour piano intitulée *Souvenirs de Venise* composée par Ernest Gagnon et dédiée à Théophile Hamel. Le *Bulletin des recherches historiques,* 1913, citait de longs extraits du premier article. Le 16 avril 1935, le colonel Henri Desrosiers, dans une émission à Radio-Canada, prenait cet article ainsi que Bellerive comme sources sur Théophile Hamel.

4. Thomas Hamel, *Généalogie de la famille Hamel.* Mariage à Sainte-Foy le 24 octobre 1768 avec Marguerite Langlois. Un fils, René-Jean-Baptiste fut baptisé le 1er février et inhumé le 27 août 1770. La mère fut inhumée le 19 février 1770. Le père avait trente-cinq ans lors de son second mariage.

5. *Acte de donation de la terre de F.-X. Hamel à son fils Thomas-Stanislas,* 27 septembre 1841, Greffe du notaire Petitclerc. René-Stanislas avait acheté une terre le 21 octobre 1793. Voir la greffe du notaire Deschenaux à cette date.

6. *Acte de donation de la terre de René-François-Stanislas-de-Koska à son fils F.-X. Hamel,* 30 décembre 1809, Greffe du notaire Têtu de Sainte-Foy.

7. *Acte de vente entre Louis Giroux et F.-X. Hamel,* 17 mars 1817, Greffe du notaire Lelièvre de Québec. *Acte de vente entre Joseph Routier, Marie-Anne Hamel et F.-X. Hamel,* 27 septembre 1819, Greffe du notaire Lelièvre. *Acte de vente entre Michel Dufresne, prêtre et F.-X. Hamel,* 8 avril 1832, Greffe du notaire Grégoire de Saint-Nicolas. L'autre lopin de terre fut acheté de George Moffet, vers 1825.

8. *Inventaire des biens de Thomas-Stanislas Hamel,* 10 juillet 1851, Greffe du notaire Petitclerc, document 6281.

9. *Acte de donation de 1841,* p. 53.

10. Ferdinand, entré au Séminaire à quatorze ans, le 1er mars 1841, terminera le cours le 24 janvier 1848. Il deviendra marchand. *Fichier des Anciens,* ASME.

11. *Quittance de F.-X. Hamel, cordonnier à F.-X. Hamel cultivateur,* 6 septembre 1834, Greffe du notaire Petitclerc, document 475.

12. *Quittance de Michel Dufresne à F.-X. Hamel,* 25 juin 1840, NJP, document 1755.

13. Voici la liste des dettes : à Joseph Dostie, 87 livres 10 shillings ; à David Burnet, 12 livres 10 shillings ; à William Budden, 58 livres 18 chelins ; à Joseph-Colbert, son frère, environ 17 livres ; à Jean Robitaille, environ 18 livres ; à Abraham, son frère, 75 livres ; à Jean-Baptiste Constantin, 2 livres 10 shillings ; à Joseph Légaré, 2 livres. Le lecteur voudra bien se reporter au chapitre I, page 58 pour la question de la monnaie.

14. En 1851, la somme des dettes s'élève à 360 livres si on exclut les 100 livres dues à ses frères et sœurs mineurs. Les dettes continuent à s'accumuler ; en 1853, le curé de Sainte-Foy, Pierre Huot, prête 62 livres, 10 shillings à 6% d'intérêt. *Obligation à Pierre Huot,* 10 janvier 1853, NJP, document 6950.

15. On trouve la même annonce dans le *Quebec Directory* de Cherrier de 1858 à 1871 ; dans le *Quebec and Levis Directory* de Marcotte en 1871, etc.

16. *Soumission adressée au chef de Police,* AMQ, Conseil et Comités, section police. Chemise : Habillement, no 2, 1854-1857. Même chose le 18 mars 1857. En 1861, ils vendent une terre située sur le 4ème rang de la paroisse de Sainte-Luce. *Le Canadien,* 19 août 1861.

17. *La Minerve,* 27 février 1882.

18. LJQ, 20 mai 1885. Son père aurait fait un voyage à Rome en 1870. Voir Oscar Hamel, *Notes sur la vie de Eugène Hamel,* IBC, document 13604.

19. Anonyme, « Feu M. Théophile Hamel », LCC, 26 décembre 1870.

20. *Contrat d'apprentissage de Th. Hamel chez Antoine Plamondon,* 5 juillet 1834, NJP, document 435.

21. Voir Gérard Morisset dans *Le Canada français,* septembre 1933, pp. 61-67 ; mai 1934, pp. 807-813 ; octobre 1934, pp. 115-126 ; novembre 1934, pp. 206-214 ; décembre 1934, pp. 316-328 ; janvier 1935, pp. 427-440 ; février 1935, pp. 552-561 ; mars 1935, pp. 620-625 ; avril 1935, pp. 734-746 ; mai 1935, pp. 855-868. Une thèse de doctorat est en cours par Laurier Lacroix qui veut surtout documenter les origines de cette collection.

22. LC, 24 juin 1840. Le 23 octobre, le même journal invite le public à lui rendre visite.

23. LC, 5 juillet 1841.

24. *Le Fantasque,* 19 juillet 1841.

25. LJQ, 18 avril 1843. *L'Aurore du Canada* publie une annonce du même genre le 25 avril 1843.

26. LJQ, 18 avril 1843.

27. *Procuration pour Abraham Hamel,* 10 juin 1843, NJP, document 4564.

28. *Le Fantasque,* 22 avril 1843.

29. LJQ, 10 juin 1843 ; LC, 12 juin 1843. *Lettre de Théophile Hamel à ses parents,* Londres, 17 juillet 1843, AFPB.

30. *Lettre de Th. Hamel à l'un de ses frères,* Rome, 26 août 1843, AFPB. *Le Journal de Québec* du 5 octobre et *Le Canadien* du 6 octobre 1843 ont commenté cette lettre.

31. *Lettre de Th. Hamel à J.-B. Vézina,* Rome, 24 octobre 1843, AFPB.

32. *Lettre de Th. Hamel à Cyrice Têtu,* Rome, 11 juin 1844, Archives Madeleine Hamel.

33. *Ibid.*

34. *Ibid.*

35. *Lettre de Th. Hamel à ses parents,* Rome, 6 juin 1844, AFPB.

36. *Lettre de Th. Hamel à Abraham,* Venise, 31 août 1846, AFPB.

37. *Ibid.* Je n'ai pu retracer ces personnages.

38. *Lettre de Th. Hamel à Abraham,* 14 juillet 1845, AFPB.

39. *Lettre de Napoléon Bourassa à Th. Hamel,* Florence, décembre 1852, ANQ-FPB.

40. LJQ, 14 décembre 1844. La lettre est datée du 19 octobre 1844.

41. *Journaux de l'Assemblée législative,* 1844, p. 47. *General Index of the Legislative Assembly,* 1841, 1851, p. 281.

42. *Lettre de Th. Hamel à Abraham,* Rome, 6 juin 1845, AFPB.

43. Henri-Raymond Casgrain, *Le Chevalier Falardeau* (éd. 1866), p. 21.

44. LJQ, 14 décembre 1844.

45. *Lettre de Th. Hamel à Abraham,* Venise, 31 août 1845, AFPB.

46. LCC, 26 décembre 1870. Théophile n'aurait passé que huit mois à Rome pour aller ensuite à Florence et Bologne. Il aurait vécu douze mois à Venise. Paris

l'aurait accueilli tout juste le temps de faire quelques copies au Louvre. Ce « programme d'étude » nous est parvenu inchangé grâce aux articles publiés depuis un siècle.

47. *Ibid.*

48. *Lettre de Th. Hamel à l'un de ses frères,* 26 août 1843, AFPB. *Le Journal de Québec* du 5 octobre 1843, disait ceci : « [Il] a été admis en arrivant dans les différentes académies de peinture et [...] il a fait choix de l'Académie royale de France ».

49. Henry Lapauze, *Histoire de l'Académie,* t. II, pp. 268 sqq.

50. Cette recherche a été menée par Janine Colisti, bibliothécaire à Rome.

51. LJQ, 14 décembre 1844.

52. *Lettre de Th. Hamel à Abraham,* Venise, 31 août 1845, AFPB.

53. Russell Harper, *La peinture au Canada,* p. 90 ; *Deux peintres de Québec,* p. 36.

54. Gérard Morisset, *Coup d'œil,* p. 67. Son séjour en Belgique fut mentionné la première fois dans *Le Canadien* du 10 août 1846. On se borne à louer sa collection de tableaux formée en Italie et en Belgique.

55. Gérard Morisset, « La collection Desjardins à St-Roch », *Le Canada français* octobre 1934, p. 122. Il peut avoir fait au cours de ce séjour la copie de Honthorst, *Adoration des bergers* qui servira à exécuter le grand tableau de l'église Saint-Charles-de-Bellechasse en 1856. *Cf. L'encan des livres de Montréal,* décembre 1974, document 150, p. 21. L'expertise de ce tableau a été faite par J. Russell Harper, qui attribue à Hamel l'inscription au dos de la toile disant que le tableau a été fait à Florence en 1846. Dans l'état actuel de nos connaissances, il est préférable de ne pas conclure. L'inscription peut ne pas être de la main de Théophile Hamel et le tableau peut avoir été fait à Florence ou en Belgique.

56. *Lettre de N. Bourassa à Th. Hamel, décembre* 1852, ANQ-FPB.

57. Jean Duvignaud, *Sociologie de l'art,* pp. 35-36.

58. *Lettre de J. Viger à J. Légaré,* 23 novembre 1839, ASME.

59. LJQ, 17 septembre 1846.

60. Gérard Morisset, *La peinture traditionnelle,* p. 115. Paul Desjardins, dans son ouvrage *Le Collège Sainte-Marie,* p. 247, affirme que Théophile Hamel se rendit en Europe en 1860. Or les lettres sur lesquelles il s'appuie parlent d'un Monsieur Hamel qui est sans doute un prêtre du Séminaire : *Lettre du P. Martin au P. Larchher,* 19 janvier 1860 ; *Lettre du P. Martin à un Père,* 4 février 1860, dans Archives de la Compagnie de Jésus. Deux lettres de la Marquise de Montcalm parlent aussi de voyages faits par M. Hamel après 1852 et en 1861. Il ne saurait s'agir de Théophile. *Lettre de la Marquise au frère Herménégilde,* 8 décembre 1859 et à G.-B. Faribault, 15 juillet 1861, ANQ. L'hypothèse d'un second voyage doit être rejetée. La régularité de ses activités contredit de telles absences.

61. LJQ, 16 et 18 novembre 1847. Th. Hamel revient de New York malade. LRC, 16 novembre 1847.

62. *Lettre de N. Bourassa à Th. Hamel, Lacadie,* 29 juin 1852, ANQ-FPB.

63. *La Minerve,* 25 juillet 1850.

64. LM, 16 décembre 1847 ; LRC, 17 décembre 1847 ; ADC, 18 janvier 1848 ; LM, 24 juillet 1848 ; *Montreal Directory,* 1848-1849, p. 109 ; 1849-1850, p. 109. Je n'ai rien trouvé pour l'année 1851 à Montréal.

65. *Lettres de Th. Hamel à Georgina Faribault,* 9 juillet, 28 juillet, 4 août, 1er septembre 1856 ; 23 juin, 4 juillet 1857 ; 20 février, 27 février 1858, AFPB.

66. Notes manuscrites rédigées par Jeanne Hamel sous la dictée de Mme Gustave Hamel, Archives Madeleine Hamel, Québec.

67. *Lettre de Th. Hamel à Cyrice Têtu,* Rome, 11 juillet 1844, Archives Madeleine Hamel. Voir aussi la lettre à J.-Bte Vézina, Rome, 24 octobre 1843, AFPB ; *Lettre à Suzanne Hamel,* Montréal, 12 juin 1849, AFPB.

68. *Lettre de N. Bourassa à Th. Hamel,* Lacadie, 10 mai 1852, ANQ-FPB.

69. *Lettre de N. Bourassa à Th. Hamel,* Lacadie, 14 décembre 1855, ANQ-FPB.

70. *Ibid.*

71. *Lettre de Th. Hamel à Georgina Faribault,* Toronto, 9 juillet 1856, AFPB.

72. *Lettre de Th. Hamel à Georgina Faribault,* Davenport près Toronto, 4 juillet 1857, AFPB.

73. *Lettre des demoiselles Faribault à Georgina Faribault,* Le Mans, 2 janvier 1857, ANQ — Famille Faribault, AP-F. 5.

74. Les Journaux, la correspondance Viger-Faribault aux ANQ et la correspondance des « cousines » Faribault du Mans n'ont presque rien révélé. Dans les papiers G.-B. Faribault, ANQ, Série AA, une seule mention que voici : « Nous avons trouvé sous une enveloppe nuptiale, une carte qui nous a dit que le projet de mariage dont nous avions déjà entendu parler venait de se réaliser. Veuillez en faire votre compliment à l'heureux couple et recevoir nos félicitations. Votre charmante maison sur le Cap va s'animer et se peupler ; c'est une consolation qui était réservée à vos vieux jours et dont votre cœur si tristement éprouvé jouira plus que tout autre. » *Lettre d'Adolphe Puibusque à G.-B. Faribault,* Paris, 10 novembre 1857.

75. E.L., « Madame Théophile Hamel », *Le Soleil,* 21 mai 1906.

76. *Lettre de Mme Th. Hamel à son mari,* 25 février 1858, AFPB.

77. *Lettre de Mme N. Bourassa à Mme Th. Hamel,* 22 septembre 1867, IBC, document 14 383-14 386.

78. Henri-Raymond Casgrain, *Oeuvres complètes,* t. II, 1885, pp. 157-208.

79. *Testament de G.-B. Faribault,* 17 mars 1864, Greffe du notaire Amable Bélanger, document 2339.

80. C.-H. Laverdière, *Inventaire des ouvrages imprimés et manuscrits légués à l'Université Laval,* Québec, 8 janvier 1866. Archives Madeleine Hamel.

81. LCC, 20 février 1860. Comité pour le monument des Braves.

82. Bruno Hébert, *Philippe Hébert sculpteur,* 1973, p. 41. « Comment pourrait-on se payer des artistes ? Théophile Hamel, le meilleur portraitiste de son temps, vient de mourir pauvre et oublié. »

83. *Le Canadien* du 20 mai 1863 annonce que Cornelius Krieghoff liquide tous ses biens avant de quitter Québec. « Vente de meubles de ménage, voitures, tableaux, gravures, oiseaux empaillés, lithographies, curiosités chinoises et autres appartenant à C. Kreighoff [*sic*], ecr, comprenant des meubles de chambre à toilette, de salle à dîner, de salle d'entrée et chambre à coucher. Un excellent piano, porcelaine, verreries et vaisselle plaquée en argent. Aussi le reste de ses tableaux consistant en paysages d'automne et d'hiver et en sujets européens, une collection de choix de gravures chromolithographies encadrées. Après quoi oiseaux empaillés en boîtes, et boîtes à oiseaux, statues en marbre de Paros et curiosités chinoises. Et une variété d'autres articles. La vente à une heure précise ». On voudra bien se reporter à mon volume aux éditions du Pélican pour d'autres aspects de cette question. Un biais intéressant permettrait d'étudier cette question : les logements occupés par nos artistes. Les archives municipales de la ville de Québec renferment plusieurs documents relatifs à cette question. Notons entre autres, deux lettres de Théophile Hamel : 1) à A.-E. Glackmeyer, le 12 avril 1847, 2) à F.-X. Garneau, le 2 novembre 1847. Antoine Plamondon s'adressait à F.-X. Garneau pour son logement au vieux Château Saint-Louis dans une lettre datée du 3 avril 1848.

84. Gérard Morisset, *La peinture traditionnelle,* p. 116.

85. *Livre de comptes,* 1842, Presbytère de Saint-Ours.

86. *Livre de comptes 1716-1877,* Presbytère de Grondines.

87. *Livre de compte I,* Presbytère de Saint-Hugues. Le transport et le posage coûtent 48 livres et 13 shillings soit environ $3.00 de l'époque.

88. *Registre des procès-verbaux de la Congrégation des hommes 1845-1877,* pp. 192-193. Archives des Pères Jésuites à Québec.

89. *Livre de délibérations,* 7 mai 1867, Fabrique de Notre-Dame-de-Québec.

90. *Livre de comptes de l'artiste,* Archives Madeleine Hamel. *Livre de comptes,* 1867, 16 septembre, ASQ.

91. *Livre de comptes de l'artiste :* Air, Carr, Blake, Macdonald, Rorr (ou Ross), Noland, Tessier, Morrin. *Livre de comptes,* 29 décembre 1864, ASQ : Dr Morrin. Papiers Dionne, Archives des Trois-Rivières, mai et juillet 1855 : deux portraits pour Joseph Dionne. Les Archives Madeleine Hamel conservent en plus des feuillets du *Livre de comptes* de l'artiste, une longue liste de tableaux avec les prix. Cette liste a sans doute été dressée par son fils Gustave, avocat. Le feuillet porte en effet le titre suivant : *Liste des tableaux que renferme mon étude.* Théophile Hamel aurait employé le mot atelier. De plus, les prix de certaines œuvres sont très élevés. Deux *Descente de Croix* dont l'une d'après Rubens sont estimées à $400 et $250 ; la *Sainte-Geneviève* à $400 ; *Saint Laurent présentant les pauvres au Gouverneur de Rome* à $300. Il est donc plus prudent de ne retenir que la première partie de la série de feuillets.

92. *Lettre de N. Bourassa à Th. Hamel,* décembre 1852, ANQ-FPB.

93. Un peintre d'histoire laboureur, « Un beau tableau », LCC, 21 mars 1860. Selon la tradition familiale le gouvernement n'a pas payé les derniers tableaux faits par Hamel.

94. « Reçu de M. Faribault pour M. Jacques Viger, la somme de 4 livres courants étant le prix de deux portraits faits au créons, » Québec, 19 février 1847, Th. Hamel, Fonds Verreau, 38, document 287, ASME.

95. *Livres de comptes II,* 1825, page 63, Presbytère de Bécancour. Paul-V. Charland, « Les ruines de N.D. de Québec », *Le Terroir,* 1924, p. 438. *Lettre de Jean Dubuc à G. Morisset* à propos des tableaux de la Baie-Saint-Paul. IBC, Charles East, « Saint-Augustin de Portneuf », *L'Action catholique,* 8 septembre 1934. *Livre de comptes 1850-1873,* 16 février 1857, Presbytère de Saint-Jean-Île d'Orléans. *Livre de comptes I, 1741-1874,* Québec, vol. I, 11 juin 1869, pp. 447 sqq.

96. LJQ, 27 mars 1871.

97. *Diarium 1915-1917.* Archives des Pères Jésuites de Québec.

98. Archives de la paroisse de Saint-Frédéric-de-Beauce, 1890.

99. *Brouillard 1868-1874* ; 1875-1879 ; 1893-1896, ASME. Nous savons que l'abbé Méthot a posé au moins pendant huit séances de deux heures chacune : *Journal de l'abbé Méthot,* ASME.

100. *Lettre de l'abbé Philippe Audet à G. Morisset,* 20 février 1934, IBC.

101. P.-J. Roy, *Dates lévisiennes,* I, pp. 216-217.

102. L'*Immaculée Conception* de Plamondon constitue une exception car ce fut plutôt un cadeau fait à la communauté des Sœurs du Bon Pasteur. Plusieurs historiens d'art ont parlé avant moi de ces questions monétaires à l'occasion de telle ou telle œuvre. Il n'y a cependant pas encore eu de travail comparatif. Mon but est de montrer l'intérêt d'une telle enquête si elle était faite pour l'ensemble d'une période.

103. LJQ, 14 août 1880.

104. *Lettre de N. Bourassa à Th. Hamel,* Lacadie, 29 juin 1852, ANQ-FPB.

105. AAQ, 16 août 1859, série E, comptes, vol. 3 : factures (1858-1860).

106. Victor Tremblay, « La société du Curé Hébert » dans *Rapport de l'archiviste,* 1848-49, pp. 277s. Nous ignorons ce que Th. Hamel fit de ce lot et s'il en devint jamais propriétaire.

107. *Contrat de mariage entre Th. Hamel et G.-M. Faribault,* 8 septembre 1857, Greffe du notaire Petitclerc, document 10 001.

108. *Testament de Th. Hamel,* 13 décembre 1870, Greffe du notaire Glackmeyer, document 3999.

109. *Quittance de Th. Hamel en faveur de Charles Begin,* archiprêtre, 11 février 1854, Greffe du notaire Peticlerc, document 7625.

110. *Obligation envers Th. Hamel,* 8 octobre 1857, NJP. La somme lui est remise avec les intérêts le 25 septembre 1858. Même notaire, document 10 590.

111. *Acte de vente de la maison de G.W. Douglas à Th. Hamel,* 11 mars 1856, NJP, document 9142.

112. *Acte de vente de la maison de Th. Hamel à G.-S. Audette,* 23 septembre 1857, NJP, document 10 019.

113. *Lettre de Puibusque à Faribault,* 10 novembre 1857, ANQ, série AA, Papiers G.-B. Faribault.

114. *Contrat de mariage entre Th. Hamel et G.-M. Faribault.*

115. *Contrat de mariage entre Joseph Hamel et Élisa Routier,* 5 septembre 1847, NJP, document 4334.

116. *Contrat de mariage entre Abraham Hamel et Cécile Roy,* 4 août 1839, NJP, document 1555.

117. *Quittance en faveur de A. Hamel et frère,* 7 juin 1876, Greffe du notaire Tessier, document 5009. Madame Hamel leur avait prêté une seconde somme de $8 000 en 1871 en sorte qu'elle touche à ce moment $16 000.

118. *Obligation de L.-A. Légaré envers Th. Hamel,* 20 avril 1861, NJP, document 11 632.

119. *Assignation de J.-E. Bolduc en faveur de Th. Hamel,* 24 janvier 1863, NJP, document 12 648.

120. *Adjudication en faveur de Th. Hamel,* 6 avril 1863, NJP, document 12 774.

121. *Procuration,* 8 janvier 1867, Greffe du notaire Huot, document 5684.

122. *Quittance et subrogation en faveur de Th. Hamel,* 17 avril 1867, Greffe du notaire Lindsay, document 2674.

123. *Obligation en faveur de Th. Hamel,* 19 mai 1869, Greffe du notaire Hébert, document 1820.

124. *Testament de Th. Hamel,* 13 décembre 1870, Greffe du notaire Glackmeyer, document 3999.

125. *Testament de Georgina-Mathilde Faribault,* 5 décembre 1905, Greffe du notaire C. Tessier, document 209.

126. Gustave Hamel, *Notes pour mes exécuteurs testamentaires,* 12 juin 1916, Archives Madeleine Hamel.

127. *Testament de Hermine Hamel-Lemay, 17 mars 1911,* Greffe du notaire C. Tessier, document 947.

128. *Lettre de T. Taschereau à Mgr F. Pelletier,* 11 septembre 1917, ASME, université 186, document 27 D.

129. Gustave Hamel, *Notes.* Il laissait environ $42 000 de biens dont $25 000 en argent. Sur ce montant $3 000 seulement reviendront en propre à sa veuve.

130. *Testament de Gustave Hamel,* 16 juillet 1913, Greffe du notaire Valère Gosselin, document 13 042.

131. *Lettre de T. Taschereau à Mgr F. Pelletier,* 11 septembre 1917. Mme Gustave Hamel, par la voie de son avocat, proposait « que le Séminaire consente à prendre un ou quelques tableaux appartenant à la succession, et valant à peu près ce que coûterait le cours complet de Jean, et qu'en retour Jean reçoive gratuitement jusqu'à la fin de ses études la pension et l'éducation au séminaire ». Cette proposition fut refusée : *Journal du Séminaire,* vol. 10, pp. 107-108. L'année suivante, elle offre une série de vingt et un ou vingt-deux tableaux pour la somme de $1 000. En février 1918, l'archiviste du Séminaire note qu'à eux seuls les cinq Honthorst valent plus que cela (*Journal,* vol. X, p. 151). En mai 1918, Mgr Pelletier se porte acquéreur de treize toiles dont les cinq Honthorst pour la somme de $550. *Journal du Séminaire,* vol. 10, pp. 183-184, ASME.

132. *Livre des minutes de l'Institut canadien 1848-1863,* p. 92.

133. Ses frères Joseph et Abraham ont l'habitude de faire deux versements par année. Les quelques versements faits par Ferdinand couvrent l'année entière, sauf celui de 1852. *Livre de comptes 1851-1872.*

134. *Livres de comptes 1851-1872,* mars 1852, p. 39. Abraham, Joseph et Ferdinand paient la souscription d'un trimestre.

135. *Ibid.*, pp. 94, 99, 106, 111, 115, 121, 127, 128.

136. *Ibid.*, pp. 141, 157.

137. *Livre des minutes 1848-1863,* p. 202.

138. *Ibid.*, pp. 203-210. Il assiste à une réunion le 5 novembre 1866 ; *Livre des minutes 1863-1877,* p. 39. En 1860, il aurai assumé la vice-présidence avec Jacques Auger, *L'Institut canadien de Québec,* p. 46.

139. *Livre des minutes 1863-1877,* pp. 60-62.

140. *Registre de la bibliothèque 1848-1855.* La date d'emprunt n'est pas clairement indiquée. Le quatième est cependant précis. Deux volumes du 2 décembre au 10 février. Puis des deux autres volumes en date du 10 février.

141. *Registre de la bibliothèque 1856-1857.*

142. *Registre de la bibliothèque 1848-1855,* p. 79.

143. Ph.-J. Jolicœur et C. Panet, *Rapport annuel 1858-1859,* p. 8.

144. Jean Bruchési dans *L'Institut canadien de Québec,* p. 12.

145. *L'Institut canadien de Québec 1848-1948,* p. 3. Il serait devenu vice-président en 1859, *ibid.*, p. 46.

146. Abraham en plus de faire partie de la Congrégation dirigée par les Pères Jésuites s'occupait d'administration scolaire. « Warrant pour l'école de Gentilly », 16 août 1855, dans APC — R6- 4- C2- vol. 51, document 1508. *Lettre adressée à Abraham Hamel et frères.*

147. *Registre de la bibliothèque 1848-1855,* p. 39.

148. *Ibid.*, juillet 1856 et 10 août 1856. *Registre de la bibliothèque 1848-1855,* p. 223, 5 mai 1855.

149. *Registre de la bibliothèque 1848-1855,* p. 98.

150. *Minutes du bureau de direction 1863-1877,* p. 84.

151. Jean Bruchési, *L'Institut canadien de Québec,* p. 9. L'auteur confond Théophile avec son frère Joseph.

152. Jolicœur, Panet, *Rapport annuel 1858-1859,* pp. 2-3. Voir aussi le *Livre des minutes du bureau de direction 1848-1863,* 6 mars 1848.

153. *Commission de lieutenant,* 24 novembre 1848. Archives publiques du Canada : RG-9-IC — volume 5, page 23.

154. *Commission de capitaine,* 31 mai 1860, APC-RG9-IC6, volume 6, page 126. Ces registres manuscrits donnent les dates d'émission des commissions. Le gouvernement expédiait le document sans en garder de copie. Lors de son émission à Radio-Canada, en 1935, le Colonel Desrosiers parlera de cette commission signée par Sir Edmund Walker Head, gouverneur-général, et par le lieutenant-colonel de Salaberry.

155. Jean-Yves Gravel, *Les voltigeurs de Québec,* pp. 9-88.

156. « Les militaires, en matière sociale, faisaient la pluie et le beau temps. Gravitaient autour des officiers les plus élégants, les plus nantis d'espèces sonnantes de nos professionnels, juges, artistes, musiciens ; ces gens-là banquetaient, dansaient, faisaient ensemble du sport ». Nazaire Levasseur, *Réminiscence d'antan,* p. 19.

157. Anonyme, « Feu M. Théophile Hamel », LCC, 26 décembre 1870.

158. LJQ, 16 et 18 novembre 1847.

159. *Lettre de N. Bourassa à Th. Hamel,* Montréal 11 septembre 1861, ANQ-FPB.

160. *Lettre de N. Bourassa à Th. Hamel,* Montréal, 16 novembre 1867, ANP-FPB.

161. *Lettre de Th. Hamel à sa femme,* Gaspé, 1er août 1867, APB.

162. *Lettre de N. Bourassa à Th. Hamel,* Montréal, 16 novembre 1867, ANQ-FPB.

163. *Lettre de Mme N. Bourassa à Mme Th. Hamel,* Montréal, 5 septembre 1868, IBC, document 14 387-14 388.

164. *Lettre de N. Bourassa à Th. Hamel,* Monte Bello, 24 juillet 1870, ANQ-FPB.

165. *Lettre de Pauline Faribault à Mme Hamel,* Le Mans, 14 août 1870, ANQ, Famille Faribault, AP-F5.

166. N. Bourassa, *Lettre d'un artiste canadien,* p. 67.

Chapitre deux

1. LJQ, 28 octobre 1862.

2. Gérard Morisset a rendu les artistes belges responsables de cette pauvreté. Voir *Peintres et tableaux,* p. 158.

3. Ont été ajoutées au crayon des signatures et des dates qui ne sont peut-être pas de Théophile Hamel.

4. La décision est prise le 9 octobre 1866 et le tableau achevé le 10 juin 1867 est payé le 16 septembre. *Journal du Séminaire 1865-1870,* p. 330, ASME.

5. James O'Leary, *Saint Patrick's church,* p. 17-18. Voir aussi E.T.F., *Gossip about old Quebec,* p. 21-29. L'auteur rappelle des souvenirs qui remontent aux années 1837-1840. « He was the main arbiter and adviser of the Irish immigrants, who were then beginning to arrive in larger numbers. I have many times seen him on his door steps giving audience to a crowd of applicants, encouraging some, censuring others and with a word of good advice for every one ».

7. Arthur N. Thompson, « A.N. Bethune », DBC, t. X, pp. 56-61.

8. LM, 25 juillet 1850. Le *Kingston Whig* fait l'éloge de Th. Hamel.

9. *Congrégation des hommes. Registre I,* 25 octobre 1863, p. 219. Archives des Jésuites de Québec. Le mariage de Théophile Hamel sera béni par C.-F. Cazeau dans la chapelle Saint-Louis le 9 septembre 1857.

10. IBC, Th. Hamel, document 14 300. Gérard Morisset suggère 1837.

11. Marcel Trudel, *Chiniquy,* p. 6sqq. Nous puisons chez cet auteur les éléments biographiques rapportés ici.

12. ARP, 3 novembre 1848.

13. ARP, 8 novembre 1848, vol. I, p. 756.

14. LJQ, 11 novembre 1848.

15. Voici d'après Trudel, les principaux portraits de Chiniquy : Antoine Plamondon, 1842, Th. Hamel, tableau et lithographie, 1848 ; gravure dans le *Manuel de tempérance,* 1849 ; portrait danns *Forty Years in the Church of Christ, 1885 ;* Chiniquy avec deux de ses enfants, Archives de l'évêché de Montréal, dossier Chiniquy, chemise 2 ; gravure de Chiniquy à soixante-seize ans dans *Cinquante ans,* 1885 ; gravure à quatre-vingts ans dans la 43e édition de *Fifty years ;* photographie dans Duclos, *Histoire du protestantisme, II,* p. 99 et 304 ; photographie dans *Forty Years,* p. 100 ; portrait dans *Lettre du Dr Chiniquy à l'archevêque Fabre,* 1894 ; *Montreal Daily Star,* 16 janvier 1899 ; *Aurore,* 21 janvier 1899 ; *La Presse,* 14 et 15 janvier 1899.

16. LM, 11 janvier 1894.

17. LJQ, 7 avril 1853. P.-G. Roy, *Dates lévisiennes,* vol. I, p. 38. P.-G. Roy, *Notre-Dame-de-Lévis,* pp. 78-82. Sont reproduits en partie les discours du lieutenant-colonel Dalaire et de l'abbé Déziel. Voir le *Catalogue.*

18. Fidelis, *Mère Marie-Rose,* pp. 751-760. Pierre Duchaussois, *Rose du Canada,* pp. 287-289.

19. *Journaux de l'Assemblée législative,* 14 juin 1853, pp. 1133-1134.

20. LM, 10 décembre 1856. Faute de tableaux dans les familles, il fut impossible de faire les portraits de McLean, de David Smith, de Richard Beasley et de Street.

21. LM, 15 octobre 1853. LJQ, 18 octobre 1853.

22. LJQ, 27 novembre 1856.

23. Il fut impossible de trouver l'image de cinq présidents du Haut-Canada : Gregory, Hey, Osgood, Allcook et Scott. LJQ, 30 janvier 1858.

24. *Journaux du Conseil législatif de la province de Québec,* vol. 19, session de 1861, 11 mai, p. 177 et p. XXXVII.

25. *The Mercury,* 29 novembre 1864.

26. LCC, 17 mars 1865 ; LM, 22 et 24 mars 1865 ; LJQ, 20 avril 1865. La famille Hamel rapporte que plusieurs tableaux sont restés impayés. Il se peut que le changement de gouvernement ait amené un changement d'opinion. Le portrait de Champlain se trouve dans le bureau du président de la Chambre à Ottawa mais un Charlevoix se trouve à l'Hôtel-Dieu de Québec et Murray est conservé au Séminaire de Québec. Quelques-uns de ces tableaux n'auraient donc pas été livrés au gouvernement.

27. Hormidas Magnan, « Peintres », *Le Terroir.*

28. Georges Bellerive, *Artistes peintres,* p. 48. William Colgate, *Canadian Art,* 1943, p. 111, partage la même opinion.

29. Gérard Morisset, *La peinture,* p. 118.

30. R.H. Hubbard, *Deux peintres,* p. 43, note 30.

31. Georges Bellerive, *op. cit.,* p. 47.

32. Henriette Tassé, *La vie d'Hector Berthelot,* p. 27. Louis-Flavien Berthelot fréquentait la maison de Th. et sa fille Émilie, mariée à Charles Lionnais, petit-fils de Pierre Moreau, aurait posé pour des madones peintes par notre artiste.

33. Marcel Trudel, *Chiniquy,* pp. 7-10, 15, 53, 64-66.

34. Henri Têtu, *Histoire des familles Têtu,* pp. 461 sqq.

35. André Jobin, « Portrait de Léocadie Bilodeau », *Le Soleil,* 19 novembre 1950.

36. LJQ, 14 juin 1853.

37. ARP, 6 novembre 1848.

38. *The Mercury,* 29 novembre 1864.

39. *Lettre de N. Bourassa à Th. Hamel,* Florence, décembre 1852, ANQ-FPB.

40. LC, 5 juillet 1841. JIP, 1858, p. 204.

41. *Livre de comptes de Saint-Ours,* Presbytère, 4 novembre 1842. À l'assemblée du 31 juillet 1831, Joseph Laplante, marguillier en charge, avait reçu mission de faire acheter deux tableaux pour placer dans l'église.

42. *Ibid.,* 4 février 1844. En 1968, les deux tableaux furent nettoyés et revernis par le peintre Vallé de Saint-Germain-de-Granthan.

43. *Inventaire de l'abbé Louis-Joseph Desjardins,* Ursulines de Québec.

44. Gérard Morisset, « La collection Desjardins », novembre 1934.

45. *Ibid.,* octobre 1934.

46. *Lettre de Mgr Laflamme à la Supérieure générale du Bon Pasteur,* 9 août 1925. Archives des Sœurs du Bon Pasteur.

47. *Journal du Séminaire,* 12 avril 1868. On lit se qui suit dans les *Délibérations de Notre-Dame-de-Québec,* 7 mai 1867, p. 56 : « Résolu que M. Théophile Hamel soit chargé de faire une copie du tableau de la Ste-Famille, déposé dans la chapelle des Messieurs du Séminaire pour le prix de 70 louis ».

48. *Lettre de Mgr Laflamme à la Supérieure générale du Bon Pasteur.* L'auteur se trompe en parlant d'Eugène Hamel. La religieuse dont parle Mgr Laflamme est Sœur Marie-de-Jésus qui copia le tableau en janvier 1878. « Une religieuse du Bon

Pasteur, la Sr Marie de Jésus achève une copie de notre tableau de Vanloo, 'la fuite en Égypte'. Tous les connaisseurs trouvent que la bonne artiste a merveilleusement réussi. C'est dans une des chambres de l'Université que le Séminaire a permis à la bonne Sœur de prendre cette copie ». ASME, vol. II, 24 janvier 1878, p. 677.

49. *Lettre du Père Martin* dans Paul Desjardins. *Le Collège Sainte-Marie,* p. 51.

50. Robert Rumilly, *Histoire de Montréal,* t. 2, pp. 310-311.

51. Anonyme, *Mère Mallet.*

52. Pierre Duchaussois, *Rose du Canada,* p. 204.

53. Charles Levesque, Saint-Benoit, septembre 1849. Archives Madeleine Hamel.

54. A.-D. De Celles. « Persécution sans excuse », *La Presse,* 28 octobre 1922. Madeleine Hamel possède une photo sur verre sertie dans un écrin de velours à fermoir métallique. Voir aussi Raymond Vézina dans RACAR, vol. 2, no 1, été 1975, pp. 51-55.

55. LM, 12 décembre 1855.

56. Voir à ce propos *Eco del comercio,* 17 octobre 1835, 29 avril 1872, 2 mai 1842. *El pensamiento,* 1841, pp. 280-282 ; *El Artista,* 1835, pp. 153-155, 164-167, 169-170 ; Crusada Villaamil, « Exposición nacional de Bellas Artes de 1866. Pintura », *El arte en España,* t. 6, 1867, pp. 9-38 ; Antonio Esquivel, « Exposición de pinturas », *Eco del comercio,* 25 octobre 1841 ; Angel Fernandez de los Rios, « Liceo exposición de pintura del año 1846 », *El Siglo pintoresco,* 1846, pp. 145-150, 177-184.

57. De Fenouillet, « Deux tableaux », LJQ, 4 décembre 1855.

58. *Comptes et délibérations 1827-1857,* 1850. Le transport et le posage ont coûté 48 livres 13 shillings cours ancien.

59. *Registres des procès-verbaux de la Congrégation 1845-1877,* 31 mars 1861, p. 192. Archives des Pères Jésuites de Québec.

60. *Ibid.,* 27 avril 1861, pp. 192-193.

61. *Ibid.,* 25 octobre 1863, p. 218. L'expertise faite le 25 octobre 1948 l'estime à $1 500. IBC, Québec, Jésuites.

62. *Ibid.,* 22 janvier 1888, p. 208.

63. *Ibid.*

64. *Diarium, 1915-1917,* 13 juillet 1916, p. 130.

65. *Diarum, 1915-1917,* 21 juillet 1916, p. 133.

66. *Registres de la Congrégation 1877-1896,* 18 décembre 1887, p. 206.

67. Pour les détails concernant la commande, voir le *Diarium 1886-1889,* 11 mars et 20 mai 1888. Ils furent restaurés après celui de Théophile. Voir le *Diarium 1915-1917,* 4 et 5 septembre 1916. Le Saint-Joseph a été copié pour le noviciat des Jésuites, au Sault-aux-Récollets, qui s'appelait maison Saint-Joseph. Le tableau se trouve actuellement à Saint-Jérôme-de-Terrebonne dans le corridor de l'infirmerie au cinquième étage. Il existe plusieurs copies du Sacré-Cœur notamment à l'église de Sainte-Foy et à la maison Mère Mallet.

68. *Registres de la Congrégation 1877-1896,* 16 et 23 octobre, 13 novembre 1887.

69. *Livres de comptes de Grondines 1716 à 1877.* « 18 janvier 1846. Payé à M. Hamel, par reçu — L 25. 23 février — 47. Do au même par reçu — L 12.10 ».

70. Anonyme, *Héritage de France,* 1962, p. 27.

71. LJQ, 21 mai 1867. LM, 8 janvier 1874. Mme Th. Hamel fait don du tableau à l'église Notre-Dame-des-Victoires. N.-E. Dionne, *Historique de N.-D.-des-Victoires.* Le tableau aurait été très abîmé en 1888. Une réplique aurait orné longtemps une salle du Grand Séminaire de Québec. Il fut remis à la famille Hamel et Mme Gustave Hamel l'aurait donné à l'église Notre-Dame-du-Chemin. Cette copie est maintenant introuvable. En 1860, Théophile Hamel avait obtenu une médaille de la Chambre des arts et manufactures du Bas-Canada lors d'une exposition industrielle tenue à l'occasion de la visite du Prince de Galles. Georges Bellerive, *Artistes peintres,* p. 51.

72. Bibliothèquue municipale de Montréal, IG 4625. Le copyright appartient à John G. Shea.

73. *Le Canadien,* 21 janvier 1853.

74. *Lettre de Viger à Légaré,* 23 novembre 1839, ASME, Fonds Verreau, boîte 62, document 227.

75. *Lettre de Légaré à Viger,* 6 décembre 1839, Fonds Verreau, boîte 60, document 4.

76. *Lettre de Viger à Légaré,* 13 décembre 1839, Fonds Verreau, boîte 61, document 5.

77. *Lettre de Légaré à Viger,* 22 février 1840, Fonds Verreau, boîte 61, document 6.

78. Gérard Morisset, *Album Viger,* IBC, document 14 197.

79. *Lettre de G.-B. Faribault à Viger,* 4 janvier 1848, Fonds Verreau, boîte 60, liasse 20, document 2.

80. Georges Bellerive, *Artistes peintres,* p. 45.

81. Le fusain du Séminaire de Québec provient de sa succession. Il demande à Viger de lui donner ses impressions sur les deux copies de Cartier par Hamel et exprime le désir d'acheter la gravure. *Lettre de Faribault à Viger,* 4 janvier 1848, ASME, Fonds Verreau, boîte 60, liasse 20, document 2. L'inventaire de ses ouvrages par l'abbé Laverdière mentionne le portrait gravé de Jacques Cartier. *La Revue canadienne* du 29 octobre 1847 dit que le tableau fut envoyé de France à la Société historique de Québec. Voir aussi : *The Gazette,* 2 juillet 1847.

82. LJQ, 26 octobre 1847.

83. LJQ, 3 juillet 1889. Il y eut au moins deux impressions. Une série fut gravée par Davignon et nous savons quu'elle fut enregistrée en 1848 au gouvernement canadien à New York. Le musée du Québec et les Archives nationales à Ottawa en possèdent chacun un exemplaire. Les Archives du Québec conservent la lithographie par S. Freeman (neg. GH-1271-28). Les cordages ne sont pas représentés.

84. LM, 31 mars 1860.

85. LJQ, 9 avril 1870, *Lettre de Alf. Leclerc à Th. Hamel,* 27 avril 1870. Archives Madeleine Hamel.

86. LM, 26 mars 1897.

87. Ces renseignements m'ont été gracieusement fournis par Monsieur Dan Lailler, conservateur du musée de Saint-Malo.

88. Damase Potvin, *Peter McLeod,* p. 117-122. L'auteur évoque la rencontre entre le chef Montagnais et McLeod : « À quoi servent nos courses, Milaupanuish [...] à quoi servent nos nuits passées à l'affût dans le Nord ? Le gibier appartient maintenant aux blancs qui sont mieux armés que nous, pauvres sauvages [...]. Dans nos cabanes on gémit sans cesse, lamentablement. Rien à manger, entends-tu ? [...] toi seul, ô Milaupanuish, peut bien dire aux gens des gouvernements que les pauvres sauvages du lac Peokwagamy vont être réduits bientôt, pour manger, à faire bouillir le cuir de leurs mocassins et les lanières de leurs raquettes. Je sais que tu auras pitié de nous, Milaupanuish. J'ai dit... » Voir aussi Raymond Vézina, « Théophile Hamel, premier peintre du Saguenay » dans *Saguenayensia,* janvier-février 1975, pp. 2-16. La fondation McDonald Stuart se'st appuyée sur cet article pour accorder au Musée de Chicoutimi les fonds nécessaires à l'achat des portraits de McLeod et du couple Kane.

89. IBC, document 14 344.

90. LCC, 21 mars 1860. Deux ans plus tard, il revient à la charge se plaignant de ce que le clergé n'a pas d'argent, de ce que les riches « aiment mieux des dîners, les rideaux, les tapis, et les meubles, sauf de rares exceptions ». Puis il attaque le gouvernement : « Il a donné trois mille louis pour trente têtes en peinture, mais a-t-il partagé l'ouvrage ? Non, il l'a donné tout à un seul. Et il en est résulté qu'un artiste véritable a dû de découragement se retirer à la campagne ». *Le Journal de Québec,* 2 août 1862.

Chapitre trois

1. LC, 5 juillet 1841.

2. Michel Cauchon, *J.B. Roy-Audy,* p. 104.

3. John Collier, *The art of portrait,* p. 82.

4. Voici comment le Larousse définit le mot radiance : quotient du flux lumineux que rayonne une surface par son aire. Entendons ici l'énergie dégagée. Théophile Hamel a travaillé d'après des photographies mais nous ne trouvons guère d'ombres projetées. Même le *Ulric-Joseph Tessier* (1857) utilise l'éclairage latéral comme on le faisait longtemps avant la photographie.

5. *Herald,* 13 janvier 1852. Archives municipales de Montréal. Séances du Conseil municipal, document 16 219 pour les années 1851 à 1854.

6. Gérard Morisset, *Coup d'œil,* p. 74.

7. Seule une reproduction de qualité comme celle publiée par Rosemblum (*Ingres,* Cercle d'art, 1968) peut donner une idée de ce prodigieux travail décoratif.

8. Pierre Francastel, *Le portrait,* p. 156.

9. Paul Sucker, *Styles in painting,* p. 175.

10. Roch Lefebvre, *Rapport des archives du Québec,* t. 41, pp. 170.

11. *Acte de naissance de Olympe Chauveau,* Registre de N.-D.-de-Québec, 1er février 1844.

12. *Acte de naissance de Flore Chauveau,* Registre de N.-D.-de-Québec, 26 octobre 1842.

13. Max Friedlander, *De l'art et du connaisseur,* p. 140.

14. *Ibid.,* pp. 140-141. On m'a conseillé de comparer *l'Autoportrait dans un paysage* avec *Courbet au chien noir* peint en 1842. Or ce tableau est postérieur à celui de Théophile Hamel. Le fait que les deux artistes se représentent au début de leur carrière, dans un paysage et avec leurs instruments de travail demeure extérieur à l'œuvre. *L'autoportrait dans le studio* (vers 1850) pourrait ête comparé avec *Corot à son chevalet* (1825) et *Corot à la palette* (1835). Aucun document ne permet cependant de penser qu'Hamel ait vu ces œuvres. Je remercie cependant l'appréciateur anonyme qui m'a fait ces remarques.

16. *Lettres de Th. Hamel à Georgina Faribault,* Davanport, 4 juillet 1857, AFPB.

17. *Lettre de Th. Hamel à sa femme,* Toronto, 27 février 1858, AFPB.

18. *Diarium 1915-1917,* 13 juillet 1916, p. 130. Le doreur Louis Morency fut chargé du travail.

19. Gérard Morisset, *Peintres et tableaux,* p. 159.

20. LJQ, 28 octobre 1862.

21. Wayne Ready, *Portraits anciens du Canada.* Ce genre de travail lance sur de fausses pistes et dispense de regarder les œuvres.

22. Th. Hamel a été comparé tour à tour aux Flamands des 17ème et 19ème siècles, aux Français et même aux Allemands. Récemment ses premières œuvres ont été rapprochées — sans preuves documentaires ou formelles — des primitifs flamands et italiens ainsi que comparées avec les œuvres de Goya ! Peter Wilson, « Early French-canadian works », *Toronto Daily Star,* 22 décembre 1970.

23. *Lettre de Th. Hamel à son frère Abraham.* Venise, 31 août 1845, AFPB.

24. *Lettre de N. Bourassa à Th. Hamel,* Florence, décembre 1852, ANQ-FPB.

25. *Lettre de J.-C. Taché à Th. Hamel,* Outaouais, 23 novembre 1866, AFPB.

26. LJQ, 21 mai 1867.

27. F.-X. Garneau, *Voyage en Angleterre et en France,* p. 206.

Chapitre quatre

1. Registre des officiers et professeurs, ASME.

2. LJQ, 12 octobre 1847. Recommandation de l'abbé Parent.

3. LJQ, 12 octobre 1847. Recommandation d'Antoine Plamondon. Plamondon dit que Fournier l'a remplacé depuis deux ans comme professeur de dessin. Le Registre des officiers et professeurs le mentionne comme professeur de dessin en 1848-1849. D'après ce registre, Antoine Plamondon aurait été professeur de dessin pendant treize ans : de 1833 à 1835 ; de 1840 à 1851. Théophile Hamel est aussi mentionné en 1842-1843 et Thomas Fournier en 1848-1849. Plamondon devait alors se contenter de diriger le jeune professeur sans dispenser lui-même l'enseignement.

4. *La Minerve,* 14 octobre 1847.

5. LJQ, 12 octobre 1847.

6. H.-R. Casgrain, *Une excursion à l'Île-aux-Coudres,* pp. 27-28.

7. Cyprien Tanguay, *Répertoire général du clergé,* p. 274.

8. LC, 21 août 1840.

9. H.-R. Casgrain, *ibid.,* pp. 27-28.

10. L'*Opinion publique* de 1876 publiait son portrait gravé.

11. Par contre, on a pensé aussi qu'il était un autodidacte. *Lettre de Philippe Audet à Gérard Morisset,* Lévis, 20 février 1934, IBC, document 19 480. La même question se pose à propos d'Alexandre Giffard qui a aussi fréquenté l'atelier de Théophile Hamel. Lors de la célébration de la Saint-Jean-Baptiste en 1863, la Société typographique arbore sa nouvelle bannière peinte par Giffard. LCC vante les talents de Giffard, « élève de M. Théophile Hamel », 26 juin 1863.

12. P.-G. Roy, *Dates lévisiennes,* vol. 2, p. 79.

13. *Ibid.,* vol. 3, p. 5.

14. *Ibid.,* vol. 3, p. 256. Le 1er décembre 1887. Il s'agit du portrait de Mlle Aimée Chabot, fille de Julien Chabot.

15. LJQ, 14 août 1880.

16. P.-G. Roy, *op. cit.,* vol. I, pp. 216-217.

17. LJQ, 10 septembre 1870.

18. *The Chronicle,* 28 juillet 1858.

19. H.-R. Casgrain, *Le Chevalier Falardeau,* pp. 21-22.

20. Georges Bellerive, *Artistes peintres,* p. 56.

21. A.J. Robson, *Canadian Landscape,* p. 90.

22. Émile Falardeau, *Un maître de la peinture,* p. 36. Je cite de préférence cet auteur qui semble plus sûr bien que toute l'étude serait à vérifier rigoureusement étant donné l'absence de référence aux sources.

23. LM, 12 décembre 1855.

24. H.-R. Casgrain, *op. cit.,* p. 20.

25. LJQ, 17 novembre 1846.

26. Émile Falardeau, *op. cit.,* p. 42 sqq.

27. *Lettre de N. Bourassa à Th. Hamel,* Florence, décembre 1852, ANQ-FPB. Napoléon Bourassa avait déjà parlé longuement de Falardeau dans une lettre à Charles Laberge postée de Florence le 19 décembre 1852. Falardeau « vient de faire une maladie très dure et dont il se rétablira très difficilement. Je crains bien que ce jeune homme ait dépensé plusieurs années de sa vie dans les sept ans qu'il a passé en Italie. L'amour du travail qui est chez lui une qualité bien trop prononcée, pour la force de sa constitution l'a porté à des excès qu'il regrète fort maintenant. Quand l'on sait d'ailleurs les privations auxquelles il s'était condamné pour accomplir ses résolutions, on est étonné même qu'il soit encore si bien. Il est de ceux qui ne meurent pas parce qu'ils ne veulent pas mourir mais qui sans ce courage à vivre seraient mort cent fois. J'ai été souvent étonné de voir la force de son caractère.

Un mois et demie, à peu près avant mon arrivée à Florence, il avait eu cette attaque de pleurésie qui se joignant à une fièvre maligne qui existe à Florence le réduisit à une si grande faiblesse que les médecins furent étonnés de le voir s'en relever. Quand je le vis à mon arrivée il était rétabli, mais avait conservé une grande faiblesse. À l'approche de l'hiver, la pleurésie a reparu, et depuis un mois à peu près les médecins le traitent sans relâche. Ils l'ont couvert de sangsues, et de vessicatoirs que je vais lui panser matin et soir, (...il) ne peut pas être malade quand il voit de la poussière sur un de ses cadres dorés, ou même ailleurs. C'est l'homme le plus minutieux qui soit au monde.

Et puisque je suis à t'en parler, je te dirai *intimement* que jusqu'à présent si sa connaissance m'a été utile elle n'a pas toujours été pour moi un bonheur. (...) Une de mes idées rencontre infailliblement le contraire chez lui. Ceci rend sa compagnie pénible au dernier point et me fait regretter d'être venu à Florence plutôt qu'à Rome. (...) Il est gai, et a l'esprit tourné pour faire rire l'homme le plus grave du monde, il m'a été très utile dans toutes les petites nécessités de mon déballage (...) un autre probablement trouverait en lui un excellent compagnon ». AFPB.

28. LM, 17, 19, 22 juillet 1862.

29. LCC, 2 juillet 1862.

30. LJQ, 22 août 1862.

31. LM, 10 juillet 1882.

32. LM, 18 juillet 1882.

33. « Mort de Gustave Hamel », *L'Éclaireur,* 15 mars 1917.

34. *Journal,* t. 3, 14 janvier 1888. Les « cocottes » de Monte-Carlo et les « grisettes » de Paris l'ont fortement impressionné.

35. *Journal,* t. 2, 29 novembre 1887.

36. *Journal,* t. 1, 13 octobre 1887 ; t. 3, 15 janvier 1888.

37. *Journal,* t. 2, 7 décembre 1887.

38. Gustave a sans doute fait des peintures à l'huile. Il y aurait un *Paysage d'hiver* chez Lionel Piuze de Thedford Mines.

39. Anne Bourassa, *Napoléon Bourassa 1827-1916.*

40. Roger Lemoine, *Napoléon Bourassa. Sa vie, son œuvre.*

41. Napoléon Bourassa, *Influence du sentiment religieux sur l'art.* Manuscrit inédit, AFPB.

42. Napoléon Bourassa, « Réflexions critiques », LRC, 1864, p. 173.

43. Napoléon Bourassa, *Influence du sentiment religieux.*

44. Napoléon Bourassa, « Du développement du goût », 1868, p. 68.

45. « Chapelle N.-D. de Nazareth », LM, 25 juin 1872.

46. Napoléon Bourassa, « Du développement du goût », p. 69.

47. Napoléon Bourassa, *Influence du sentiment religieux.*

48. « Chapelle N.-D. de Nazareth », 25 juin 1872.

49. Napoléon Bourassa, *Influence du sentiment religieux.*

50. Napoléon Bourassa, « Quelques réflexions critiques », p. 173.

51. Napoléon Bourassa, « Chapelle N.-D. de Nazareth », 25 juin 1872.

52. Napoléon Bourassa, « Causerie artistique », p. 173.

53. Napoléon Bourassa, « Développement du goût », p. 73.

54. *Lettre de N. Bourassa à Th. Hamel,* Florence, décembre 1852.

55. *Lettre de N. Bourassa à Mme Th. Hamel,* Montréal, 21 janvier 1871.

56. *Lettre de N. Bourassa à Th. Hamel,* Florence, décembre 1852.

57. *Lettre de N. Bourassa à Th. Hamel,* Montréal, 11 septembre 1861.

58. Napoléon Bourassa, « Du développement du goût », p. 72.

59. Thomas Hamel, *Généalogie de la famille Hamel.*

60. Oscar Hamel, *Notes sur la vie de Eugène Hamel,* IBC, document 13 603.

61. LJQ, 3 octobre 1870.

62. Thomas Hamel, *Généalogie.* Marie-Cécile-Florence (22 décembre 1873-30 août 1874) ; Augustin-Alphonse-Eugène-Paul (14 février-27 juin 1875) ; Charles-Paul-Maurice (20 juillet 1876-10 décembre 1876).

63. *Ibid.*

64. LJQ, 10 octobre 1870.

65. Documents 13 783 et 13 812, IBC. Gérard Morisset, « Les églises de Saint-Jean-Baptiste », pp. 136-138.

66. Oscar Hamel, *Notes,* IBC, document 13 613. Peut-être en 1869 à Rome.

67. *Ibid.* L'auteur pense que la toile fut détruite par le feu.

68. Registre de Saint-Frédéric. Année 1872.

69. *Ibid.,* année 1890. Le tableau fut payé $150. Il se trouve maintenant dans le croisillon sud, au-dessus du confessionnal.

70. LJQ, 21 janvier 1873 ; LM, 22 janvier 1873 ; *L'Opinion publique,* 30 janvier et 24 avril 1873.

71. Texte des archives.

72. Lambert Closse, *Album souvenir du couvent de Cacouna,* pp. 14, 34-35.

73. La maison généralice des Sœurs de la Charité conserve aussi le portrait de l'abbé Édouard Bonneau, premier chapelain résident. Exécuté en décembre 1880, ce portrait n'offre guère de caractère.

74. Il s'agit du numéro G-54-26-P au musée du Québec. Le A-51-62-P est beaucoup plus sombre. Le musée Château Ramezay à Montréal possède une belle série de dessins dus à Zacharie Vincent.

75. ASMF, *Brouillard,* 30 juillet 1873.

76. *L'Opinion publique,* 28 septembre 1871.

77. LJQ, 21 septembre 1877.

78. LJQ, 20 février 1880.

79. Jean Trudel, *Peinture traditionnelle du Québec.*

80. LJQ, 21 août 1872, 6 avril 1877.

81. LJQ, 20 juillet 1880.

82. LJQ, 29 avril 1881.

83. LJQ, 22 juin 1881.

84. LJQ, 16 juillet 1885.

85. LJQ, 23 juin 1881.

86. LM, 27 février 1882.

87. Oscar Hamel, *Notes sur la vie d'Eugène,* IBC, document 13 605.

88. LJQ, 16 juillet 1885.

89. *Registre des procès-verbaux de la congrégation 1877-1896,* p. 206.

90. *Diarium 1886-1889,* 14 janvier 1888, p. 88.

BIBLIOGRAPHIE

Voici l'ordre dans lequel les ouvrages sont présentés.

BIBLIOGRAPHIE

I — Sources

A. MANUSCRITES

1. Archives judiciaires

À moins d'indication contraire, les documents cités proviennent des archives judiciaires de Québec.

Contrat pour l'apprentissage de Théophile Hamel chez Antoine Plamondon, 5 juillet 1834, Greffe du notaire Joseph Petitclerc, document 435.

Quittance de François-Xavier Hamel, cordonnier, en faveur de François-Xavier Hamel, cultivateur, 6 septembre 1834, NJP, document 475.

Contrat de mariage entre Abraham Hamel et Marie-Cécile Roy, 4 août 1839, NJP, document 1555.

Quittance de Michel Dufresnes en faveur de François-Xavier Hamel, 25 juin 1840, NJP, document 1755.

Donation de François-Xavier Hamel et de son épouse à leur fils Thomas-Stanislas Hamel, 27 décembre 1841, NJP, document 2117.

Bail entre J.-Z. Nault et T. Hamel, 21 janvier 1841. Greffe du notaire A.-B. Sirois, document 1357.

Contrat de mariage entre Thomas-Stanislas Hamel et Suzanne-Élisabeth Routier, 9 janvier 1842, NJP, document 2122.

Procuration de Théophile Hamel pour Abraham Hamel, 10 juin 1843, NJP, document 2564.

Obligation de François-Xavier et Thomas-Stanislas Hamel en faveur de Joseph Dostie, 27 décembre 1844, NJP, document 3001.

Contrat de mariage entre Joseph Hamel et Dame Éliza Routier, 5 septembre 1847, NJP, document 4334.

Inventaire des biens de Thomas-Stanislas Hamel, frère de Théophile, 10 juillet 1851, NJP, document 6281.

Obligation consentie à Théophile Hamel par Charles Bégin, archiprêtre de Rivière-Ouelle, 11 août 1851, Greffe du notaire P. Garon, document 7125. Palais de justice de Rivière-du-Loup.

Cautionnement de J.-C. Chapais en faveur de Théophile Hamel, 12 août 1851, Greffe du notaire P. Garon, document 7129, Palais de justice de Rivière-du-Loup.

Obligation consentie à Théophile Hamel par Charles Bégin, archiprêtre de Rivière-Ouelle, 28 septembre 1852, Greffe du notaire P. Garon, document 7282, Palais de justice de Rivière-du-Loup.

Contrat de mariage entre Thomas-Stanislas Hamel et Zoé-Rébecca Lockwell, 21 novembre 1852, NJP, document 6895.

Obligation de François-Xavier Hamel et Thomas-Stanislas Hamel en faveur de Pierre Huot, curé de Sainte-Foy, 10 janvier 1853, NJP, document 6950.

Contrat de mariage entre Ferdinand-Edmond Hamel et Marie-Scholastique-Georgine Routier, 8 juin 1853, NJP, document 7235.

Quittance de F.-X.-T. Hamel et de Mme veuve J. Roy à Messire Chs. Bégin et autres, 11 février 1854, NJP, document 7625.

G.W. Douglas vend sa maison à Théophile Hamel, 11 mars 1856, NJP, document 9142.

Contrat de mariage entre Frs.-X. Théophile Hamel et Georgina-Mathilde Faribault, 8 septembre 1857, NJP, document 10 001.

Théophile Hamel vend sa maison à G.-S. Audette, 23 septembre 1857, NJP, document 10 019.

Obligation de la Fabrique de Saint-Germain-de-Rimouski envers Théophile Hamel, 8 octobre 1857, NJP, document 10 043.

Quittance de Théophile Hamel en faveur de George-Siméon Audette pour la somme de cinq cents livres, 12 juillet 1858, NJP, document 10 570.

Obligation de A. et J. Hamel envers F.-X. Théophile Hamel, 31 août 1858, NJP, document 10 580.

Quittance de Théophile Hamel en faveur de la Fabrique de Saint-Germain-de-Rimouski, 25 septembre 1858, NJP, document 10 590.

Protest. City Bank and Theo. Hamel, 6 mars 1858, Greffe du notaire Fisher Langlois, répertoire 67, document 1064. Document perdu.

Quittance de R.-J. Roy en faveur de Théophile Hamel, 19 octobre 1861, NJP, document 11 910. Document perdu.

Obligation de Ls.-Ant. Légaré envers. F.-X. Théophile Hamel, 20 avril 1861, NJP, document 11 632.

Assignment. Jos. E. Bolduc to F.-X. Théop. Hamel, 24 janvier 1863, NJP, document 12 648.

Adjudication d'A. Hamel en faveur de Théop. Hamel, 6 avril 1863, NJP, document 12 774.

Intérêts garantis à Mme Théophile Hamel, 27 avril 1863, NJP, document 12 808.

Avis au Receveur général à propos des intérêts de Mme Théophile Hamel, 12 mai 1863, NJP, document 12 832.

Signification of Assignment. F.-X. Théo. Hamel to the Life Association of Scotland, 27 janvier 1863, NJP, document 12 658.

Testament de George-Barthélemy Faribault, 17 mars 1864, Greffe du notaire Amable Bélanger, document 2239. Copie dans les archives de Madeleine Hamel.

Théophile Hamel et son épouse nomment un procureur pour s'occuper de l'héritage reçu par Mme Hamel de Georges-Barthélemy Faribault, 8 janvier 1867, Greffe du notaire Philippe Huot, document 5684.

Subrogatoire de Mad. E.B. Lindsay en faveur de Théophile Hamel, 17 avril 1867, Greffe du notaire Cyrille Tessier, répertoire 249, document 2674.

Contrat pour l'aménagement de la tombe de Théophile Hamel par Olivier Mathieu, 24 avril 1868, Greffe du notaire Cyrille Tessier, document 2916.

Obligation de Ed. Casault en faveur de Th. Hamel, 19 mai 1869, Greffe du notaire J.-B.-C. Hébert, répertoire 130, document 1820.

Quittance de Ed. Casault à Louis Cinq-Mars pour la somme de 400 louis prise sur les 600 louis empruntés à Théo. Hamel, 1er juin 1869, Greffe du notaire J.-B.-C. Hébert, répertoire 130, document 1834.

Testament de Théophile Hamel, 13 décembre 1870, Greffe du notaire Ed. Glackmeyer, répertoire 165, document 3999.

Quittance de Mme Théophile Hamel à la Fabrique de Saint-André d'Acton, 19 novembre 1872, Greffe du notaire Cyrille Tessier, répertoire 249, document 4078.

Obligation de Mme Ed. Caseau en faveur de Mme Théophile Hamel, 31 décembre 1874, Greffe du notaire Cyrille Tessier, répertoire 249, document 4621.

Obligation de Mme Frs. De Foy en faveur de Mme Théophile Hamel, 15 septembre 1875, Greffe du notaire Cyrille Tessier, répertoire 249, document 4820.

Quittance subrogatoire de L.-I.-C. Fiset en faveur de Mme Théophile Hamel, 24 février 1873, Greffe du notaire Cyrille Tessier, document 4145.

Quittance de Mme Th. Hamel à Jos et A. Hamel, 7 juin 1876, Greffe du notaire Cyrille Tessier, document 5009.

Obligation de Jos. Hamel envers Mme Hamel, 7 juin 1876, Greffe du notaire Cyrille Tessier, document 5008.

Obligation d'Alph. Hamel envers Mme Hamel, 7 juin 1876, Greffe du notaire Cyrille Tessier, document 5007.

Obligation de Joseph-Alfred Trudel envers Mme Théophile Hamel, 13 juillet 1878, Greffe du notaire Delage, répertoire 250, document 4894.

Bail entre Augustin Côté et Eugène Hamel, 13 mars 1877, Greffe du notaire Jean-Alfred Charlebois, document 1791.

Quittance de Mme Th. Hamel en faveur de Félix Belleau, 5 avril 1877, Greffe du notaire Cyrille Tessier, document 5211.

Contrat de mariage entre Ernest Hamel et Agnès-Joséphine-Catherine Campbell, 18 juin 1877, Greffe du notaire Glackemeyer, document 8132.

Discharge and subrogation of W. Elliot to Mrs. Theo. Hamel, 14 septembre 1880, Greffe du notaire Cyrille Tessier, document 5917.

Contrat de mariage entre Gustave Faribault et Amélie Juchereau Duchesnay, 7 septembre 1890, Greffe du notaire J.-E.-O. La Badie de Montréal, document 21 176. Bureau d'enregistrement du comté de Beauce : Reg 1 B, vol.. 38, page 729, document 38 591, Archives de Madeleine Hamel.

Acte de vente à Mathilde Faribault par le Shérif Ernest Gagnon, enregistré le 20 janvier 1892 sous le numéro 32, 434. *Livres et Registres du bureau de la division d'enregistrement du comté de Lévis,* Registre B, volume 37, pp. 581-584. Le notaire Claire Auger a réglé la question des capitaux et rentes en rapport avec ce dossier en janvier 1975.

Testament de Mme Théophile Hamel, 5 décembre 1905, Greffe du notaire Cyrille Tessier, document 10 209. Voir aussi le notaire Gilles Dupuis, document 2209, Archives Madeleine Hamel.

Testament de Mme Albert Lemay, 17 mars 1911, Greffe du notaire Cyrille Tessier, document 10 947, Archives Madeleine Hamel.

Testament de Gustave Faribault-Hamel, 16 juillet 1913, Greffe du notaire Valère Gosselin, document 13 042, Saint-Joseph-de-Beauce. Le notaire Gédéon Roy devint cessionnaire des minutes du notaire Gosselin, Archives Madeleine Hamel.

2. *Archives de l'état civil*

Acte de mariage entre Pierre Hamel, et Marie-Anne Constantin, 26 avril 1718, Registre de Sainte-Foy.

Acte de mariage entre Antoine Routier et Françoise Moreau, 29 octobre 1731, Registre de Sainte-Foy.

Acte de baptême de René-François-Stanislas-de-Koska Hamel, 15 novembre 1737, Registre de Sainte-Foy.

Acte de baptême de Marie-Louise Sédillot, 11 novembre 1752, Registre de Sainte-Foy.

Acte de mariage entre Marie-Louise Robitaille et Joseph-Louis Sédillot, 10 janvier 1752, Registre de Lorette.

Acte de mariage entre Pierre Belleau et Françoise Constantin, 23 février 1752, Registre de Sainte-Foy.

Acte de mariage entre René-François-Stanislas-de-Koska Hamel et Marguerite Langlois, 24 octobre 1768, Registre de Sainte-Foy.

Acte de mariage entre René-François-Stanislas-de-Koska Hamel et Marie-Louise Sédillot, 19 octobre 1772, Registre de Sainte-Foy.

Acte de baptême de François-Xavier Hamel, 10 mars 1786, Registre de Sainte-Foy.

Acte de naissance de Françoise Routier, 29 janvier 1787, Registre de Sainte-Foy.

Acte de naissance de Michel Racine, père, 27 juillet 1787, Registre de Sainte-Anne-de-Beaupré.

Acte de naissance de Marc-Pascal de Sales Laterrière, 25 mars 1792, Registre de la Baie-du-Febvre, Yamaska.

Acte de naissance de Julie Planté, épouse de G.-B. Faribault, 3 mai 1800, Registre de Notre-Dame-de-Québec.

Acte de naissance de Marie-Louise Cimon, 21 avril 1806, Registre de la Baie-Saint-Paul.

Acte de mariage entre François-Xavier Hamel et Françoise Routier, 28 janvier 1812, Registre de l'Hôpital général de Québec.

Acte de naissance de François-Xavier Hamel, frère de Théophile, 22 novembre 1812, Registre de Sainte-Foy.

Acte de naissance de Michel-Abraham Hamel, frère de Théophile, 31 août 1814, Registre de Sainte-Foy.

Acte de mariage entre Michel Racine et Louise Pépin, 25 octobre 1814, Registre de Charlesbourg.

Acte de naissance de Michel Racine, 9 novembre 1815, Registre de Saint-Ambroise de Lorette.

Acte de naissance de Théophile Hamel, 8 novembre 1817, Registre de l'Hôpital général de Québec.

Acte de naissance de Thomas-Stanislas Hamel, frère de Théophile, 17 juin 1819, Registre de l'Hôpital général de Québec.

Acte de naissance d'Antoine Racine, 26 janvier 1822, Registre de Saint-Ambroise-de-Lorette.

Acte de naissance de Joseph-Colbert Hamel, frère de Théophile, 2 août 1822, Registre de Notre-Dame-de-Québec.

Acte de naissance de Victor-Zoé Hamel, frère de Théophile, 19 mars 1825, Registre de Sainte-Foy.
Acte de naissance de Ferdinand-Edmond, frère de Théophile, 29 août 1827, Registre de Notre-Dame-de-Québec.
Acte de naissance de Dominique Racine, 21 janvier 1828, Registre de Saint-Ambroise-de-Lorette.
Acte de naissance de Léocadie Hamel, sœur de Théophile, 30 mars 1830, Registre de Notre-Dame-de-Québec.
Contrat de mariage entre John Kane et Marie-Louise Cimon, 26 novembre 1838, Baie-Saint-Paul, Greffe du notaire Charles-Pierre Huot, document 5960. Palais de justice de La Malbaie.
Acte de mariage entre John Kane et Marie-Louise Cimon, 28 novembre 1838, Baie-Saint-Paul, Registre de la paroisse.
Acte de mariage entre Pierre-Joseph-Olivier Chauveau et Lise-Flore Massé, 22 septembre 1840, Registre de Notre-Dame-de-Québec.
Acte de naissance de Flore Chauveau, 26 octobre 1842, Registre de Notre-Dame-de-Québec.
Acte de naissance de Olympe Chauveau, 31 janvier 1844, Registre de Notre-Dame-de-Québec.
Acte de mariage entre Thomas-Stanislas Hamel et Zoé Lockwell, 23 novembre 1852, Registre de Sainte-Foy.
Acte de mariage de Léocadie-Méala Hamel avec André Lockwell, 28 novembre 1855, Registre de Sainte-Foy.
Acte de décès de François-Xavier Hamel, 5 mai 1859, Registre de Sainte-Foy.
Acte de naissance de Julie-Hermine Hamel, 30 août 1860, Registre de Notre-Dame-de-Québec.
Acte de naissance de Théophile-Gustave Hamel, 24 novembre 1862, Registre de Notre-Dame-de-Québec.
Acte de naissance de Marie-Louise-Corinne Hamel, 26 septembre 1864, Registre de Notre-Dame-de-Québec.
Acte de naissance de Édouard Hamel, 29 novembre 1865, Registre de Notre-Dame-de-Québec.
Acte de mariage entre Jean-André-Joseph Kane et Justine-Odile Mathieu, 15 janvier 1866, Saint-Alphonse-de-Bagotville.
Acte de mariage entre Louisia-Thérèse Kane et Charles-Henry-Horace Cimon, 25 août 1868, Saint-Alexis-de-Grande-Baie.
Acte de décès de Théophile Hamel, 23 décembre 1870, Registre de Notre-Dame-de-Québec.
Acte de décès de John Kane, 12 juin 1876, Registre de La Malbaie.
Acte de mariage entre Honorine Chauveau et Arthur Vallée, 30 avril 1878, Registre de Notre-Dame-de-Québec.
Acte de naissance de Oscar Hamel, 2 septembre 1887, Registre de Notre-Dame-de-Québec.
Acte de décès de Eugène Hamel, 22 juillet 1932, Registre de Notre-Dame-du-Chemin.

3. *Correspondance*

Lettre de Jacques Viger à Joseph Légaré, Montréal, 23 novembre 1839, ASME, Fonds Verreau, boîte 62, document 227.
Lettre de Joseph Légaré à Jacques Viger, 6 décembre 1839. ASME, Fonds Verreau, 60, document 4.
Lettre de Jacques Viger à Joseph Légaré, 13 décembre 1839, ASME, Fonds Verreau, 61, document 5.
Lettre de Joseph Légaré à Jacques Viger, 22 février 1840, ASME, Fonds Verreau, 61, document 6.
Lettre de Théophile Hamel à ses parents (résumé), Londres, 17 juillet 1843, Archives Famille Papineau-Bourassa, Montréal.
Lettre de Théophile Hamel à l'un de ses frères (résumé), Rome, 26 août 1843. Archives famille Papineau-Bourassa, Montréal.
Lettre de Théophile Hamel à J.-Bte. Vézina (résumé), Rome, 24 octobre 1843, Archives famille Papineau-Bourassa, Montréal.
Lettre de Théophile Hamel à ses parents (résumé), Rome, 6 juin 1844, Archives famille Papineau-Bourassa, Montréal.
Lettre de Théophile Hamel à Suzanne Hamel (résumé), Rome, 9 juin 1844, Archives famille Papineau-Bourassa, Montréal.
Lettre de Théophile Hamel à Cyrice Têtu, Rome, 11 juillet 1844, Archives Madeleine Hamel, Québec.
Lettre des Faribault à G.-B. Faribault, Le Mans, 24 octobre 1844, Archives nationales du Québec, Famille Faribault, AP-F.5.
Lettre de Théophile à Abraham Hamel (résumé), Rome, 6 juin 1845, Archives famille Papineau-Bourassa, Montréal.
Lettre de Théophile à Abraham Hamel (résumé), Rome, 14 juillet 1845, Archives famille Papineau-Bourassa, Montréal.
Lettre de Théophile à Abraham Hamel (résumé), Venise, 31 août 1845, Archives famille Papineau-Bourassa, Montréal.
Lettre de Théophile Hamel à A.F. Glackmeyer, assistant greffier de la ville de Québec, 12 avril 1847, Archives municipales de Québec.
Lettre de Antoine Plamondon, Québec, 28 octobre 1847, Archives du Musée McCord. Séjour de T. Hamel à Montréal.
Lettre de Théophile Hamel à F.-X. Garneau, 2 novembre 1847, Archives municipales de Québec.

Lettre de G.-B. Faribault à Benjamin Viger, Québec, 4 janvier 1848, ASME, Fonds Verreau numéro 60, liasse 20, document 2.

Lettre d'Antoine Plamondon à F.-X. Garneau, 3 avril 1848, Archives municipales de Québec.

Lettre de Théophile Hamel à l'un de ses frères (résumé), Rome, 26 août 1848, Archives famille Papineau-Bourassa, Montréal.

Lettre de Théophile à Suzanne Hamel (résumé), Montréal, 12 juin 1849, Archives famille Papineau-Bourassa, Montréal.

Lettre de Claire et Pauline Faribault à Georgina Faribault, Le Mans, 27 mars 1852, ANQ, Famille Faribault, AP-F5.

Lettre des Demoiselles Faribault à G.-B. Faribault, Le Mans, 5 mai 1852, ANQ, Famille Faribault, AP-F5.

Lettre de Napoléon Bourassa à Théophile Hamel, Lacadie, 10 mai 1852, ANQ-FPB.

Lettre de Napoléon Bourassa à Th. Hamel, Lacadie, 29 juin 1852, ANQ-FPB.

Lettre de Napoléon Bourassa à Charles Laberge, New York, 9 juillet 1852, Archives famille Papineau-Bourassa, Montréal.

Lettre de Napoléon Bourassa à Charles Laberge, Florence, 19 décembre 1852, Archives famille Papineau-Bourassa, Montréal.

Lettre de Napoléon Bourassa à Théophile Hamel, Florence, décembre 1852, ANQ-FPB.

Lettre de Napoléon Bourassa à Charles Laberge, Rome, 7 février 1855, Archives famille Papineau-Bourassa, Montréal.

Lettre de Napoléon Bourassa à Théophile Hamel, Lacadie, 14 décembre 1855, ANQ-FPB.

Lettre de Claire et Pauline Faribault à Georgina Faribault, Le Mans, 14 mars 1856, ANQ-AP-F.5.

Lettre de Napoléon Bourassa à Charles Laberge, Montréal, 22 mai 1856, Archives famille Papineau-Bourassa, Montréal.

Lettre de Théophile Hamel à Georgina Faribault, Toronto, 9 juillet 1856, Archives famille Papineau-Bourassa, Montréal.

Lettre de Théophile Hamel à Georgina Faribault, Toronto, 28 juillet 1856, Archives famille Papineau-Bourassa, Montréal.

Lettre de Claire et Pauline Faribault à Georgina Faribault, Le Mans, 12 janvier 1857, ANQ-AP-F.5.

Lettre de Claire et Pauline Faribault à Georgina Faribault, Le Mans, 24 mars 1857, ANQ-AP-F.5.

Lettre de Théophile Hamel à Georgina Faribault, Toronto, 23 juin 1857, Archives famille Papineau-Bourassa, Montréal.

Lettre de Napoléon Bourassa à Théophile Hamel, Bytown, 28 juin 1857, ANQ-FPB.

Lettre de Théophile Hamel à Georgina Faribault, Davenport près Toronto, 4 juillet 1857, Archives famille Papineau-Bourassa, Montréal.

Lettre de Claire et Pauline Faribault à Georgina Faribault, Le Mans, 12 septembre 1857, ANQ-AP-F.5.

Lettre de Adolphe de Puibusque à G.-B. Faribault, Paris, 10 novembre 1857, ANQ-Série AA, Papiers G.-B. Faribault.

Lettre de Théophile Hamel à Georgina Faribault, Toronto, 20 février 1858, Archives famille Papineau-Bourassa, Montréal.

Lettre de Théophile Hamel à Georgina Faribault, Toronto, 27 février 1858, Archives famille Papineau-Bourassa, Montréal.

Lettre de Mme Théophile Hamel à son mari (résumé), 25 février 1858, Archives famille Papineau-Bourassa, Montréal.

Lettre de Madame la Marquise de Montcalm au frère Herménégilde des Écoles chrétiennes, 8 décembre 1859, ANQ, Série AA, Papiers G.-B. Faribault.

Lettre d'Alexandre Faribault à Georges-B. Faribault, 30 décembre 1859, Archives Madeleine Hamel, Québec.

Lettre du Père Félix Martin, s.j., au Père Larcher, Québec, 19 janvier 1860, Archives de la Compagnie de Jésus, province du Canada français, Saint-Jérôme, Montréal.

Lettre du Père Félix Martin à un Père, Québec, 4 février 1860, Archives de la Compagnie de Jésus, province du Canada français, Saint-Jérôme, Montréal.

Lettre de la Marquise de Montcalm à G.-B. Faribault, Montpellier, 15 juillet 1861, ANQ-Série AA, Papiers G.-B. Faribault.

Lettre de Napoléon Bourassa à Théophile Hamel, Montréal, 11 septembre 1861, ANQ-FPB.

Lettre de Napoléon Bourassa à Théophile Hamel, Montréal, 13 avril 1864, ANQ-FPB.

Lettre de Napoléon Bourassa à Charles Laberge, Montréal, 6 juillet 1864, Archives famille Papineau-Bourassa, Montréal.

Lettre de Napoléon Bourassa à Théophile Hamel, Monte Bello, 24 juillet 1864, ANQ-FPB.

Lettre de l'abbé Octave Audet à l'abbé Hospice Verreau, 11 septembre 1865, ASME, Fonds Verreau, 23, document 38.

Lettre de Napoléon Bourassa à Théophile Hamel, début de 1867, ANQ-FPB.

Lettre de J.-C. Taché à Théophile Hamel, Outaouais, 23 novembre 1866, Archives famille Papineau-Bourassa, Montréal.

Lettre de Théophile Hamel à M. Hawley, 1867, Archives famille Papineau-Bourassa, Montréal.

Lettre de Théophile Hamel à sa femme (résumé), Gaspé, 18 juillet 1867, Archives famille Papineau-Bourassa, Montréal.

Lettre de Théophile Hamel à Georgina Faribault, Gaspé, 1er août 1867, Archives familles Papineau-Bourassa.

Lettre de Mme Napoléon Bourassa à Mme Théophile Hamel, Monte Bello, 22 septembre 1867, IBC, document 14 383-14 386.

Lettre de J. Fraser à Théophile Hamel, Paris, 27 octobre 1867, Archives famille Papineau-Bourassa, Montréal.

Lettre de Mme Napoléon Bourassa à Mme Théophile Hamel, Saint-Hyacinthe, 25 mai 1868, IBC, document 14 381-14 382.

Lettre de Napoléon Bourassa à Théophile Hamel, Saint-Hyacinthe, 7 juin 1868, ANQ-FPB.

Lettre de Mme Napoléon Bourassa à Mme Th. Hamel, Montréal, 5 septembre 1868, IBC, document 14 387-14 388.

Lettre de Théophile Hamel à Georgina Faribault, Montréal, 8 octobre 1868, Archives famille Papineau-Bourassa, Montréal.

Lettre de Napoléon Bourassa à Th. Hamel, Monte Bello, 12 juin 1869, ANQ-PFB.

Lettre de Napoléon Bourassa à Théophile Hamel, Montréal, 16 novembre 1869, ANQ-FPB.

Lettre d'Alphonse Leclerc à Théophile Hamel, 27 avril 1870, Archives Madeleine Hamel, Québec.

Lettre de Napoléon Bourassa à Théophile Hamel, Monte Bello, 24 juillet 1870, ANQ-FPB.

Lettre de Pauline Faribault à Mme Théophile Hamel, Le Mans, 14 août 1870, ANQ-Famille Faribault, AP-F.5.

Lettre de Théophile Hamel à l'abbé Raymond Casgrain, 31 octobre 1870, ASME, Fonds Casgrain, lettres diverses, tome IV, document 40.

Lettre de Napoléon Bourassa à Madame Théophile Hamel, 28 juin 1872, ANQ-FPB.

Lettre de Mgr Taschereau à l'abbé Henri-Raymond Casgrain, 26 août 1874, Archives du diocèse de Québec.

Lettre des résidents de la rue D'auteuil à Charles Baillargé, 12 avril 1876, Archives municipales de Québec, Conseil et comités, Section police, chemise : soumission (1850-1881).

Lettre de Mathilde-Georgina Faribault à Joseph-Édouard Faribault, 17 mai 1876, Archives de Madame Marthe Beauregard, Montréal.

Lettre de Napoléon Bourassa à Mme Th. Hamel, Montréal, 10 septembre 1884, IBC, document 14 392-14 393.

Lettre de Napoléon Bourassa à Mme Théophile Hamel, Monte Bello, 24 décembre 1898, ANQ-FPB.

Lettre de Mathilde-Georgina Faribault à Léon Faribault, 12 avril 1902, Archives de Madame Marthe Beauregard, Montréal.

Lettre de Gustave Hamel à Cyrice Tessier, 28 novembre 1911, Archives Madeleine Hamel, Québec.

Lettre de A.-E. Gosselin à Gustave Hamel, 3 mars 1912, Archives Madeleine Hamel.

Lettre de Philippe Baby-Casgrain à Madame la Supérieure des Sœurs du Bon Pasteur de Québec, 31 décembre 1915, Archives du Bon Pasteur de Québec, Maison généralice.

Lettre de H.W. Bromhead à Sir Edmund Walker, 23 septembre 1915. Archives publiques du Canada. Section des peintures. Dossier James Stuart.

Lettre de P. and D. Colnaghi à The Dominion Express, 23 septembre 1915. Archives publiques du Canada. Section des peintures. Dossier James Stuart.

Lettre de Mère Marie-du-Carmel, supérieure générale à Monsieur Philippe Baby-Casgrain, 2 février 1916, Archives du Bon Pasteur de Québec, Maison généralice.

Lettre de Mgr François Pelletier à Gabriel T. Taschereau, 2 mai 1917, ASME, université, 186, no 27 A.

Lettre de Gabriel T. Taschereau à Mgr François Pelletier, 11 mai 1917, ASME, université, 186, no 27 C.

Lettre de Gabriel T. Taschereau à Mgr François Pelletier, 4 mai 1917, ASME, université, 186, no 27 B.

Lettre de Gabriel T. Taschereau à Mgr François Pelletier, 11 septembre 1917, ASME, université, 186, no 27 D.

Lettre de Mgr Eugène C. Laflamme à la Supérieure générale des Sœurs du Bon Pasteur de Québec, 9 août 1925, Archives du Bon Pasteur de Québec.

Lettre de C.-J. Simard à Mme Gustave Hamel, 8 février 1930, Archives Madeleine Hamel, Québec.

Lettre de C.-J. Simard à Madame Amélie D. Hamel, 6 juin 1930, Archives Madeleine Hamel.

Lettres de l'abbé Nadeau à Gérard Morisset, 5 mars, 27 novembre 1933, IBC.

Lettre de l'abbé Philippe Audet à Gérard Morisset, 20 février 1934, IBC, document 19 480.

Lettre du Directeur de l'école des Beaux Arts à Mme Gustave Hamel, 26 février 1936, Archives Madeleine Hamel, Québec.

Lettre de Pierre-Georges Roy à Mme Gustave Hamel, 28 mars 1936, Archives Madeleine Hamel, Québec.

Lettre de Paul Rainville à Mme Gustave Hamel, 27 octobre 1937, Archives Madeleine Hamel, Québec.

Lettre de Paul Rainville à Mme Amélie-J.-D. Hamel, 16 novembre 1937, Archives Madeleine Hamel, Québec.
Lettre de Gérard Morisset à Madame Gustave Hamel, 11 janvier 1938, Archives Madeleine Hamel, Québec.
Lettre de Gérard Morisset à Jean Bruchési, sous-secrétaire d'État, 25 mars 1941, IBC.
Lettre de J.-E. Bernier à Gérard Morisset, 8 avril 1941, IBC.
Lettre de Mgr Camille Roy à Mme Flavius Landry à propos du don de deux tableaux, 15 août 1941, ASME, université, 283, no 97.
Lettre de Gérard Morisset à Mgr Camille Roy, recteur de l'Université Laval, 17 janvier 1942, IBC.
Lettre de Jean-Jacques Lefebvre à Gérard Morisset, 8 janvier 1951, IBC.
Lettre de Jean Dubuc à Gérard Morisset, 18 février 1954, IBC.
Lettre de l'abbé Arthur Maheux à Gérard Morisset, 20 juillet 1959, IBC, document 14-126.
Lettres de Mme Harris, sept lettres sans doute adressées à Gérard Morisset, IBC.

4. *Documents divers liés à Théophile Hamel*

Achat de deux tableaux, Assemblée du 31 juillet 1831. *Livre contenant les redditions des comptes et les actes d'assemblées tenues en la paroisse de l'Immaculée Conception de Saint-Ours, 1792-1903.*
Cours de Ferdinand Hamel au Séminaire, Fichier des Anciens, ASME.
Achat d'un orgue et de deux tableaux, Assemblée du 4 novembre 1842. *Livre contenant les redditions des comptes et les actes d'assemblées tenues en la paroisse de l'Immaculée-Conception de Saint-Ours,* 1792-1903.
Registre des officiers et professeurs du Séminaire, de 1663 à 1860, ASME.
La Fabrique de Sainte-Foy remercie Théophile Hamel pour son tableau, Registre pour l'année 1843.
Comptes pour l'année 1844, Livre contenant les redditions des comptes et les actes d'assemblées tenues en la paroisse de l'Immaculée-Conception de Saint-Ours, 1792-1903.
Registre des procès-verbaux du Conseil de la Congrégation Notre-Dame-de-Québec ou Congrégation des hommes. Résidence des Pères Jésuites à Québec. 1. Du 20 juillet 1845 au 12 avril 1877, 416 p. 2. De 1877 à 1896, 330 p.
Paiements à M. Hamel, 18 janvier 1846 et 23 février 1847. Livres de la Fabrique 1716 à 1877, Presbytère de Saint-Charles-de-Grondines.
Reçu de Théophile Hamel remis à G.-B. Faribault pour Jacques Viger en paiement de deux portraits, 19 février 1847, ASME, Fonds Verreau, 38, no 287.
Registre de la bibliothèque de l'Institut canadien 1848-1855 ; 1856-1857, Archives de l'Institut canadien.
Livre des minutes du bureau de direction de l'Institut canadien, 22 janvier 1848 - 2 février 1863, Archives de l'Institut canadien.
Livre du trésorier de l'Institut canadien de Québec 1848-1865, Archives de l'Institut canadien.
Commission de lieutenant dans le quatrième bataillon de Québec, 24 novembre 1848, APC — RC, 9, IC6, volume 5, page 23, Section des manuscrits.
Association des comtés de l'Islet et de Kamouraska pour coloniser le Saguenay, APC- MG 24, I, 81, Section des manuscrits.
Achat, transport et posage du tableau de Saint-Hugues en 1850, Comptes et délibérations 1827-1857, Paroisse de Saint-Hugues.
Résolutions du Conseil municipal de Montréal à propos d'un collier en or pour le maire Charles Wilson, Archives municipales de Montréal, 1851, no 16 219.
Livre de comptes de l'Institut canadien ; 1851-1872, Archives de l'Institut canadien, Québec.
Portrait de Lord Elgin, Plumitif, 21 octobre 1852. ASME.
Souscription pour le portrait de Joseph Morrin, Brouillard, 24 février 1853. *Journal,* 1850 à 1857, p. 178, ASME.
Exposition du portrait de Lord Elgin par Th. Hamel, Journal, vol. I, 9 avril 1853, ASME.
Scrap-Book Faribault-Hamel 1854-1972, Archives Madeleine Hamel, 1ère partie par G.-B. Faribault. Articles sur la religion, les arts, les lettres et la politique. 2ème partie : Famille Hamel. Décès, mariages, expositions de tableaux.
Mouvement des livres de l'Institut canadien 1858-1863, Archives de l'Institut canadien, Québec.
Registre de la Fabrique de Saint-Charles-de-Bellechasse 1750-1859, voir les pages 196, 203, 208, 219 pour l'année 1856.
Portrait du docteur Morrin, Notes et mémoires des anciennes mères de l'Hôtel-Dieu, 1850-1861, ar. 5, no 12, 28 avril 1858.
Frais pour le portrait de Mgr Horan, Brouillard, 19 mai 1858, ASME.
Frais pour le portrait de Mgr Horan, Journal du Séminaire de Québec, 1858 à 1864, p. 24.
Théophile Hamel restaure 14 tableaux, 16 août 1859. Archives de l'archidiocèse de Québec, série E, comptes, vol. 3, factures 1858-1860.
Commission de capitaine dans le premier bataillon de Québec, 31 mai 1860, APC-RG, 9, IC6, vol. 6, p. 126, Section des manuscrits.

On présente au recteur son portrait par Théophile Hamel, 31 décembre 1861, *Journal,* vol. 1. ASME.

Le Séminaire paie $13 à Bartholomeni sur un billet de T. Hamel, Brouillard, 22 avril 1862, ASME.

Portrait de F.-X. Paradis, trésorier, 31 octobre 1862, Délibérations des marguilliers, Archives de la Fabrique de Saint-Roch.

Minutes du bureau de direction de l'Institut canadien, 2ième volume : 4 février 1863-20 octobre 1877, Archives de l'Institut canadien, Québec.

Copie du tableau de la Sainte-Famille, Volume des délibérations de Notre-Dame-de-Québec, 7 mai 1867, p. 65.

Permission de transporter le tableau de la Sainte-Famille afin de le copier, ASME, 10 juin 1867.

Th. Hamel termine la copie de la Sainte-Famille pour la basilique de Québec, Journal, 12 avril 1868, vol. II, p. 120.

Journal de Mgr Michel-Edward Methot, avec sermons, du 19 décembre 1870 au 22 septembre 1871, ASME, manuscrit 612.

Mort de Théophile Hamel, 24 décembre 1870, ASME, manuscrit 612, p. 7.

L'abbé Michel E. Méthot assiste aux funérailles de Théophile Hamel, 27 décembre 1870, ASME, manuscrit 612, p. 7.

Madame Th. Hamel est invitée au mariage de Eugène Hamel, 17 mai 1872, Archives Madeleine Hamel, Québec.

Sir Hincks présente à l'université un tableau de Lord Elgin fait par Th. Hamel après l'incendie du premier tableau au Parlement, 22 décembre 1876, *Journal,* vol. II, p. 641. Aussi : Université, 42, no 40, ASME.

Mgr T.E. Hamel remercie Sir F. Hincks de l'envoie du portrait de Lord Elgin, peint par Théophile Hamel, Université, 42, no 41, 27 décembre 1876, ASME.

Mme Théophile Hamel assiste au souper donné par le juge Routhier, 18 novembre 1880, *Journal,* vol. III, pp. 122-123, ASME.

Payé $42.50 pour le Théophile Hamel no 28, Brouillard, 12 janvier 1887, ASME.

Perte de la Descente de croix déposée à l'université par Mme Hamel, 7 octobre 1892, *Journal,* vol. IV, p. 202, ASME.

A.C. Macdonald envoie à Mgr Thomas-Étienne Hamel, les tableaux de Mme Hamel, l'avisant qu'il n'a pu les vendre, 1er décembre 1892, Université, 74, no 48, ASME.

A.C. Macdonald informe Mgr Thomas-Étienne Hamel que M. Bandy s'occupe du transport des tableaux de Mme Hamel, 10 décembre 1892, Université, 74, no 49, ASME.

L'abbé Adolphe Garneau fait la liste des tableaux qui appartiennent à la succession de Théophile Hamel en dépôt à l'université, Vers 1904, Université, 179, no 1. Aussi : Université 169, no 38, ASME.

Gustave F. Hamel écrit à Mgr O.-E. Mathieu à propos du prêt de peintures à l'exposition de Toronto, 25 mai 1907, Université 169, no 55 d, ASME.

Achat d'un autoportrait de Théophile Hamel, peint vers l'âge de 22 ans, pour la somme de $30. 26 avril *1912, Journal,* vol. IX, p. 9, ASME.

Gustave Hamel, fils de Théophile, retire trois tableaux de la succession en dépôt à l'Université, 24 avril 1914, *Journal,* vol. IX, p. 177, ASME.

Gustave F. Hamel écrit à Mgr A. E. Gosselin à propos des peintures dans la salle de la faculté de droit, 11 septembre 1914, Université, 182, no 35, ASME.

Tableaux légués par l'abbé Raymond Casgrain, Nomenclature des objets du musée souvenir, Maison généralice des Sœurs du Bon Pasteur.

Nettoyage de la Présentation au temple de Théophile Hamel. Diarium de la résidence Notre-Dame des Jésuites, juillet 1916.

Mme Gustave Hamel offre de vendre pour $1 000 les 21 ou 22 tableaux de Th. Hamel déposés au Séminaire, 16 février 1918, *Journal,* vol. X, p. 151.

Mgr Pelletier, supérieur du Séminaire, achète pour la somme de $550 treize tableaux de Théophile Hamel déposés au séminaire, 22 mai 1918, *Journal,* vol. X, p. 183, ASME.

Installation de 9 tableaux de la succesison Hamel, 7 septembre 1918, *Journal,* vol. X, p. 200, ASME.

Liste des onze tableaux de la collection Hamel actuellement au Séminaire, juillet 1916, Séminaire, 18, no 25, ASME.

Les 11 tableaux de la succession Hamel, juillet 1919, Séminaire, 18, 25, p. 4, ASME.

Évaluation de tableaux par Charles Huot, décembre 1929, Archives Madeleine Hamel, Québec.

Portrait de Benjamin Corriveau. Journal du musée, septembre 1936, Archives de l'Hôpital général de Québec.

Marie-Louise-Élizabeth Rémillard ou Sœur Saint-Laurent, Lettres annuelles et circulaires de nos sœurs décédées 1936-1960, Archives de l'Hôpital général.

Bellavance, Père François-Xavier, *Notes tirées du Diarium, des rapports de la Congrégation et des titres de propriété,* Résidence des Pères Jésuites de Québec, cahier manuscrit en trois parties, genre de résumé-index des faits importants.

Casgrain, H.-Raymond, « Collection de peintures ». Liste conservée au musée du Séminaire. Vers 1907, ASME.

Faribault, G.-B., *Notes de famille.* Cahier rédigé en partie par G.-B. Faribault. Neuf pages seulement portent des écritures. Archives de Madame Marthe Beauregard, Montréal.

Jolicœur, Ph.-J. et Panet, C., *Rapport annuel du bureau de direction de l'Institut canadien de Québec pour l'année 1858-1859,* 9 pages. Archives de l'Institut canadien.

Hamel, Jeanne, *Notes sur le grand-père Théophile Hamel,* Archives Madeleine Hamel, Québec.

Hamel, Théophile, *Album de dessins,* 37 pages. 28cm x 21.5cm, Archives Madeleine Hamel.

Hamel, Théophile, *Livre de comptes,* Archives Madeleine Hamel, Québec. Il s'agit de trois feuilles de papier bleu sur lesquelles les reçus sont écrits à la suite :

1. Dames du Couvent Jésus-Marie.
2. Messieurs les professeurs de l'Université.
3. J. Noland.

Liste des tableaux peints par Théophile Hamel, sans date, Archives Madeleine Hamel, Québec.

Liste de copies de tableaux achevés, 2 pages. Archives Madeleine Hamel, Québec.

Liste des tableaux, propriété de Madame Lemay, telle que prisée par M. Eugène Taché, Archives Madeleine Hamel, Québec.

Liste de tableaux que renferme mon étude, 2 feuilles, Archives Madeleine Hamel, Québec.

Hamel, Gustave, *Notes pour mes exécuteurs testamentaires,* Saint-Joseph-de-Beauce, 12 juin 1916, Archives Madeleine Hamel, Québec.

Hamel, Thomas E., *Généalogie de la famille Hamel,* manuscrit de 502 p. ANQ, 930, document 212.

Album Viger, 343 pages, Bibliothèque municipale de Montréal.

5. *Documents divers*

Paiement du tableau de Saint-Pierre par Antoine Plamondon, Livre de comptes, II, 1825, p. 63, Presbytère de Bécancour.

Plans du Séminaire et de l'évêché par Thomas Fournier, ASME, tiroir 211, document 14, année 1844.

Specification of the Township of Chicoutimi, 28 janvier 1846, Archives du Ministère des terres et forêts, Québec, Dossier C-30-4.

Soumission d'Abraham Hamel et frères adressée au chef de police, 1855, Archives municipales de Québec, Conseil et comités. Section police, chemise : Habillement, no 2 (1854-1857).

Warrant pour l'école de Gentilly, 16 août 1855, APC — R6- 4- C2 — vol. 51, no 1508.

Paiement à Thomas Fournier, Journal, 30 novembre 1855, ASME.

Payé 5 livres à Thomas Fournier pour modèles de colonnes, Journal, 30 septembre 1856, ASME.

Tableaux d'Antoine Plamondon, Livre de comptes 1850-1873, 16 février, 9 mars 1857, Presbytère de Saint-Jean, Île d'Orléans.

Soumission d'Abraham Hamel et frères adressée à R.H. Russell, chef de police, 18 mars 1857, Archives municipales de Québec, Conseil et Comités, section Police, chemise : Habillement, no 2 (1854-1857).

Le saint Joseph d'Antoine Plamondon. Livre de compte I, 1741-1874, 1861, Presbytère de Pierrefonds.

Estimation des biens meubles et immeubles de la Fabrique de Verchères pour l'année 1863. Livre de comptes et de délibérations 1864-1912, Verchères.

Payé Thomas Fournier pour dorure au cadre de St-Jérôme, Journal, 18 mars 1863, ASME.

Acheté des cadres de Thomas Fournier, Brouillard, 25 août 1866, ASME.

Thomas Fournier fait la dorure de la boule du clocher sur le Séminaire, Journal, 29 septembre 1866, ASME.

Thomas Fournier reçoit $30 pour un cadre, Journal, 3 décembre 1866, ASME.

Thomas Fournier fait les cadres du tableau de l'Immaculée conception et du Cardinal Barnardo, Journal, 29 décembre 1866, ASME.

Inventaire de 1867, Livre de comptes et de délibérations 1864-1912, Verchères.

Acheté un cadre de T. Fournier, Brouillard, 8 janvier 1867. ASME.

Acheté un cadre de T. Fournier, Brouillard, 29 mai 1867. ASME.

Achat d'un cadre pour le tableau de Pie IX, Brouillard, 13 septembre 1867, ASME.

Thomas Fournier dore le cadre du tableau de Pie IX, Brouillard, 18 juillet 1868, ASME.

L'Immaculée Conception d'Antoine Plamondon, Annales du Bon Pasteur de Québec, vol. 1, 11 juin 1869, pp. 447-449.

Achat à Thomas Fournier d'un cadre pour le tableau de M. Plante, Brouillard, 22 novembre 1869, ASME.

Eugène Hamel fera le portrait de l'abbé Eugène-Alphonse Méthot, Plumitif, 14 novembre 1870, ASME.

Payé $60 à Eugène Hamel pour le portrait de M. Méthot, Plumitif, 6 février 1871, ASME.

Portrait du recteur par Eugène Hamel, Plumitif, 26 février 1872, ASME.

Eugène Hamel copie le portrait de Mgr Laval, Plumitif, 9 décembre 1872, ASME.

Eugène Hamel restaure les tableaux de la chapelle, Brouillard, 30 juillet 1873, ASME.

Portrait de Mgr Hamel par Eugène Hamel, Journal, vol. II, p. 652 ; *Plumitif,* 26 février 1877, ASME.

Eugène Hamel expose le portrait de Mgr Hamel, Université 48, 63, 11 septembre 1877, ASME.

Payé $60.50 à Eugène Hamel pour le portrait de Mgr Hamel, Brouillard, 25 octobre 1877, ASME.

Sœur Marie-de-Jésus fait une copie de La fuite en Égypte de Van Loo, Journal du Séminaire, 24 janvier 1878, vol. II, p. 677.

Le tableau de Falardeau est placé au-dessus de l'autel dans la nouvelle chapelle, Journal, 19 août 1882, ASME.

Achat d'un encensoir chez Fournier et Cie, Brouillard, 23 novembre 1885, ASME.

Diarium de la Résidence des Pères Jésuites à Québec, 1. Du 19 juillet 1886 au 16 septembre 1889, 196 p. 2. Du 1er janvier 1915 au 1er janvier 1917, 200 p.

Portrait du Père Saché par Eugène Hamel. Diarium de la Résidence des Pères Jésuites, 14 janvier 1888.

Bénédiction du Saint Joseph de Eugène Hamel. Diarium de la Résidence des Pères Jésuites, 11 mars 1888.

Bénédiction du tableau du Sacré-Cœur de Eugène Hamel. Diarium de la Résidence des Pères Jésuites, 20 mai 1888.

Mgr Paquet fera faire le portrait de Mgr le recteur pour le salon de l'Université, Plumitif, 25 avril 1892, ASME.

Eugène Hamel termine le portrait de Mgr Paquet, Journal, vol. IV, 25 avril 1894, p. 386, ASME.

Payé $60 à Eugène Hamel pour le portrait de Mgr Paquet, Brouillard, le 4 mai 1894, ASME.

L'autel St-Charles reçoit le tableau de Falardeau, Journal, 28 mars 1900, ASME.

L'Université reçoit l'offre de trois tableaux de Falardeau, Université 173, 45 A, 28 septembre 1909, ASME.

Nettoyage de deux tableaux d'Eugène Hamel, Diarium de la Résidence des Pères Jésuites, 4 septembre 1916.

Le Sacré-Cœur par Eugène Hamel, Diarium de la Résidence des Pères Jésuites, 5 septembre 1916.

Offre au séminaire d'un Falardeau copie de Salvator Rosa, Université, 287, 57, et 62, 31 mars 1942, ASME.

Ballantyne, D.S., *Report on Improvements made by Peter McCloud junior, esquire, in the Township of Chicoutimi,* L'Islet, 13 janvier 1845, Archives des arpentages, Département des terres et forêts, Québec, Dossier C-30-2.

Bourassa, Napoléon, *Influence du sentiment religieux sur l'art,* manuscrit inédit de 47 pages, Archives famille Papineau-Bourassa, Montréal.

Bourassa, Napoléon, *La science dans l'industrie,* manuscrit inédit de 12 pages, Archives famille Papineau-Bourassa, Montréal.

Bourassa, Napoléon. *L'art grec,* manuscrit de 88 pages en gros caractères, Archives famille Papineau-Bourassa, Montréal.

Duberger, J.-B., *Plan de la Rivière du Moulin,* 20 janvier 1846, Archives des arpentages, Département des terres et forêts, Québec, Dossier C-30-3.

E.T.F., *Gossip about old Quebec,* 1896, ANQ — AP — G-213, journal manuscrit couvrant les années 1827 à 1841.

Faribault, J.E. et Faribault, Léon, *Tableau généalogique de la famille Faribault,* 1903, manuscrit de 55 pages, Archives Madeleine Hamel.

Hamel, Gustave, *Carnet de dessins,* cahier de 24cm de long par 16 de haut, Archives Madeleine Hamel.

Hamel, Gustave, *Journal de voyage.* 1. Du 6 octobre au 22 novembre 1887. 156 p. 2. Du 23 novembre 1887 au 9 janvier 1888. 202 p. 3. Du 10 janvier au 23 janvier 1888. 25 p. Archives Madeleine Hamel.

Hamel, Oscar, *Notes sur la vie de Eugène Hamel, artiste-peintre,* 1932, IBC, fiches 13 603 à 13 622.

Laverdière, C.H., *Inventaire des ouvrages imprimés et manuscrits légués à l'Université Laval par M. G.-B. Faribault,* Québec, 8 janvier 1866, Archives Madeleine Hamel.

B — Imprimées

« Th. Hamel annonce l'ouverture de son atelier », LC, 24 juin 1840.

« Une visite à l'atelier de Th. Hamel », TOM, 27 octobre 1840.

« Invitation au public pour visiter l'atelier de Th. Hamel », LC, 23 octobre 1840.

« Th. Hamel ouvre un nouvel atelier et invite le public », LC, 23 juin 1841.

« Th. Hamel revient d'une tournée dans les paroisses », LC, 5 juillet 1841.

« Th. Hamel visite les paroisses du Bas-du-Fleuve pour faire des portraits », *Le Fantasque,* 19 juillet 1841.

« Théophile Hamel assiste au premier lever du gouverneur général Bagot », LC, 30 juin 1842, p. 2.

« Annonce du départ de Théophile Hamel pour l'Europe », LJQ, 18 avril 1843.

« Th. Hamel offre de faire des tableaux religieux en Europe », LJQ, 18 avril 1843.

« Annonce du départ de Th. Hamel pour l'Europe », *Le Fantasque,* 22 avril 1843, vol. IV, no 70.

« Annonce du départ de Théophile Hamel pour l'Europe », ADC, 25 avril 1843.

« Annonce du départ de Th. Hamel pour l'Europe, LJQ, 10 juin 1843.

« Th. Hamel est parti pour l'Europe », LC, 12 juin 1843.

« Résumé d'une lettre de Th. Hamel à Rome », LJQ, 5 octobre 1843.

« Résumé d'une lettre de Th. Hamel à Rome », LC, 6 octobre 1843.

General index to the Journals of the Legislative Assembly of Canada 1841-1851 by Alfred Todd, Montréal, Lowell, 1855 : Pétition de S. Derbishire pour une pension à Th. Hamel.

Journaux de l'Assemblée législative de la Province du Canada, 1844-1845 : Pension à Th. Hamel, 13 décembre 1844.

« Résumé de la lettre d'un prêtre canadien qui rencontra Hamel à Rome », LJQ, 14 décembre 1844.

« Théophile Hamel revient d'Europe », LC, 10 août 1846.

« Retour de Th. Hamel », LJQ, 11 aout 1846.

« Retour de Th. Hamel », LM, 13 août 1846.

« Th. Hamel viendra-t-il à Montréal? », ADC, 14 août 1846.

« Th. Hamel ouvre un atelier 13 rue St-Louis », LJQ, 15 septembre 1846.

« Atelier de Th. Hamel », LC, 30 septembre 1846.

« Th. Hamel ouvre un atelier dans l'ancien hall du Conseil de ville », LJQ, 17 septembre 1846.

« Portrait de McMahon », LJQ, 16 janvier 1847.

« Lettre d'Hector Langevin à Jean Langevin », Montréal, 29 mai 1847, dans Roch Lefebvre, *Rapport des archives du Québec,* 1967, t. 45, pp. 36-37.

« Lithographie du portrait de McMahon », LC, 9 juin 1847.

« Lithographie du portrait de McMahon », LJQ, 10 juin 1847.

« Portrait lithographié du révérend McMahon », ADC, 15 juin 1847.

« Jacques Cartier », *The Gazette,* 2 juillet 1847.

« Th. Hamel recommande son élève Thomas Fournier », LJQ, 12 octobre 1847.

« Lithographie du portrait de Jacques Cartier », LJQ, 26 octobre 1847.

« Portrait de Jacques Cartier », LJQ, 26 octobre 1847.

« Lithographie du portrait de Jacques Cartier », LM, 28 octobre 1847.

« Projet de lithographie du portrait de Jacques Cartier par Théophile Hamel », LRC, 29 octobre 1847.

« Vente de la lithographie de Jacques Cartier », LJQ, 30 octobre 1847.

« Lithographie du portrait de Jacques Cartier », ADC, 2 novembre 1847.

« Théophile Hamel passera l'hiver à Montréal », LRC, 16 novembre 1847.

« Th. Hamel revient malade de New York », LJQ, 16 novembre 1847.

« Maladie de Th. Hamel », LJQ, 18 novembre 1847.

« Théophile Hamel ouvre un atelier à Montréal », LM, 16 décembre 1847.

« Invitation à visiter l'atelier de M. Hamel dans les magasins de Joseph Boulanget, rue Notre-Dame », LRC, 17 décembre 1847.

« Th. Hamel annonce l'ouverture de son atelier à Montréal », LRC, 21 décembre 1847.

« Portrait des Sauvages du Saguenay », LJQ, 18 mars 1848.

« Th. Hamel publiera une lithographie de Jacques Cartier », LRC, 24 mars 1848.

« Portraits lithographiés de Jacques Cartier et de l'abbé Chiniquy », ARP, 21 avril, 6 octobre, 3 novembre, 8 novembre 1848.

« Lithographie du portrait de Jacques Cartier », LM, 30 mars 1848.

« Th. Hamel possède un atelier à Montréal », LM, 24 juillet 1848.

« Portrait lithographié du Révérend Chiniquy », LJQ, 11 novembre 1848.

« Portrait de Jacques Cartier », ADC, 18 novembre 1848.

« Règlement de la société de colonisation du territoire du Saguenay », LJQ, 17 juillet 1849.

« Actionnaires de l'Association de colonisation des comtés de l'Islet et de Kamouraska pour coloniser le territoire du Saguenay », dans Archives de la Société historique du Saguenay, document no 11, Registre B. Document publié dans le *Rapport de l'archiviste de la province de Québec,* 1848-1849, pp. 277-290.

« Portrait de Lord Elgin », LM, 18 février 1850.

« Lithographie du portrait de lord Elgin », LJQ, 26 mars 1850.

« Éloge de Th. Hamel dans le Kingston Whig de Toronto », LM, 25 juillet 1850.

« Exposition industrielle provinciale », LJQ, 22 octobre 1850.

« Portrait de M. Baldwin », LC, 15 octobre 1851.

« Th. Hamel possède un studio au 56 rue St-Jean », LJQ, 16 octobre 1851.

« Lithographie du portrait de l'honorable Robert Baldwin », LM, 18 octobre 1851.

« Th. Hamel ouvre un atelier rue St-Jean », LJQ, 22 novembre 1851.

« Portrait de Charles Wilson », *Herald,* 13 janvier 1852.

« Portrait de M. de Bienville, l'un des fondateurs de la Nouvelle-Orléans », LC, 21 janvier 1853.
« Souscription pour le portrait de N.F. Belleau », LJQ, 29 janvier 1853.
« Portrait du Révérend Déziel à Notre-Dame-de-Lévis », LJQ, 7 avril 1853, pp. 2-3.
« Portrait du gouverneur-général Lord Elgin », LM, 12 mai 1853.
« Commande de portraits à Th. Hamel par l'Assemblée législative », 14 juin 1853, dans *Journaux de l'Assemblée législative de la Province du Canada,* session 1852-1853, 2ème partie, pp. 1133-34.
« Portrait de lord Elgin », LJQ, 14 juin 1853.
« Encouragement of the fine arts », TMC, 20 juin 1853.
« Portrait de l'honorable F. Belleau », LJQ, 25 juin 1853.
« Portrait des Orateurs », LM, 15 octobre 1853.
« Portraits of the speakers of the Canadian Parliament », *New York commercial Advertiser.* Repris dans LJQ, 18 octobre 1853.
« Lithographie du portrait de Sir Allan MacNab », LJQ, 19 novembre 1853.
« Portraits des membres du Gouvernement », QG, 6 novembre 1856.
« Portraits of the speakers of the Canadian House of Assembly », DC, 24 novembre 1856.
« Portraits des présidents parlementaires », LJQ, 27 novembre 1856.
« Portraits des Orateurs de la Chambre d'Assemblée du Canada avant et depuis l'union des deux provinces », LM, 10 décembre 1856.
« Exposition à l'édifice Bonaventure », LM, 29 août 1857.
« Mariage de Th. Hamel avec Georgina-Mathilde Faribault », LJQ, 10 septembre 1857.
« Portrait de Baldwin », LC, 15 octobre 1857.
« Th. Hamel possède un atelier au Music Hall, rue St-Louis », LJQ, 20 octobre 1857.
« Mariage de Th. Hamel », LJQ, 10 septembre 1857.
« Th. Hamel voyage dans le Bas du Fleuve », JIP, 1858, p. 204.
« Portraits des présidents des Conseils législatifs des deux Canada et du Canada », LJQ, 30 janvier 1858.
« Naissance de son fils Georges », LJQ, 8 juillet 1858.
« Visite au studio de Théophile Hamel », *The Morning Chronicle,* 28 juillet 1858.
« Monument des Braves », LCC, 20 février 1860.
« Don à la chambre d'un portrait de Jacques Cartier », LM, 31 mars 1860.
« Tableau de Samson », *Commercial Advertiser,* 31 août 1860.
« Don du tableau de Sir Edmund Head », dans *Journaux du Conseil législatif de la province du Canada,* volume 19, session de 1861.
« Incendie de la Banque nationale où Th. Hamel avait son atelier », LJQ, 28 octobre 1862.
« Décès de Georges, fils de Th. Hamel », LCC, 22 septembre 1862.
« Naissance de son fils Gustave », LJQ, 25 novembre 1862.
« Portrait du maire Thos. Pope », LJQ, 4 décembre 1862.
« F.X. Paradis », LCC, 31 décembre 1862.
« Portrait de F.X. Paradis », LJQ, 30 décembre 1862.
« Portrait de l'abbé Louis-Jacques Casault », LCC, 9 janvier 1863.
« Bannière peinte par Giffard élève de Th. Hamel », LCC, 26 juin 1863.
« Naissance de sa fille Corine », LJQ, 27 septembre 1864.
« Portraits de Th. Hamel », LCC, 17 mars 1865.
« Th. Hamel termine dix portraits pour la Chambre d'Assemblée », LM, 22 mars 1865.
« Portraits destinés à orner la Chambre d'Assemblée », LM, 24 mars 1865.
« Portraits pour la Chambre d'assemblée », LJQ, 20 avril 1865.
« Décès de sa fille, Corine », LJQ, 10 août 1865.
« Hamel envoie trois tableaux à l'exposition universelle de Paris », LJQ, 16 février 1867.
« The Paris exhibition », *The Montreal Gazette,* 1867.
« Envoi de tableaux à l'exposition universelle de Paris », LJQ, 21 mai 1867.
« Décès de Joseph-Édouard, fils de Th. Hamel », LJQ, 27 avril 1868.
« Th. Hamel ouvre un atelier dans la Banque d'épargne », 24 rue Saint-Jean, LJQ, 29 mars 1869.
« Portrait de Jacques Cartier à l'Institut canadien de Québec », LJQ, 9 avril 1870.
« Annonce de la mort de Th. Hamel », LCC, 23 décembre 1870.
« Décès de Th. Hamel », LJQ, 23 décembre 1870.
« Deuil de l'Institut canadien », LJQ, 26 décembre 1870.
« Mort de Th. Hamel », LC, 23 décembre 1870.
« Décès de Th. Hamel », LM, 24 décembre 1870.
« Funérailles de Th. Hamel », LCC, 28 décembre 1870.
« Notice nécrologique », JIP, 1871, p. 170.
« Bénédiction à l'église Notre-Dame-des-Victoires d'un tableau représentant Sainte-Geneviève, patronne de la Nouvelle-France », LM, 8 janvier 1874, p. 2.
« Sir Francis Hincks and Laval University », *The Chronicle,* 28 décembre 1876.

« Copie du portrait de Lord Elgin », LJQ, 28 décembre 1876.
« Don du portrait de Jacques Cartier au château Ramezay », LM, 26 mars 1897.
« Funérailles de feu Madame Th. Hamel », *Le Soleil,* 21 mai 1906.
Testament de Pierre-Joseph-Olivier Chauveau le 12 septembre 1884. Testament olographe conservé aux archives judiciaires de Montréal. Publié dans Roch Lefebvre, *Rapport des archives du Québec,* tome 41, 1963, pp. 168-174.
Bourassa, Napoléon, *Lettres d'un artiste canadien,* Paris, Desclée de Brouwer, 1929, 499 p.
Chauveau, Pierre-Joseph-Olivier, *Charles Guérin. Roman de mœurs canadiennes,* Montréal, Cherrier, 1852. 363 p. Voir p. 355.
Cherrier, G.-H., *Quebec Directory*. Consulté pour les années 1858, 1859, 1863, 1864, 1872, 1873, 1874, 1875, 1876, 1877.
De Fenouillet, « Tableaux de la cathédrale et du séminaire de Québec », LJQ, 4 décembre 1855, pp. 1, 6.
Don Pedro, « Portraits historiques par Hamel », *The Mercury,* 29 novembre 1864.
Fournier, Thomas, « Vente des portraits de Jacques Cartier sauvés de l'incendie d'octobre 1862 », LJQ, 3 et 4 juillet 1889.
Garneau, François-Xavier, *Voyage en Angleterre et en France dans les années 1831, 1832 et 1833,* Ottawa, Éditions de l'Université, 1968, 377 p.
Lettre de Th. Hamel à N.F. Belleau, orateur du Conseil législatif, 11 mai 1861, *Journaux du Conseil législatif de la province du Canada,* vol. 19, session de 1861, pp. 177 et XXXVII.
Dent, John-Charles, *The Canadian portrait gallery*. Toronto, J.B. Magurn, 1880-1881. 4 volumes.
Gagnon, Ernest, « Feu M. Théophile Hamel », LCC, 26 décembre 1870.
Gagnon, Ernest, *Souvenir de Venise,* LC, 2 mai 1860.
Irwin, W.H., *Directory of the city of Quebec, 1875-76,* Québec, Irwin, 1875.
Lemoine, J.M., *Monographies et esquisses,* 1885, s.l., s.éd., IV-480 p.
Lemoine, James-M., *Album du tourisme,* Québec, Augustin Côté, 1872, VI-385 p.
Levesque, Charles, *Les abris,* Saint-Benoît, septembre 1849, Archives Madeleine Hamel.
Lovell's Canadian Dominion Directory, 1871, Montréal, Lovell, 1871.
Mackay, Robert W.S., *Quebec Directory 1850-1851,* Québec, 1850.
Mackay, W.S., *The Montreal Directory,* Montréal, Lovell. Fait pour les années : 1842-1843, 1848-1849, 1849-1850, 1850-1851, 1854-1855.
McLaughlin, S., *Quebec Directory,* Québec, Bureau et Marcotte. Fait pour les années 1855-1856, 1857-1858.
Marcotte and Levy, *The Quebec and Levis Directory for 1871-72*.
Morgan, Henry James, *Sketches of Celebrated Canadians and Persons Connected with Canada,* Québec, Hunter, 1862, XIII-779 p.
Myrand, Ernest, *Une fête de Noël sous Jacques Cartier*. Québec, L.J. Demers, 1888. 259 p.
O'Leary, James, *Saint-Patrick's Church to the Death of Reverend P. McMahon,* Québec, Daily Telegraph print, 1895, 28 p.
Un peintre d'histoire laboureur [Antoine Plamondon], « Un beau tableau : Le pionnier canadien », LCC, 21 mars 1860.

2. *Liées à Eugène Hamel*

« Eugène Hamel remarqué comme patineur à Anvers », LJQ, 7 février 1868.
« Eugène Hamel malade en Belgique », LJQ, 27 novembre 1868.
« Correspondance de Rome à propos d'Eugène Hamel », LJQ, 8 novembre 1869.
« Invitation à visiter l'atelier d'Eugène Hamel », LM, 14 octobre 1870.
« Eugène Hamel revient d'Europe », LJQ, 8 août 1870.
« Eugène Hamel occupe l'atelier de son oncle Théophile », LJQ, 3 octobre 1870.
« Eugène Hamel à l'exposition de Québec », LJQ, 15 septembre 1871.
« Eugène Hamel expose deux œuvres à l'exposition provinciale », JIP, 1871, p. 120.
« Mariage de Eugène Hamel avec Marie-Julie Octavie Côté », LJQ, 5 juin 1872.
« Visite à l'atelier de Eugène Hamel », LJQ, 21 août 1872.
« Tableau du Sacré-Cœur par Eugène Hamel », LJQ, 12 novembre 1872.
« Portraits des évêques de Québec par Eugène Hamel », LJQ, 21 janvier 1873.
« Eugène Hamel termine le tableau du Sacré-Cœur pour Saint-Roch », LJQ, 11 mars 1873.
« Eugène Hamel fait la série des évêques de Québec », *L'Opinion publique,* 24 avril 1873.
« Eugène Hamel déménage son atelier sur la rue St-Jean », LJQ, 7 mai 1874.
« Naissance d'un fils chez Eugène Hamel », LJQ, 15 février 1875.
« Décès de Marie-Augustin-Alphonse-Eugène-Paul, enfant d'Eugène Hamel », LJQ, 28 juin 1875.
« Eugène Hamel offre ses services », LJQ, 31 mars 1876.
« Eugène Hamel sollicite des commandes », LJQ, 7 juillet 1876.

« Naissance d'un fils chez Eugène Hamel », LJQ, 20 juillet 1876.
« Décès de Charles-Paul-Maurice, fils d'Eugène Hamel », LJQ, 11 décembre 1876.
« Décès de Julie-Octavie Côté, épouse d'Eugène Hamel », LJQ, 21 décembre 1876.
« Portrait de S. Grégoire par Eugène Hamel », LJQ, 13 janvier 1876.
« Atelier d'Eugène Hamel », LJQ, 11 juillet 1877.
« Portraits de l'abbé Hamel et de l'honorable Ross », LJQ, 21 septembre 1877.
« Eugène Hamel déménage son atelier », LJQ, 6 avril 1877.
« Nouvel atelier d'Eugène Hamel sur la rue Sainte-Anne », LJQ, 6 avril 1877.
« Portrait de M. Lemaire dans l'atelier d'Eugène Hamel », LJQ, 22 octobre 1878.
« Portrait de M. Lemaire par Eugène Hamel », LJQ, 17 avril 1878.
« Cinq tableaux d'Eugène Hamel exposés à Ottawa », LJQ, 20 février 1880.
« Eugène Hamel à Montréal », LJQ, 14 avril 1881.
« Eugène Hamel quitte Québec pour Halifax », LJQ, 29 avril 1881.
« Visite à l'atelier d'Eugène Hamel », LJQ, 28 janvier 1881.
« Eugène Hamel à Rome, LJQ, 22 juin 1881.
« Eugène Hamel, de Rome, demande des commandes », LJQ, 23 juin 1881.
« Mariage d'Eugène Hamel à Rome », LM, 27 février 1882.
« Le Saint-Louis de Terrebonne », LM, 29 août 1882.
« Annonce du retour d'Eugène Hamel », LM, 20 juin 1885.
« Arrivée de M. et Mme Eugène Hamel », LJQ, 20 mai 1885.
« Eugène Hamel offre ses services au public », LJQ, 13 juillet 1885.
« Retour d'Eugène Hamel », LJQ, 16 juin 1885.
« Visite à l'atelier d'Eugène Hamel », LJQ, 16 juillet 1885.
« Portraits de l'honorable de Labruère et de M. Lesage par Eugène Hamel », LJQ, 16 novembre 1885.
« Jacques Cartier par Eugène Hamel », LJQ, 1er février 1886.
« Jacques Cartier par Eugène Hamel », LM, 4 février 1886.
« Les Beaux-Arts à l'exposition », LJQ, 13 septembre 1887.
« Portrait du père Saché par Eugène Hamel », LJQ, 22 juillet 1887.
« Tableaux du Sacré-Cœur par Eugène Hamel », LJQ, 19 mai 1888.
« Prix à l'exposition de Québec en 1887 », LJQ, 13 septembre 1887.
« Tableau de S. Joseph par Eugène Hamel », LJQ, 5 mars 1888.
« Christophe Colomb et Jacques Cartier par Eugène Hamel », LJQ, 21 mai 1888.
« Un artiste canadien : Eugène Hamel, *L'Ami du peuple* (Paris), 20 août 1932.
« Mort du peintre Eugène Hamel », *L'Événement,* 1932, no 47.
« Eugène Hamel », *L'Action catholique,* 20 juillet 1932.
Hamel, Eugène, *Rapport sur les arts dans la province présenté à la Convention nationale,* LJQ, 20 juillet 1880.
Larue, E., « Rencontre à Rome avec Eugène Hamel », LJQ, 12 avril 1870.
Magnan, H., « Eugène Hamel, artiste-peintre », *Le Terroir,* juillet-août 1932, p. 17.
Montpetit, A., « Prix à l'exposition provinciale de Québec », *L'Opinion publique,* 28 septembre 1871.
Valdic, « Eugène Hamel, artiste-peintre 1845-1932 », *L'Écho de Saint-Justin,* 26 avril 1940.

3. *Documents divers*

« Exposición de cuadros de la Real Academia de San Fernando », *Eco del comercio,* 17 octobre 1835.
« Exposición pública de pintura en la Real Academia de San Fernando », *El Artista,* 1835, pp. 153-155, 164-167, 169-170.
« Prix de dessin à Épiphane Lapointe », LC, 21 août 1840.
« Première séance de photographie à Québec », *Gazette de Québec,* 7 octobre 1840.
« Academia de pinturas, exposición de 1841 », *El pensamiento,* 1841, pp. 280-282.
« Exposición de 1842 », *Eco del comercio,* 2 mai 1842, 29 avril 1842.
« Départ de Sebastien Falardeau pour l'Europe », LC, 16 novembre 1846.
« Appel au public pour financer un voyage d'étude projeté par Thomas Fournier », LM, 14 octobre 1847.
« Vente d'une terre par les frères de Théophile Hamel », LC, 19 août 1861.
« Portrait de l'abbé Louis Poulin par Ludger Ruelland », LJQ, 10 septembre 1870.
« Antoine Plamondon offre ses services de portraitiste », LJQ, 27 mars 1871.
« Chapelle de Notre-Dame de Nazareth, LM, 25 juin 1872.
« Portraits de l'abbé Michel Dufresne et de son successeur l'abbé Louis-Antoine Montmigny par Ludger Ruelland », LJQ, 28 janvier 1873.
« Portrait de l'abbé Auclair par Ludger Ruelland », LM, 23 mars 1874.

« Portrait gravé de l'abbé Épiphane Lapointe », *L'Opinion publique,* 1876.

« Portrait d'Étienne Légaré par Ludger Ruelland », LJQ, 14 août 1880.

Carte mortuaire de Jean-Baptiste Renaud, 1er mars 1884, Archives Madeleine Hamel.

Bourassa, Napoléon, « Quelques réflexions critiques à propos de l'Art association of Montreal », LRC, mars 1864, pp. 170-182.

Bourassa, Napoléon, « Causerie artistique sur l'exposition de l'Art Association », LRC, mars 1865, pp. 170-179.

Bourassa, Napoléon, « Causerie artistique », LRC, juin 1865, pp. 376-379 ; octobre 1867, pp. 789-798 et pp. 932-946.

Bourassa Napoléon, « Du développement du goût dans les arts en Canada », LRC, janvier 1868, pp. 67-80 ; mars 1868, pp. 207-215.

Casgrain, Henri-Raymond (Eugène de Rives), *Le chevalier Falardeau,* Québec, Léger Brousseau, 1862, 96 p.

Casgrain, H.-R., *G.B. Faribault,* Québec, Brousseau 1867, 123 p. Repris en 1885 : *Oeuvres complètes,* t. 2, pp. 157-208.

Crusada Villaamil, C., « Exposición nacional de Bellas Artes de 1866, Pintura », *El arte en España,* t. 6, 1867, pp. 9-38.

Esquivel, Antonio, « Exposición de pinturas », *Eco del comercio,* 25 octobre 1841. Extraits dans *Revista de ideas esteticas,* 1959, pp. 351-372.

Fernandez de los Rios, Angel, « Liceo, esposición de *pintura del año* 1846 », dans *El siglo pintoresco,* 1846, pp. 145-150, 177-184.

Légaré Joseph, *Catalogue of the Quebec Gallery of paintings, engravings, etc.* Québec, Fréchette, 1852. 16 p.

Plamondon, Antoine, « Réponse à C.D. », dans LJQ, 2 août 1862.

Tassé, Joseph, « Papineau et Chiniquy », LM, 11 janvier 1894.

Wilson, Charles, « Lettre ouverte aux électeurs qui le prient d'accepter le poste de maire pour une autre année », LM, 28 janvier 1853.

II — Études

A — Générales

Alazard, Jean, *Le portrait florentin de Botticelli à Bronzino,* Paris, Laurens, 1924, 279 p.

Audet, Louis-Philippe, *Histoire de l'enseignement au Québec,* Montréal, Holt, Rinehart et Wilson, 1971, 2 tomes.

Bainard, J. « We explore Canadian painting », *Canadian Homes,* no 29, pp. 46-47.

Barbeau, Marius, *I have seen Quebec,* Québec, Garneau, 1957, sans pagination.

Beule, « L'école de Rome au XIXe siècle », Revue *des deux mondes,* 15 décembre 1863, pp. 916-938.

Bibaud, Maximilien, *Le panthéon canadien. Choix de biographies,* Montréal, Valois, 1891, VI-320 p.

Bourinot, John-George, *Our intellectual strength and weakness,* Montréal, Foster Brown, 1893, XII-99 p.

Brion, Marcel, *Les mains dans la peinture,* Paris, Albin Michel, 1949, 217 p.

Buchanan, Donald W., *The growth of Canadian Painting,* Toronto, Collins, 1950, p. 18.

Buchanan, Donald W., Artists from all Canada », *Saturday Night,* no 56, p. 22, 2 août 1941.

Buchanan, Donald W., *Canadian Painters, from Paul Kane to the Group of Seven,* Londres, 1945.

Chartier, E., « Vie de l'esprit au Canada français », *Royal Society of Canada,* no 32, 1938, pp. 41-54.

Colgate, William, « *Canadian art. Its origine and development* », Toronto, Ryerson Press, 1943. Aussi Ryerson paperback, 1967.

Collier, John, *The art of portrait painting,* New York, Cassell, 1910, VIII-108 p.

Cornell, Paul, *The Alignment of Political Groups in Canada 1841-1867,* Toronto, University of Toronto Press, 1962, XI-119 p.

Couillard-Després, *Histoire de la famille et de la Seigneurie de St-Ours,* Montréal, s.éd., 1917.

Dasnoy, Albert, *Les beaux jours du romantisme belge, Bruxelles,* Jaric, 1948. 223 p.

Duchaussois, Pierre, *Rose du Canada. Fondatrice de la Congrégation des Sœurs des Saints-Noms-de-Jésus-et-de-Marie,* Montréal, Maison Mère, 1932, 352 p.

Dumont, Fernand, *Idéologies au Canada français, 1850-1900,* Québec, PUL, 1971, X-330 p.

Dupré, François J. et Noville, H. de., *Le Canada illustré,* Paris, Louis Michaud, s.d., 343 p.

Duval, P., « Important exhibition traces development of painting in Canada from its beginnings », *Saturday Night,* no 60, 1945, pp. 4-5.

Duval, Paul, *Canadian water colour painting,* Toronto, Burns and MacEachern, 1954, sans pagination.

Eekhoud, Georges, *Les peintres animaliers belges,* Bruxelles, Librairie nationale, 1911, 125 p.

Egbert, Donald Drew, *A cultural history from the French Revolution to 1960,* New York, Alfred Knoph, 1970, 745 p.

Fairchaild, G.M., *Gleanings from Quebec,* Québec, Carrel, 1908.

Fairchild, G.M., *From my Quebec scrap-book,* Québec, Carrel, 1907, 316 p.

Falardeau, Jean-Charles, « Rôle et importance de l'Église au Canada français », dans *Esprit,* août 1953, pp. 214-229.

Falardeau, Jean-Charles, « Évolution des structures sociales et des élites au Canada français » dans *Structures sociales du Canada français,* 1966, pp. 3-13.

Francastel, Galienne, « Portrait » dans *Encyclopedia universalis,* 1968, vol. 13, pp. 363-368.

Francastel, Galienne et Francastel, Pierre, *Le portrait. 50 siècles d'humanisme en peinture,* Paris, Hachette, 1969. 207 p.

Friedlander, Max J., *De l'art et du connaisseur,* Paris, Livre de poche, 1969, 348 p.

Friedlander, Max J., *Landscape, portrait, still-life,* Oxford, Cassirer, 1949, 288 p.

Gale, George, *Quebec twixt old and New,* Québec, 1915.

Gillet, Louis, « L'art au Canada » dans *Histoire de l'art* (1929) d'André Michel, t. 8, troisième partie, pp. 1189-1204.

Gravel, Jean-Yves, *Les Voltigeurs de Québec dans la milice canadienne (1862-1898),* thèse de doctorat en histoire. Université Laval, 1971.

Greening, W.E., « Nineteenth century painting in French Canada », *Connoisseur,* août 1964, vol. 156, pp. 289-291.

Harper, J.R., « Three centuries of canadian painting », *Canadian Art,* vol. 19, nov.-déc. 1962, pp. 405-452.

Harper, Russell, « Tour d'horizon de l'art canadien », dans *Vie des arts,* printemps 1962, pp. 29-36.

Harper, J.R., *La peinture au Canada des origines à nos jours,* Québec, PUL, 1966, IX-442 p.

Hofmann, Werner, *Art in the Nineteenth Century,* London, Faber, 436 p.

Hubbard, R.H., « Discovery of early Canadian painting », *Art in America,* 1959, vol. 47, no 3, p. 44.

Hubbard, R.H., *An anthology of Canadian Art,* Toronto, University of Toronto Press, 1960, 187 p.

Hubbard, R.H., « Growth in Canadian Art », *The Culture of Centemporary Canada,* 1957, pp. 95-142.

Hubbard, R.H., « Primitives with character : a Quebec school of the early nineteenth century », *Art Quarterly,* 1957, vol. 20, no 1, pp. 17-29.

Jobin, André, « Portrait de Léocadie Bilodeau », *Le Soleil,* 19 novembre 1950.

Lapauze, Henry, *Histoire de l'Académie de France à Rome,* t. II, pp. 227-261.

Lapierre, Laurier-L., « Les relations entre l'Église et l'État au Canada français : aperçu historique », *L'Église et le Québec,* Montréal, Édition du Jour, 1961, pp. 41-46.

Lesage, Jules S., *Mélanges. Notes artistiques et propos littéraires,* Québec, s. éd., 1946.

Lesage, Jules S., *Notes et esquisses québécoises ; carnet d'un amateur,* Québec, 1925.

Lemieux, Jean-Paul, « Quebec City and the Arts », *Canadian art,* 1948, vol. 5, pp. 108-111.

Levasseur, Nazaire, *Réminiscences d'antan. Québec il y a 70 ans,* Québec, s.éd., 1926, 96 p.

Levasseur, Nazaire, « Le 9ème voltigeur au nord-ouest en 1885 », *La Presse,* 27 mai 1922.

Lord, J.B., « In search of the figure in Canadian painting », *Canadian art,* 1964, vol. 21, pp. 194-201.

Macdonald, Robert, *St-Patrick's Parish,* Québec, s.éd., 1956, 53 p.

Lyman, J., « Painting in Quebec », *Royal Architectural Institute of Canada,* avril 1941, vol. 18, p. 69.

Mactavish, N.M., *The fine arts in Canada,* Toronto, 1925.

McInnes, G.C., « Century of Canadian Art », *Saturday Night,* 19 novembre 1938, no 54, p. 22.

Moreau, H.J., *Sketches of celebrated canadians,* Québec, 1872.

Morisset, Gérard, *Coup d'œil sur les arts en Nouvelle-France,* Québec, s.éd., 1941. XI-171 p.

Morisset, Gérard, *La peinture traditionnelle au Canada français,* Ottawa, Le Cercle du livre de France, 1960, 216 p.

Morisset, Gérard, *Peintures et tableaux,* Québec, 1936.

Ostiguy, Jean-René, « Les arts plastiques », *Visages de la civilisation au Canada français,* Québec, Société royale du Canada, 1970, pp. 100-118.

Ouellet, Fernand, *Histoire économique et sociale du Québec 1760-1850,* Montréal, Fides, 1971, XXXII-289 p.

Pope-Hennessy, John, *The portrait in the Renaissance,* Washington, National Gallery, 1966, XXXII-348 p.

Poelandts, O., *Les peintres décorateurs belges décédés depuis 1830,* Bruxelles, Hayez, 1937, 149 p.

Rosenberg, Jakob, *On Quality in art,* Princeton University Press, 1967, XXIV-264 p.
Roy, Pierre-Georges, *Dates lévisiennes,* Lévis, s.éd., 1932. 5 volumes.
Roy, P.-G., *Les vieilles églises de la province de Québec,* Québec, Proulx, 1925, VIII-323 p.
Roy, P.-G., « Saint Antoine de Tilly », BRH, VIII-1902, pp. 323-328.
Roy, Pierre-Georges, *La ville de Québec sous le régime français,* Québec, Imprimeur du roi, 1930, 548 p.
Scott, H.A., *Grands anniversaires ; souvenirs historiques et pensées utiles,* Québec 1919.
Solvay, L., « Notice sur Jean François Portaels », *Annuaire de l'Académie royale de Belgique,* LXIX, Bruxelles, 1903.
Strong, Roy, *The english icon : Elizabethan and Jacobean portraiture,* New York, Pantheon Books, 1969, XVI-388 p.
Thério, Adrien, « Le journalisme », *Visages de la civilisation au Canada français,* 1970, pp. 86-99.
Trudelle, Joseph, *Église et chapelle de Québec.*
Vanzype, Gustave, *L'art belge du XIX siècle,* Bruxelles, Van Oest, 1923, 146 p.
Vasselot, Marquet de, *Histoire du portrait en France,* Paris, Nadaud, 1880, XXVIII-526 p.
Zucker, Paul, *Styles in painting,* New York, Dover, 1963, XIII-338 p.

B — Spéciales

1. *Liées à Théophile Hamel*

« Théophile Hamel », *Saturday Night,* 21 janvier 1911.
« Le peintre Théophile Hamel », BRH, 1913, pp. 89-91.
« Le souvenir d'un artiste », *L'Événement,* 22 février 1917.
« La famille Hamel », BRH, vol. XXXIX, mars 1933, no 3, p. 177.
« Le portrait de Cécile Bernier à l'exposition de Rimouski », *Montreal Gazette,* 11 juin 1949.
« Léocadie Bilodeau par Théophile Hamel », *Le Soleil,* 19 novembre 1950.
« Le musée de la province enrichit sa collection ». *La Presse,* 6 février 1954.
« Mme Jean-Baptiste Renaud et ses enfants Wilhelmine et Emma », *Montreal Gazette,* 13 février 1954.
« Portrait de Sophie Lefebvre, épouse de Jean-Baptiste Renaud », *Le Droit,* 20 février 1954.
« Le portrait de Mme Jean-Baptiste Renaud et ses deux enfants entré au musée du Québec », *Montreal Star,* 14 août 1954.
« Portrait de Ernest Hamel », *Ottawa Citizen,* 16 janvier 1960.
« Minto Gallery acquires two new portraits », *Ottawa Citizen,* 19 janvier 1960.
« Portraits achetés par les Archives publiques », *La Presse,* 20 janvier 1960.
« Archives acquires portrait. John Sandfield Macdonald », *Cornwall Standard-Freeholder,* 20 janvier 1960.
« Paintings of John Sandfield and wife added to the Public archives », *Glengarry News (Alexandria),* 21 janvier 1960.
« Autoportrait à la Victoria Art Gallery », *Victoria Daily Times,* 30 janvier 1960.
« Gallery adds prized art », *Montreal Star,* 6 avril 1960.
« Théophile Hamel a-t-il été un grand artiste ? », Émission au poste CKAC, 26 janvier 1961.
« Au musée municipal de Saint-Malo, on aurait une authentique image de Jacques Cartier », *Le Petit Journal,* 14 avril 1963.
« Portrait de Archibald Campbell », *L'encan des livres de Montréal,* 1969, p. 50, III, no 82.
« Ma fille Suzanne 1853 », *Vie des arts,* no 53, 1969.
« Exposition de deux peintres québécois du siècle dernier », *Le Droit,* 29 octobre 1970.
« Deux peintres québécois au musée du Québec », *Montréal-Matin,* 31 octobre 1970.
« Exposition itinérante du musée des Beaux Arts de Montréal », *L'Action,* 31 octobre 1970.
« Deux peintres canadiens au musée du Québec », *L'Action,* 2 novembre 1970.
« Des œuvres de Plamondon et Hamel prêtées par le musée des Beaux-Arts pour exposition », *Dimanche-Matin,* 8 novembre 1970.
« Peintures du XIXe siècle », *Progrès-Dimanche.* 15 novembre 1970.
« Antoine Plamondon et Théophile Hamel au musée du Québec », *Communiqué de presse,* 16 novembre 1970.
« Le portrait de Faribault », *National Library News, janvier-mars* 1971.
« La galerie nationale du Canada présente deux peintres de Québec : Antoine Plamondon et Théophile Hamel », *Nouvelles de la galerie nationale,* 8 janvier 1971.
« A Don Quizote of the Laurentians » dans *Apollo,* 1971, pp. 336-337.
Bazin, Jules, « Historique de quelques musées du Québec », *Vie des arts,* été 1971, pp. 14-19.
Baillargé, G.-F., *Louis de Gonzague Baillargé,* Joliette, Bureaux de l'étudiant, 1891, 51 p.
Beauchesne, Arthur, *Canada's Parliament Building.* Ottawa, sans date, 89 p.
Bélanger, Léonidas, *Rivière-du-Moulin. Esquisse de son histoire religieuse,* Chicoutimi, 1953, 68 p.

Bélanger, Léonidas, « Le notaire Ovide Bossé », *Saguenayensia,* janvier-février 1968, pp. 17-23.

Bellemare, abbé, *Histoire de la Baie Saint-Antoine,* Montréal, *La Patrie,* 1911, XXII-664 p.

Bellerive, Georges, *Artistes peintres canadiens-français. Les Anciens,* Québec, Librairie Garneau, 1925, 80 p.

Bertrand, Réal, « Le notaire Joseph Laurin », Causerie prononcée sur les ondes de CHRC, le 23 février 1961, IBC.

Buies, Arthur, *Le Saguenay et la vallée du Lac St-Jean,* Québec, Côté, 1880.

Choquette, C.-P., *Histoire du Séminaire de Saint-Hyacinthe,* Montréal, Librairie des sourds-muets, 1911, t. I, 538 p.

Closse, Lambert, *Album souvenir du couvent des sœurs de la Charité de Cacouna,* 1957, 159 p.

Colgate, William « Hoppner Meyer. A Painter and Engraver of Upper Canada ». *Ontario Historical Society. Papers and Records,* vol. 37, 1945, pp. 17-29.

De Celles, A.-D., « Persécution sans excuse, mais non sans danger », *La Presse,* 28 octobre 1922.

Desrosiers, Henri, « Théophile Hamel 1817-1870 », Émission à Radio-Canada, 16 avril 1935, IBC.

Drolet, Jean-Claude, *Monseigneur Dominique Racine,* Chicoutimi, La Société historique, 1968, XIX-232 p.

Frenette, Chanoine, F.-X.-E., *Supplément aux notices biographiques et historiques sur le diocèse de Chicoutimi,* Chicoutimi, 1947.

Forster, J.W.L., « The early artists of Ontario », *The Canadian magazine of politics, science, art and ilterature,* mai 1895, pp. 17-22.

Godbout, Archange, « La famille Hamel », BRH, vol. XXXIX, novembre 1933, no 11, p. 698.

Godbout, Archange, « Hamel », *Mémoires de la société de généalogie canadienne-française,* juin 1950, pp. 118-119.

Hamel, Marcel, « En souvenir de Théophile Hamel », *Québec-Histoire,* vol. I, no 1, février-mars 1971, pp. 45-46, 50.

Hamel, Maria et Arthur, *Notes généalogiques sur la famille Hamel 1656-1956. Joseph Hamel,* La Société généalogique des Cantons de l'Est, 101 p.

Harvey, Timothée, « Mémoires d'un ancien », *Saguenayensia,* mars-avril 1968, pp. 36-37.

Kallmann, Helmut, « Marie - Hippolyte - Antoine Dessane », *Dictionnaire biographique du Canada,* t. 10, Québec, 1972, pp. 248-250.

Lachance, Mathilde, « Mémoire d'une ancienne », *Saguenayensia,* mai-juin 1968, pp. 75-79.

Lacroix, Laurier, « La collection Maurice et Andrée Corbeil », *Vie des Arts,* no 72, automne 1973, pp. 24-31.

Langis, Jean, *Notre-Dame-de-Bon-Secours de Montréal,* Montréal, 1963, brochure de 48 p.

Le Blond, Jean, « Théophile Hamel, portraitiste », *La Victoire* (Saint-Eustache), 14 décembre 1961.

Le Blond, Jean, « Théophile Hamel, portraitiste », *Le Droit,* 17 février 1962.

Luchaire, André, « Jacques Cartier », *Québec-Histoire,* vol. I, no 1, février-mars 1971, pp. 5-12. Reproduction.

Magnan, Hormidas, « Peintures et sculpteurs du terroir », *Le Terroir,* vol. IV, no 8, décembre 1922, pp. 351-353.

Maheux Arthur, « Le cas de Peter McLeod », *Concorde,* mai 1955.

Masson, Henri, *Joseph Masson, dernier seigneur de Terrebonne, 1791-1847.* Montréal, 1972. 354 p.

Morisset, Gérard, « Exposition de souvenirs historiques à l'Hôtel-Dieu de Québec », *L'Événement,* 29 août 1934, pp. 4, 11, 13.

Morisset, Gérard, *La vie et l'œuvre du frère Luc,* Québec, 1944.

Morisset, Gérard, « Deux jolies peintures », *Le Terroir,* octobre 1934, no 5.

Morisset, Gérard, « Notes d'art. L'exposition Théophile Hamel », *Le Soleil,* 28 mars 1936, p. 9.

Morisset, Gérard, *Les églises et le trésor de Lotbinière,* Québec, s.éd., 1953, 70 p.

Ostiguy, Jean-René, *Un siècle de peinture canadienne 1870-1970,* Québec, PUL, 1971, 206 p.

Roquebrune, Robert de, *Testament de mon enfance,* Paris, Plon, 1951, 247 p.

Rouleau, Th. G., *Notice biographique sur l'abbé Édouard Bonneau, chapelain des révérendes Sœurs de la Charité de Québec,* Québec, Brousseau, 1888, 27 p.

Roy, Pierre-Georges, *L'église paroissiale de Notre-Dame de Lévis,* Lévis, s.éd., 1912, 294 p.

Roy, P.-G., *La famille Taschereau,* Lévis, 1901, 199 p.

Roy, P.-G., *La famille Juchereau-Duchesnay,* Lévis, 1903, XXIV-456 p.

Roy, P.-G., *Toutes petites choses du régime anglais,* Québec, Garneau, 1946, 2 vol.

Roy, P.-G., *Les juges de la province de Québec,* Québec, Archives de la province, 1933, 588 p.

Roy, P.-G., *L'Île d'Orléans,* Québec, Proulx, 1928.

Roy, P.-G., « La famille Faribault », BRH, vol. XIX, 1913, no 2, pp. 3-19.

Roy, P.-G., « Le peintre Théophile Hamel », BRH, vol. XIX, 1913, pp. 89-91.

Savaète, Arthur, *Mgr Ignace Bourget,* Paris, Savaète, s.d., 462 p.

Sherrill, S.B., « Two Quebec painters », *Antiques,* novembre 1970, vol. 98, p. 674.

Tassé-Lionnais, Henriette, *La vie humoristique d'Hector Berthelot,* Montréal, Albert Levesque, 1934, 239 p.
Têtu, Henri, *Histoire des familles Têtu,* Québec, Dussault et Proulx, 1898, 636 p.
Tremblay, Mgr Victor, « Une délégation de Montagnais », *Saguenayensia,* mars-avril 1968, pp. 38-40.
White, Michael, « Portraits show the true faces of Lower Canada », *The Gazette,* 6 février 1971.
Vézina, Raymond, « Nos grands-pères au musée du Québec. Théophile Hamel (1817-1870), *Deuxième Mouvement,* vol. I, no 1, 1973-1974, pp. 43-50.
Vézina Raymond, « Attitude esthétique de Cornelius Krieghoff au sein de la tradition picturale canadienne-française », RACAR, vol. I, no 1, 1974, pp. 47-59.
Vézina, Raymond, « Théophile Hamel, premier peintre du Saguenay », *Saguenayensia,* janvier-février 1974, pp. 2-16.
Vézina, Raymond, « Compte rendu : Barry Lord », *The History of Painting in Canada,* Toronto, New Canada Press, 1974. Publié dans RACAR, vol. 2, no 1, été 1975, pp. 51-55.
Vézina, Raymond, « Evolution of the Lineage of Théophile Hamel : 1636-1975. An Instance of Social Advancement Due tu Art », *French Canadian and Acadian Genealogical Review,* 1975. Photos anciennes et récentes de la famille Hamel.

2. *Documents divers*

« Mort de Gustave Hamel », *L'Éclaireur,* 1er et 15 mars 1917.
« Feu Gustave Hamel », *L'Événement,* 22 février 1917.
« Madame Dessane, née Irma Trunel de la Croix-Nord », BRH, 1933, pp. 76-79.
Mère Mallet (1805-1871) et l'Institut des Sœurs de la Charité de Québec, Québec, s.éd., 1939, 622 p.
Album-souvenir de la Basilique de Notre-Dame de Québec, Québec, 1923, 87 p.
L'histoire du Saguenay. Depuis l'origine jusqu'à 1870, Chicoutimi, Société historique du Saguenay, 1938, 331 p.
Album souvenir du 150e anniversaire de fondation du Séminaire de Nicolet 1803-1953, Nicolet, s.éd., 212 p.
L'Institut canadien de Québec, 1848-1948, 59 p.
100th Anniversary. St. Patrick's Parish, Québec, 1956, 53 p.
« Reverend Patrick McMahon, Art and history blend in old St. Pat's Church », *Quebec Chronicle-Telegraph,* 26 mai 1967.
« Rue McMahon, les restes du religieux-fondateur », *Journal de Québec,* 24 mai 1974.
Andrews, Bernadette, « Canada's history lives in portraits », *Toronto Telegram,* 18 décembre 1970.
Bélanger, Léonidas, « Brèves notes historiques sur l'agriculture et l'industrie laitière », *Saguenayensia,* mai-juin 1974, pp. 52-61. Photo de John Kane, p. 53.
Bergin, Jenny, « Quebec art featured in Gallery exhibition », *Ottawa citizen,* 22 janvier 1971.
Bergin, Jenny, « Portraits reflect another age », *The Saturday citizen,* 23 janvier 1971.
Bourassa, Anne, *Napoléon Bourassa 1827-1916,* Montréal, 1968, 88 p.
Brassard, Gérard, *Armorial des évêques du Canada,* Montréal, Mercury Publishing, 1940, 403 p.
Casgrain, Henri-Raymond, *A.S. Falardeau et A.E. Aubry,* Montréal, Beauchemin, 1912. 141 p. Reprise d'un texte ancien. Réédité en 1925.
Casgrain, H.-R., *Une excursion à l'Île-aux-Coudres.* Montréal, Beauchemin, 1925. Première édition en 1875.
Casgrain, H.-R., *Oeuvres complètes,* tome I : *Biographies canadiennes,* Montréal, Beauchemin, 1885.
Casgrain, H.-R., *La famille De Sales Laterrière,* Québec, Léger Brousseau, 1870, 63 p.
Cauchon, Michel, *Jean-Baptiste Roy-Audy,* Québec, Ministère des affaires culturelles, 1971, 151 p.
Charland, Paul, « Les ruines de Notre-Dame », *Le Terroir,* 1924, p. 438.
Desilets, Alphonse, *Les cent ans de l'Institut canadien de Québec,* Québec, Institut canadien, 1949, 254 p.
Desjardins, Paul, *Le Collège Sainte-Marie de Montréal. La fondation. Le Fondateur,* Montréal, Collège Sainte-Marie, 1940, 316 p.
Dingman, Elisabeth, « Art show and aid to national unity », *The Toronto Telegram,* 21 décembre 1970.
Dionne, N.-E., *Historique de l'église Notre-Dame des Victoires,* Québec, Brousseau, 1888, 88 p.
Dyonnet, Edmond, « L'art chez les Canadiens français », dans *The Year Book of Canadian Art,* Toronto, 1913, pp. 218-229. Reproduit dans : *Mémoires d'un artiste canadien,* Ottawa, éd. de l'université d'Ottawa, 1968, 144 p.
East, Charles, « Saint Augustin de Portneuf », *L'Action catholique,* 8 septembre 1934.
Falardeau, Émile, *Artistes et artisans du Canada,* Montréal, Ducharme, 1940. 93 p.
Falardeau, Émile, *Un maître de la peinture. Antoine-Sébastien Falardeau,* Montréal, Albert Levesque, 1936, 165 p.

Fidelis, *Mère Marie-Rose, fondatrice de la congrégation des SS. Noms de Jésus et de Marie,* Montréal, Desbarats, 1895, 775 p.
Gour, Romain, *Courtes biographies canadiennes,* vol. IV, no 1, Montréal, éditions Éoliennes, 1952.
Hébert, Bruno, *Philippe Hébert, sculpteur,* Montréal, Fides, 1973, 157 p.
Jamieson, Jack, « Early canadian paintings warrant investigation if unidentifiable », *London Evening Free Press,* 14 avril 1971.
Labrecque, Cyrille, *Album souvenir de Notre-Dame de Québec,* Québec, 1947, 73 p.
Lebel, Marc Savard, Pierre Vézina, Raymond, *Aspects de l'enseignement au Petit séminaire de Québec,* Québec, Société historique, 1968, 221 p.
Le Moine, Roger, *Napoléon Bourassa. L'homme et l'artiste,* Ottawa, Éditions de l'université d'Ottawa, 1974, 259 p.
Longley, Ronald Stewart. *Sir Francis Hincks.* Toronto, The University of Toronto Press, 1943. VI-480 p.
Melançon, Joseph-Marie, *La vie de Mère Marie-Rose, fondatrice de la communauté des Sœurs des Saints Noms de Jésus et de Marie,* Montréal, Adjutor Ménard, 1928, 78 p.
Maurault, Olivier, « Souvenirs canadiens. Album de Jacques Viger », *Cahier des Dix,* 1944, pp. 83-99.
Moissan, Stephane, « Je voudrais que ma peinture se transforme en une poésie : Louise « Hamel », *La Patrie du Dimanche,* 11 septembre 1960.
Montpetit, A.-N., *Nos hommes forts,* Québec, Darveau, 1884.
Moreau, Adolphe, *Album publié à l'occasion du 50e anniversaire de la paroisse Saint-Jean-Baptiste de Québec,* Québec, L'Action catholique, 1936, 239 p.
Morin, Conrad-Marie, *Positio. Super introductione causae et virtutibus ex officio concinnata,* Rome, Tipys Polyglottis Vaticanis, 1966, 1133 p. Cause de Mère Marie-Rose.
Morisset, Gérard, « Les églises de Saint-Jean-Baptiste », *Album du 50e anniversaire de la paroisse Saint-Jean-Baptiste,* 1936, pp. 136-138.
Morisset, Gérard, « La collection Desjardins », *Le Canada Français,* septembre 1933 ; mai, octobre, novembre et décembre 1934 ; janvier, février, mars et avril 1935. L'auteur consacre plus de 100 pages à l'étude des tableaux de la collection.
Ostiguy, Jean-René, « Ozias Leduc » dans *Bulletin du centre de recherche en civilisation canadienne-française,* vol. IV, no 2, pp. 19-22.
Pallasio-Morin, Ernest, « Quand la peinture peut mettre le passé artistique au présent », *Photo-Journal,* 6 décembre 1970, p. 14.
Potvin, Damase, « L'homme de fer du Saguenay », *Le Devoir,* 1er octobre 1936.
Potvin, Damase, *Peter McLeod,* Québec, Potvin, 1937, 207 p.
Proulx, Louis, « L'abbé Antoine Villain ou Villade par Ludger Ruelland », BRH, 1903, pp. 123-126.
Robert, Guy, « De Krieghoff au rayon laser », *Magazine Maclean's,* janvier 1972, p. 45.
Robson, A.H., *Canadian landscape painters,* Toronto, The Ryerson Press, 1932, 227 p.
Roy, J.-Edmond, *Histoire du notariat au Canada,* Lévis, 1900, 594 p.
Rumilly, Robert, *Histoire de Montréal,* Montréal, Fides, 1970, t. 2, 419 p.
Simard, André, *Les évêques et les prêtres du diocèse de Chicoutimi 1878-1968,* Chicoutimi, 1969, 813 p.
Sulte, Benjamin, « Les Mountain au Canada », BRH, 1914, pp. 355-357.
Tanguay, Louis et Duchesne, Vianney, « Le crâne du père McMahon retrouvé après bien des tribulations », *Le Soleil,* 25 mai 1974.
Thompson, Arthur N., « Alexander Neil Bethune », *Dictionnaire biographique du Canada,* t. X, 1972, pp. 56-61.
Tremblay, Victor, « La Société du Curé Hébert », *Rapport de l'archiviste,* 1848-1849, pp. 277 et suivantes.
Tremblay, Victor, *Histoire du Saguenay,* Chicoutimi, La Société historique, 1969, 449 p.
Trudel, Marcel, *Chiniquy,* Québec Éditions du Bien public, 1955, XXXVIII-339 p.
Wilson, Peter, « Early French-canadian works on exhibition at art Gallery », *Toronto Daily Star,* 22 décembre 1970.
Vézina, Raymond, *Cornelius Krieghoff. Peintre de mœurs (1815-1872),* Québec, Pélican, 1972, 220 p.

III — Catalogues et instruments

A — Catalogues

Catalogue de l'exposition de portraits tenue à Montréal en 1887.

Exposition de peinture et dessins à l'Académie commerciale de Québec, 25 octobre 1920, 11 p.

Catalogue. The National Gallery of Canada, Ottawa, Imprimeur de la Reine, 1931.

Exposition particulière au musée McCord, 1932, Montréal.

Catalogue. The National Gallery of Canada, Ottawa, Imprimeur de la Reine, 1936.

Exposition Théophile Hamel au musée du Québec, 1936, Documentation IBC.

A century of Canadian art, London, Tate Gallery, 1938, 263 numéros.

Le développement de la peinture au Canada 1665-1945, Toronto, The Ryerson Press, 1945, 65 p.

Painting in Canada. A selective Historical Survey, Albany, Institute of History and Art, 10 janvier-10 mars 1946.

The Arts of French Canada 1613-1870, Détroit, Institute of Arts, 1946, 52 p.

The National Gallery of Canada, Catalogue of paintings, Ottawa, 1948, 272 p.

Exposition de l'Institut canadien, 1948, Documentation IBC.

Exposition rétrospective de l'art au Canada français, Québec, Secrétariat de la province, 1952, 118 p. Introduction par Gérard Morisset.

Exhibition of Canadian painting to celebrate the coronation of her Majesty Queen Elizabeth II, Ottawa, The National Gallery, 1953, 69 œuvres.

Portraits canadiens du 18e et 19e siècles, Ottawa, Galerie nationale, 1959, 30 p.

The National Gallery of Canada, Catalogue. Vol. III, Canadian School. Ottawa, Trustees, 1960, XXVII-463 p.

The Art Gallery of Toronto. Painting and sculpture, Toronto, Rous and Mann, 1959, 95 p.

Painting and sculpture ; illustration of selected paintings and sculpture from the collection, Toronto, Art Gallery, 1959, 95 p.

Héritage de France. La peinture française de 1610 à 1760, Ottawa, 1962, 156 p.

Trésors de Québec ; exposition de peintures provenant de Québec et des environs, Québec, The Simpson Press, 1956, 63 p.

Exposition de peintures canadiennes, Semaine française, Toronto, 1966.

Le peintre et le Nouveau Monde ; études sur la peinture de 1564 à 1867 pour souligner le centenaire de la confédération canadienne. Montréal, musée des Beaux Arts, 1967, 346 p.

Deux cents ans de peinture québécoise, Montréal, Université McGill, 1969.

The Road to expansion. Exposition au musée de Montréal, 1970.

Exposition. Art Gallery of Ontario, 1970-1971.

Trésors des communautés religieuses de la ville de Québec, Québec, Ministère des affaires culturelles, 1973, 199 p.

Christie's with Montreal Book Auctions catalogue, 16 avril 1969.

Christie's in Canada, *Catalogue of 19th and 20th century paintings,* Montréal, octobre 1974, 96 p.

L'encan des livres de Montréal, décembre 1974, 25 p.

Schilderkunst in België ten tijde van Henri Leys (1815-1869), Anvers, Koninklijk Museum, 1969, s.p.

Allen Heinrich, Théodore, *Art treasures in the Royal Ontario Museum,* Toronto, McClelland and Stewart, 1963, VIII-200 p.

Carrier, Louis, *Catalogue du musée du Château de Ramesay de Montréal,* Montréal, Société d'archéologie, 1962, 176 p.

Carter, Purves, *Descriptive and historical catalogue of the paintings in the Gallery of Laval University,* Québec, *L'Événement,* 1908, 230 p.

Carter, Purves, *Musée de peintures. Université Laval. Trésors artistiques de l'Université Laval,* livret officiel, Québec, s. éd., 1909, 50 p.

Corbeil, Wilfrid, *Le musée d'art de Joliette,* Montréal, s.éd., 1971, 291 p.

Hubbard, R.H., *Canadian painting. An exhibition arranged by the National Gallery of Canada,* Washington, National Gallery, 1950, 25 p.

Hubbard, R.H., *L'évolution de l'art au Canada,* Ottawa, Galerie nationale, 1963.

Hubbard, R.H. et Ostiguy, J.R., *Three hundred years of Canadian Art,* exposition organisée à l'occasion du centenaire de la confédération, Ottawa, 1967, V-256p.

Hubbard, R.H., *Deux peintres de Québec : Antoine Plamondon 1802-1895. Théophile Hamel 1817-1870,* Ottawa, Galerie nationale, 1970, 176 p.

Hubbard, R.H., *Peintres du Québec : Collection Maurice et Andrée Corbeil,* Ottawa, Galerie nationale, 1973, 212 p.

Kenney, James, *Catalogue of pictures including paintings, drawings and prints.* Ottawa, Public Archives of Canada, 1925. XXXIV-169 p.

Lailler, Dan, *Jacques Cartier 1491-1557,* Musée de Saint-Malo, Saint-Malo, 1957, 31 p.

Medeyros, Paulo, *Peinture canadienne contemporaine, Art canadien au Brésil,* 1945, pp. 161-163.

Moerman, André A., *De Gustaf Wappers à Henry Leys.* Bruxelles, musées royaux, 1973, 52 p.

Morisset, Gérard, *Les arts au Canada français,* International festival, Vancouver, Vancouver Art Gallery, 1959.

Morris, Edmund, *Art in Canada. The early painters,* janvier 1911, 40 p.

Ready, Wayne J., *Portraits anciens du Canada,* Ottawa, Imprimeur de la Reine, 1969, 5 pages.

Trudel, Jean, *Peinture traditionnelle du Québec,* Québec, Ministère des affaires culturelles, 1967, pp. 8-9.

B — Instruments

Bibliographie rétrospective des publications officielles de la Belgique, 1794-1914, Louvain, Nauwelaerts, 1963.

List of painting of the French cathedral of Quebec, vers 1900, Archives du diocèse de Québec, feuillet imprimé.

Encyclopedia Canadiana, Ottawa, Grolier, 1962, pp. 68-69.

Guide to the Royal Ontario Museum, Toronto, University of Toronto Press, 1964, 57 p.

Montreal Museum of Fine Arts, Montréal, Musée des Beaux-Arts, 1967.

Guide sommaire des archives de la Société historique du Saguenay, Chicoutimi, 1973, 582 p.

Allaire, J.-B.-A., *Dictionnaire biographique du clergé canadien-français,* Montréal, 1910-1934.

Bautier, P., *Dictionnaire des peintres,* Bruxelles, s.d.

Benezit, E., *Dictionnaire des peintres, sculpteurs,* Grund, 1961.

Brauwere, Jules de. *Anvers. Musée royal illustré.* Bruxelles, Huysmans, 1894.

Desjardins, Joseph, *Guide parlementaire historique de la province de Québec 1792-1902,* Québec, 1902, XXIV-395 p.

Harper, J. Russell, *Early painters and engravers in Canada, Toronto,* University of Toronto Press, 1970, 376 p.

Harris, Robert, « Art in Quebec and the Maritimes provinces », dans Hopkins, Castell, *Canada. An encyclopedia of the country,* Toronto, 1898, 5 vol.

Hughes, Margaret, « A guide to Canadian painters », *Ontario Library Review,* mai-août 1940.

Macdonald, Colin, *A dictionary of Canadian Artists,* Ottawa, Canadian Paperbacks, 1968, vol. 2, Hamel.

Morgan, Henry J., *Sketches of celebrated canadians and persons connected with Canada,* Québec, Hunter, 1862.

PontBriand, B., *Répertoire des mariages de Notre-Dame-de-Québec,* 1850-1908, chez l'auteur, 1963.

Racine, Denis et Racine, Lucien, *Dictionnaire généalogique de la famille Racine,* sous presse, Québec.

Roy, Pierre-Georges, *Inventaire des testaments, donations et inventaires du régime français,* Québec, 1941.

Seyn, E. De., *Dictionnaire biographique des sciences, des lettres et des arts en Belgique,* Bruxelles, 1935-1936.

Talbot, Éloi, *Recueil de généalogies des comtés de Charlevoix et Saguenay,* La Malbaie, Société historique, 1941, 594 p.

Talbot, Éloi, *Inventaire des contrats de mariages au greffe de Charlevoix,* La Malbaie, Société historique, 1943, 374 p.

Tanguay, Cyprien, *Répertoire général du clergé canadien,* Montréal, Senecal, 1893.

Taylor, James P., *The Cardinal facts of Canadian History,* Toronto, The Hunter, 1899, 228 p.

Thieme, Ulrich, *Allgemeines Lexikon,* Leipzig.

Wallace, Stewart, *The Encyclopedia of Canada,* t. III, Toronto, University Associates, 1936.

Wallace, Stewart, *The Macmillan dictionary of Canadian Biography,* London, Macmillan, 1963.

INDEX

LISTE DES TABLEAUX

Achevé d'imprimer
le 15 novembre 1975, à Montréal
par Les Presses Elite
lithogravure par
Lithochrome (1974) Inc.
pour les Éditions Élysée